ДЭВ[illegible]
БОЛДАЧЧИ

НЕВИННАЯ

Москва
2019

УДК 821.111-312.4(73)
ББК 84(7Сое)-44
Б79

Разработка серии *Андрея Саукова*

Иллюстрация на суперобложке
и переплете *Филиппа Барбышева*

Болдаччи, Дэвид.

Б79 Невинная / Дэвид Болдаччи ; [пер. с англ. А. В. Филонова]. – Москва : Эксмо, 2019. – 448 с. – (Дэвид Болдаччи. Гигант мирового детектива).

ISBN 978-5-04-103591-4

Все детективы и триллеры Болдаччи стали бестселлерами. Но серия об Уилле Роби – самая популярная и любимая миллионами читателей по всему миру, по-настоящему запавших на ее главного героя – настоящего мужчину с несгибаемым характером и стальными мускулами, но при этом с нежным и горячим сердцем, остро реагирующим на несправедливость.

Уилл Роби — лучший ликвидатор на службе у правительства. Его дело — без сомнений и угрызений совести приводить в исполнение неофициальные смертные приговоры врагам государства. Но вот однажды Роби совершил то, о чем до этого даже помыслить не мог. Выйдя на цель, он не спустил курок. Ведь «целью» оказалась молодая женщина с двумя маленькими детьми...

УДК 821.111-312.4(73)
ББК 84(7Сое)-44

ISBN 978-5-04-103591-4

ГЛАВА 1

Во время короткого перелета из Дублина в Эдинбург Уилл Роби внимательно наблюдал за всеми пассажирами до единого и наконец уверенно заключил, что шестнадцать из них — возвращающиеся шотландцы, а пятьдесят три — туристы.

Роби не был ни шотландцем, ни туристом.

Полет занял сорок семь минут — сначала через Ирландское море, а потом через изрядный кус Шотландии. Поездка на такси из аэропорта отняла еще пятнадцать минут его жизни. Остановился он не в «Балморале» и не в «Скотсмане», как и ни в одном из прочих прославленных заведений древнего города, а снял одну комнату на третьем этаже здания с замызганным фасадом в девяти минутах пешком в гору от центра города. Взял свой ключ и расплатился за одну ночь наличными. Отнес свою небольшую сумку в комнату и сел на кровать. Заскрипев под его весом, она просела на добрых три дюйма.

Ничего другого, кроме скрипа и вмятин, за такие гроши не получишь.

Роби, при росте на дюйм сверх шести футов, весил фунтов сто восемьдесят[1]. Обладая каменными мышцами и компактной мускулатурой, он больше полагался на

[1] Соотв., ок. 185 см и 82 кг.

проворство и выносливость, нежели на чистую силу. Нос ему однажды сломали из-за его же собственной ошибки. Вправлять его Уилл не стал, потому что не хотел забывать о промахе. Один из задних зубов был искусственным, доставшись в комплекте со сломанным носом. Его от природы темные волосы росли пышно, но Роби предпочитал не отпускать их больше чем примерно на полдюйма длиннее флотского бобрика. Несмотря на выразительные черты лица, он сделал их почти незапоминающимися тем, что никогда и ни с кем не встречался взглядом.

У него имелись татуировки на одной руке и спине. Одна изображала здоровенный зуб большой белой акулы, вторая — красный росчерк, смахивавший на горящую молнию. В практическом плане они скрывали старые шрамы, рубцы от которых так толком и не рассосались. И каждый имел для него собственное значение. Поврежденная кожа заставила татуировщика повозиться с Роби, но результат оказался вполне удовлетворительным.

Роби было тридцать девять лет от роду, и завтра должно исполниться сорок. Но в Шотландию он прибыл вовсе не затем, чтобы отпраздновать эту личную веху. Он приехал по работе. В половине из всех трехсот шестидесяти пяти дней в году Уилл либо работал, либо был в пути, чтобы выполнить работу.

Роби оглядел комнатенку. Тесная, адекватная, без украшений, расположена стратегически. Он невзыскателен. Пожитков у него раз-два и обчелся, а потребностей и того меньше.

Встав, Уилл подошел к окну и прижался лицом к прохладному стеклу. Небо пасмурное. В Шотландии это обычное дело. День, когда солнце светит в Эдинбурге с утра до вечера, его жители обычно встречают с благодарностью и изумлением.

Где-то далеко слева стоит Холирудский дворец — официальная резиденция королевы в Шотландии. Отсюда не видно. Далеко справа — Эдинбургский замок.

Этой потрепанной старой постройки тоже не видать, но Роби в точности знал, где она.

Посмотрел на часы. Еще целых восемь часов.

Часы спустя внутренний будильник прервал его сон. Покинув комнату, Роби зашагал к Принсесс-стрит. Миновал величественный отель «Балморал», крепко укоренившийся в центре города. Заказал легкую трапезу и выпил воды из-под крана, несмотря на широкий ассортимент стаутов, представленный на полке над баром. Поглощая еду, провел какое-то время, глазея на уличного артиста, жонглировавшего мясницкими ножами верхом на моноцикле, попутно потчуя зевак забавными байками, поданными с шикарным рокочущим шотландским акцентом. А еще был субъект, выряженный как человек-невидимка, фотографировавшийся с прохожими по два фунта с носа.

После еды Роби неспешным шагом направился к Эдинбургскому замку. Тот замаячил вдали — огромный, импозантный, ни разу не взятый силой, только хитростью.

Вскарабкавшись на верх замка, оглядел хмурую шотландскую столицу. Провел ладонью по пушке, выстрелить которой больше не суждено. Повернувшись налево, охватил взглядом простор моря, сделавшего Эдинбург столь важным портом столетия назад: суда приходили и уходили, доставляя фрахт и принимая на борт свежий груз. Роби потянул затекшие конечности, ощутив хруст и щелчок в левом плече.

Сорок.

Завтра.

Но сперва надо дотянуть до завтра.

Посмотрел на часы.

Еще три часа.

Покинув замок, Уилл направился вниз по боковой улочке.

Переждал внезапный ледяной ливень под навесом кафе, выпив чашечку кофе.

Потом миновал вывеску призрачного турне по Подземному Эдинбургу, только для взрослых и только когда совсем смеркнется. Почти пора. Роби запоминал каждый шаг, каждый поворот, каждое движение, которое придется сделать.

Чтобы жить.

И, как всякий раз, оставалось лишь уповать, что этого будет достаточно.

Уилл Роби не хотел умирать в Эдинбурге.

Чуть позже он миновал человека, кивнувшего ему. Это был чуть заметный наклон головы, ничего более. Потом человек скрылся, а Роби свернул в дверной проем, который тот освободил. Закрыл и запер за собой дверь, и двинулся вперед, прибавляя шагу. Его туфли на резиновой подошве на каменному полу не издавали ни звука. Через шестьсот футов он увидел справа дверь. Зашел. На гвозде висела старая монашеская ряса. Надел ее и накинул капюшон на голову. Были там и другие вещи для него. Сплошь необходимые.

Перчатки.

Прибор ночного видения.

Диктофон.

Пистолет «Глок» с глушителем.

И нож.

Роби ждал, поглядывая на часы каждые пять минут. Его часы были синхронизированы с точностью до секунды с чьими-то еще.

Открыл другую дверь и прошел через нее. Двинувшись вниз, добрался до решетки в полу, поднял ее и быстро скользнул вниз по железным скобам, вмурованным в камень. Беззвучно опустился на пол и двинулся налево, считая шаги. Над ним был Эдинбург. По меньшей мере «новая» его часть.

Он шел по Подземному Эдинбургу, приютившему несколько призраков и пеших экскурсий. Под Южным мостом и районами старого города есть склепы вроде Тупика Мэри Кинг, в числе прочих. Уилл скользил во тьме кирпичных и каменных коридоров, благодаря ПНВ видя все с безупречной резкостью. Электрические лампочки на стенах были развешаны через довольно регулярные интервалы, но вокруг все равно было очень сумрачно.

Роби чуть ли не явственно слышал вокруг себя голоса мертвых. По местным преданиям, когда в семнадцатом веке нагрянула чума, особенно сильно она ударила по беднейшим кварталам вроде Тупика Мэри Кинг. А город в ответ замуровал здесь людей навеки, дабы предотвратить распространение морового поветрия. Роби не знал, правда это или нет, но не удивился бы, даже окажись это правдой. Именно так цивилизация порой разделывается с угрозами, реальными или мнимыми. Их замуровали. Или они, или мы. Выживает сильнейший. Ты умрешь, чтобы мог жить я.

Посмотрел на часы.

Еще десять минут.

Двинулся медленнее, подлаживая шаг так, чтобы прибыть за считаные секунды до расчетного времени. Просто на всякий случай.

И услышал их еще прежде, чем увидел.

Их было пятеро, не считая гида. Субъект и окружающие.

Наверняка вооружены. Наверняка наготове. Окружающие наверняка полагают, что это идеальное место для засады.

И совершенно правы.

Со стороны субъекта было глупо спускаться сюда.

Так и есть.

Морковка должна была быть особенно большой.

И была.

Здоровенной, потому что полной хренью. И все же тот пришел, потому что не въехал. Что заставило Роби задуматься, а так ли уж тот опасен на самом деле. Но это не его ума дело.

У него еще четыре минуты.

Глава 2

Роби обогнул последний поворот. Услышал, как гид шпарит затверженные побасенки таинственным, загробным голосом. Мелодрамы окупаются, подумал Уилл. И на самом деле уникальность этого голоса играет в сегодняшнем плане жизненно важную роль.

Приближался поворот под прямым углом. Экскурсия направлялась к нему.

Как и Роби, только с противоположной стороны.

График рассчитан настолько плотно, что на ошибку — ни малейшего допуска.

Роби считал шаги, зная, что гид делает то же самое. Они даже упражнялись, отрабатывая длину шагов, чтобы добиться безупречной хореографии. Семь секунд спустя гид — такого же роста и телосложения, как Роби, и одетый в такую же рясу, как и он, зашел за угол, опередив свою группу всего на пять шагов, держа в руке фонарик — единственное, чего Роби не мог воспроизвести. У него обе руки должны быть свободны, по очевидным причинам. Гид свернул налево и скрылся в расселине в скале, ведущей в другое помещение с другим выходом.

Едва увидев это, Роби развернулся, оказавшись спиной к группе, которая вот-вот выйдет из-за угла. Одна рука скользнула к диктофону на поясе, включив его. Театральный голос гида зарокотал, продолжая рассказ, на минутку прерванный, чтобы зайти за угол.

Роби было не по душе поворачиваться спиной к кому бы то ни было, но иначе план не сработает. У них фонари. Они сразу увидели бы, что он не гид. Что он не говорит. Что на нем ПНВ. Голос продолжал бубнить. Роби зашагал вперед.

Придержал шаг. Они его нагнали. Лучи их фонарей осветили его спину. Он услышал их коллективное дыхание. Почуял их запахи. Пот, одеколон, чеснок, съеденный с трапезами. Их последними трапезами.

«Или моими, смотря, как пойдет».

Пора. Он обернулся.

Глубокий ножевой порез снял головного. Тот повалился на пол, пытаясь удержать свои раскромсанные органы. Второму Роби выстрелил в лицо. Звук заглушенного выстрела щелкнул, как резкая пощечина, эхом отдавшись от каменных стен вперемешку с воплями умирающих.

Теперь остальные отреагировали. Но они не были настоящими профессионалами. Их добыча — слабые и плохо обученные. Роби не был ни тем, ни другим. Их оставалось трое, но хоть какие-то проблемы могли доставить лишь двое.

Уилл метнул нож, вонзившийся в грудь третьего. Тот рухнул с сердцем, раскроенным почти надвое. Стоявший позади него выстрелил, однако Роби уже пришел в движение, воспользовавшись третьим, как щитом. Пуля впилась в каменную стену. Часть ее осталась в стене, часть срикошетировала, увязнув в противоположной стене. Тот выстрелил во второй и третий раз, но промахнулся, потому что адреналин у него зашкалил, сбив тонко отлаженную моторику и помешав прицелиться точно. Тогда он в отчаянии попытался палить, куда бог пошлет, опорожнив магазин. Пули отлетали от твердых камней. Одна рикошетом угодила в голову ведущему, но не убила, потому что он уже истек кровью, а вторая смерть покойнику не грозит. Пятый бросился ничком на твердый пол, накрыв голову руками.

Роби видел все это. Упав на пол, он сделал один выстрел в лоб номера четвертого. Так уж он их назвал. Номера. Безличные. Так убивать проще.

Теперь остался лишь номер пятый.

Пятый был единственной причиной, по которой Уилл Роби прилетел сегодня в Эдинбург. Остальные были просто несущественны, их смерти по большому счету роли не играли.

Номер пятый встал и попятился, когда Роби поднялся на ноги. У него оружия не было. Он не видел нужды носить его. Не царское это дело — обременять себя оружием. Несомненно, сейчас он пожалел об этом решении.

Он просил. Умолял. Он заплатит. Сколько угодно. А когда увидел направленный на него ствол, перешел к угрозам. Какой он важный человек. Насколько могущественны его друзья. Что они учинят с Роби. Сколько мук Роби вынесет. Он сам и его близкие.

Уилл пропустил все это мимо ушей. Он уже слышал такое не раз.

Выстрелил дважды.

В правое и левое полушария мозга. Всегда летально. Как и сегодня.

Номер пятый расцеловался с каменным полом, с последним дыханием изрыгнув в адрес Роби матерное определение, которого не слышали ни Уилл, ни он сам.

Повернувшись, Роби вышел через ту же расщелину, что и гид.

Шотландия его не убила.

И он чувствовал благодарность за это.

* * *

Устранение пяти человек ничуть не потревожило крепкий сон Роби.

Проснувшись в шесть утра, он позавтракал в кафе за углом дома, где остановился. Позже пешком дошел до вокзала Уэверли рядом с отелем «Балморал» и сел на поезд до Лондона. Чуть более четырех часов спустя, прибыв на вокзал Кингс-Кросс, взял такси до Хитроу. 777-й «Бритиш эруэйз» пошел на взлет ближе к вечеру. При слабом встречном ветре самолет коснулся посадочной полосы аэропорта Даллеса семь часов спустя. В Шотландии было пасмурно и зябко; в Вирджинии день выдался жаркий и сухой. Солнце уже клонилось к западу. За день набежали тучи, но грозы не будет, потому что влаги в воздухе нет. Матушка-природа только и могла что грозиться.

Перед терминалом аэропорта его ждал автомобиль. Никакой таблички с именем.

Черный внедорожник.

Правительственные номера.

Сев, он защелкнул ремень безопасности и взял экземпляр «Вашингтон пост», лежавший на сиденье. Никаких инструкций водителю не давал – тот знал, куда ехать.

Движение на платной автодороге Даллеса было на диво редким.

Телефон завибрировал. Роби поглядел на экран.

Одно слово: «Поздравляю».

Сунул телефон обратно в карман пиджака.

По его мнению, слово «поздравляю» было неуместно. «Спасибо» тоже было бы неуместно. Роби не знал, какое слово пришлось бы к месту после убийства пятерых человек.

Пожалуй, никакое. Пожалуй, достаточно промолчать.

Его привезли к зданию у Чейн-Бридж-роуд в Северной Вирджинии. Никакого рапорта не будет. Лучше, когда никаких записей. Если возбудят расследование, обнаружить записи, которых не существует, не удастся никому.

Но если заварятся неприятности, официального прикрытия у Роби не будет.

Он направился в кабинет, официально ему не принадлежащий, однако отданный ему в полное распоряжение, когда порой требовалось. Несмотря на поздний час, люди еще работали. С Роби они не заговаривали. Даже не глядели. Разумеется, они даже не догадываются, что он сделал, но им хватает ума не взаимодействовать с ним.

Сев за стол, Уилл постучал по клавишам компьютера, отправил несколько электронных писем и уставился в окно — на самом деле и не окно вовсе, а просто ящик, имитирующий солнечный свет, потому что настоящее окно — просто дыра, через которую могут проникнуть посторонние.

Час спустя вошел бледнолицый одутловатый мужчина в помятом костюме. Оба даже не поздоровались. Положив на стол перед Роби флеш-накопитель, одутловатый развернулся на пятке и удалился. Уилл воззрился на серебристый предмет. Следующее задание уже готово. Последние пару лет их темп все растет и растет.

Сунув флеш-накопитель в карман, Роби ушел. На сей раз сам сел за руль «Ауди», припаркованного на свободном месте в смежном гараже. Скользнув на сиденье, почувствовал себя комфортно. «Ауди» принадлежал ему — уже четыре года. Проехал через КПП. Охранник тоже даже не поглядел на него.

Невидимка в Эдинбурге. Уж Роби ли не знать, каково быть невидимкой... Выехав на дорогу общественного пользования, он переключил передачу и прибавил скорость. Телефон снова завибрировал. Роби бросил взгляд на экран.

«С днем рождения».

Это не побудило его улыбнуться. Не побудило вообще ни к чему — разве что положить телефон на соседнее сиденье и дать газу.

Не будет ни торта, ни свечек.

Сидя за рулем, Роби думал о подземном тоннеле в Эдинбурге. Четверо из покойных были телохранителями — матерыми, отчаянными людьми, предположительно убившими за последние пять лет не меньше пятидесяти человек, в том числе детей. Пятым с двумя дырками в башке был Карлос Ривера, торговец наркотиками и подростками для проституции, невероятно богатый и приехавший в Шотландию отдохнуть. Однако Роби знал, что на самом деле Ривера прибыл в Эдинбург, по-видимому, ради встречи на высшем уровне с криминальным царем из России в попытке консолидировать бизнес-интересы обоих. Даже бандитам по душе глобализация.

Роби было приказано убить Риверу, но не из-за его торговли людьми и наркотой. Ривера должен был умереть, поскольку Соединенные Штаты прознали, что он планирует в Мексике государственный переворот, опираясь на помощь нескольких высокопоставленных генералов мексиканской армии. Получившееся правительство было бы настроено к Америке отнюдь не дружественно, так что допустить этого было нельзя. Встреча с русским уголовным царем была подставой, морковкой. Не было никакого царька и никакой встречи. Неугодные мексиканские генералы тоже мертвы – убиты людьми вроде Роби.

Приехав домой, он два часа гулял по темным улицам. Дошел до реки и полюбовался, как фары на вирджинской стороне рассекают ночь. По спокойной глади Потомака мимо проплыл полицейский патрульный катер.

Роби устремил взгляд в буроватое безлунное небо; торт без свечей.

«С днем рожденья меня».

Глава 3

Было три часа ночи.

Уилл Роби не спал уже два часа. Задание, изложенное на флеш-накопителе, заставит его отправиться куда дальше Эдинбурга. Мишень – очередной тщательно оберегаемый субъект, имеющий куда больше денег, чем совести. Роби трудился над этой задачкой почти месяц. Мелочей не счесть, а допуск на ошибку даже меньше, чем с Риверой. Изнурительная подготовка взыскала с Роби свою дань. Он не мог уснуть. Да и ел всего ничего.

Но сейчас Уилл пытался отдохнуть. Он сидел в тесной кухоньке своей квартиры, расположенной в зажиточном районе с массой великолепных строений. Дом Роби к их числу не принадлежал — старый, утилитарной постройки, с шумными трубами, странными запахами и липким ковровым покрытием. Его разношерстные трудолюбивые жильцы по большей части только вступали в жизнь. Каждое утро уходили ни свет ни заря, чтобы занять свои места в адвокатских и бухгалтерских конторах и инвестиционных концернах, раскиданных по всему городу.

Некоторые избрали для себя государственную карьеру, так что добирались на метро, автобусах, велосипедах, а то и просто пешком до больших правительственных зданий, приютивших организации вроде ФБР, налогового управления и Федерального резерва.

Роби никого из них не знал, хоть время от времени встречался с каждым. Его проинформировали о каждом из них. Все они вели замкнутый образ жизни, поглощенные своими карьерами и своими амбициями. Уилл тоже держался особняком. Готовился к следующей работе. Корпел над деталями, потому что только так и можно выжить.

Встав с постели, он поглазел из окна на улицу, где проехала лишь одна машина. Роби странствовал по миру уже с дюжину лет. И повсюду, где он побывал, кто-нибудь умирал. Уилл больше не помнил имен людей, чьи жизни оборвал. Они ничего не значили для него, когда он их убивал, не значили ничего и теперь.

Человек, раньше занимавший нынешний пост Уилла, трудился в особенно жаркое время для секретного агентства Роби. Шейн Коннорс ликвидировал почти на тридцать процентов больше объектов, чем Роби за то же самое время. Коннорс был хорошим, надежным наставником для преемника. После «отставки» Коннорса приставили к бумажной работе. В последние лет пять Роби с ним почти не контактировал. Но людей, которых он уважал бы больше, раз-два и обчелся. И мысль о Коннорсе заставляла Уилла чуточку мешкать с собственной отставкой. Через сколько-то лет это в конце концов произойдет.

«Если выживу».

Род занятий Роби – игры для молодых. Даже в сорок он понимал, что еще дюжины лет ему не протянуть. Его умения слишком истреплются. Одна из мишеней окажется лучше него.

И он умрет.

А потом его мысли снова обратились к Шейну Коннорсу, сидящему за письменным столом.

Пожалуй, это тоже смерть, просто называется по-другому.

Подойдя к входной двери, Роби заглянул в глазок. Хоть он и не знаком ни с кем из соседей лично, это вовсе не значит, что они его не интересуют. На самом деле они ему очень даже интересны. Трудно объяснить почему.

Они живут *нормальной* жизнью.

А Роби – нет.

Видеть, как они ведут повседневное житье-бытье – единственный способ поддерживать связь с реальностью.

Он даже подумывал начать общаться с кем-нибудь из них. Это не только обеспечит ему хорошее прикрытие – попытка влиться, – но и помогло бы подготовиться ко дню, когда он больше не будет заниматься тем, чем занимается теперь. Когда сможет вести более-менее нормальную жизнь.

А затем его мысли, как всегда, неизбежно снова обратились к предстоящей миссии.

Еще одна поездка.

Еще одно убийство.

Задание будет трудным; впрочем, легких и не бывало.

Он запросто может погибнуть.

Но так уж всегда.

Странный способ проводить свою жизнь, понимал Роби.

Но это *его* способ.

Глава 4

Сегодня Коста-дель-Соль[1] оправдывал свое название.

Роби надел шляпу цвета соломы с узкими полями, белую футболку, синюю куртку, выцветшие джинсы и сандалии. Его загорелое лицо заросло трехдневной щетиной. Он в отпуске — по крайней мере, с виду.

Роби поднялся на борт большого, громоздкого парома, чтобы пересечь Гибралтарский пролив. Поглядел назад, на горы, вздымающиеся вдоль изрезанного, впечатляющего испанского побережья. Тесная близость высоких скал и синего Средиземного моря чаровала взор. Полюбовавшись несколько секунд, Роби отвернулся, забыв образ почти тотчас же. Ум его занимало другое.

Скоростной паром направлялся в Марокко. Покидая Тарифскую гавань на пути в Танжер, он вздымался и раскачивался, как метроном. Но как только набрал скорость и вышел в открытое море, плавание пошло более гладко. Брюхо парома заполнено легковыми и грузовыми автомобилями, автобусами и фурами. А остальное битком набито пассажирами — едящими, играющими в галерее игровых автоматов и покупающими беспошлинные сигареты и парфюмерию чуть ли не вагонами.

Сидя на своем месте, Роби любовался пейзажами — по крайней мере, делал вид. Ширина пролива девять миль, и плавание продлится всего минут сорок. Не так уж много времени, чтобы обдумать что бы то ни было. Уилл поочередно то пялился на воды Средиземного моря, то изучал остальных пассажиров. По большей части туристы, жаждущие похвастаться, что были в Африке, хотя Роби и знал, что Марокко разительно отличается от представлений большинства об Африке.

Он сошел с парома в Танжере. Прибывшую орду уже дожидались автобусы, такси и экскурсоводы. Обойдя

---

[1] Солнечный берег (*исп.*).

всех их сторонкой, Уилл покинул порт пешком. Едва ступил на главную улицу городка, как его тотчас осадили торговцы вразнос, попрошайки и владельцы магазинов. Дети тянули его за куртку, выпрашивая деньги. Уткнув взгляд в землю, он не сбавил шага.

Прошел через запруженный народом рынок специй. На одном углу чуть не наступил на пожилую женщину, вроде бы уснувшую с несколькими батонами хлеба на продажу. Наверное, в этом вся ее жизнь, подумал Роби, — этот угол и несколько батонов хлеба на продажу. Одежда перепачкана, кожа тоже. Мягкая и пухлая, но не от обжорства, а от недоедания, как зачастую и бывает. Наклонившись, Уилл вложил ей в руку несколько монет. Ее узловатые пальцы тотчас сжали их.

Она поблагодарила его на своем языке. Он сказал «пожалуйста» на своем. Оба каким-то образом поняли этот обмен репликами.

Роби пошел дальше, прибавив шагу, взбегая по попадающимся лестницам по две-три ступеньки кряду. Миновал заклинателей змей, вешавших на шеи обгоревших на солнце туристов змей экзотических расцветок с вырванными клыками и ни за что не желавших их снять, пока им в ладонь не положат пять евро.

Славное вымогательство, если сумеешь пристроиться, подумал Роби.

Местом его назначения была комната над рестораном, сулящим аутентичные местные блюда. Он знал, что это западня для туристов. Блюда безличные, пиво теплое, а обслуга равнодушная. Водители автобусов залучают сюда ничего не подозревающую публику, а потом дуют в другие места, чтобы съесть куда лучшую трапезу.

Роби направился вверх по лестнице, отпер дверь в комнату ключом, полученным заранее, и запер ее за собой. Огляделся. Кровать, стул, окно. Всё, что нужно.

Положив шляпу на кровать, выглянул из окна и посмотрел на часы. Одиннадцать вечера по местному времени.

Флеш-накопитель давным-давно уничтожен. План составлен, а все ходы отработаны на макете в Штатах, в точности воспроизводящем его мишень. Теперь остается просто ждать — самое трудное из всего.

Сев на кровать, Роби помассировал шею, разминая мышцы, затекшие после долгого путешествия по воздуху и по морю. На сей раз мишенью будет не идиот вроде Риверы. Это осторожный человек с профессиональными активами, которые не станут посылать пули в белый свет почем зря. Справиться с ним будет потруднее — во всяком случае, должно быть.

Роби ничего не привез с собой из Испании, поскольку при посадке на паром надо проходить таможню. Если б испанская полиция нашла в сумке оружие, это было бы не просто проблемой. Но все нужное ему найдется в Танжере.

Сняв куртку, Уилл лег на кровать и дал уличной жаре навеять дремоту. Закрыл глаза, зная, что снова откроет их через четыре часа. Звуки улицы отошли на второй план, и он уснул. А когда проснулся, прошло почти четыре часа и наступило самое жаркое время суток. Утерев пот с лица, Роби снова подошел к окну и выглянул. Увидел, как большие туристские автобусы маневрируют на улицах, изначально не предназначавшихся для столь крупного и неуклюжего транспорта. Тротуары были забиты людьми — и местными, и приезжими.

Выждав еще час, он покинул комнату. На улице повернул на восток и поднажал. Через считаные секунды затерялся в суете и сутолоке старого города. Захватит необходимое и двинется дальше. Все эти предметы будут предназначаться для миссии. Он побывал в тридцати семи странах, ни разу не купив ни единого сувенирчика.

Семь часов спустя почти совсем стемнело. Роби подошел к большому, суровому строению с запада. За спиной у него был упрочненный кейс и ранец с водой, банкой для мочи и провизией. Покидать здание в ближайшие три дня он не собирался. Огляделся, ноздрями вбирая запахи страны третьего мира. Душный, тяжкий воздух сулил скорый дождь. Это его не заботило. Эта работа будет под крышей. Сверившись с часами, он услышал приближающийся звук. Нырнул за скопление бочек. Проехав мимо него, грузовик остановился. Роби зашел к нему сзади. Через три шага он уже был под машиной, держась за железки, торчащие из днища. Грузовик поехал дальше, потом снова остановился. Послышался долгий душераздирающий скрежет металла о металл. Машина снова дернулась вперед, так что Роби едва сумел удержаться.

Через полсотни футов грузовик опять остановился. Двери открылись, ноги коснулись пола. Дверцы со щелчком захлопнулись. Шаги направились прочь. Снова душераздирающий скрежет. Потом закаленные замки со щелчком заперлись. Наступила тишина, не считая шагов патруля вдоль периметра, который будет вышагивать там круглосуточно как минимум в ближайшие три дня.

Роби подгадал время так, что выскользнул из-под грузовика и отбежал как раз к тому моменту, когда скрежет прекратился. Технически сооружение обыскано снизу доверху и опечатано. Это была единственная возможность для Роби проникнуть внутрь. Миссия выполнена — во всяком случае, эта ее часть.

Он перескакивал по три ступеньки разом, и кейс с жесткими боковинами бил его по спине.

Началась скачка наперегонки со временем.

Добравшись до верхней площадки, он ухватился за балку и по-обезьяньи проворно пополз к намеченному месту. Качнулся влево, потом вправо и прыгнул.

Почти бесшумно приземлился на металл и помчался к точке в восьмидесяти футах оттуда, в самом темном углу.

И был на месте, имея в запасе целых пять секунд.

Свет погас, и включилась сигнализация. Внутреннее пространство тотчас же расчертили лучи энергии, невидимые для невооруженного глаза. Но стоит хоть кому-то, в ком бьется пульс, задеть один из них, и сирены взвоют. Все нарушители будут преданы казни. Вот такое местечко.

Роби повернулся на спину, обратив лицо к потолку.

Еще трое суток, то бишь семьдесят два часа.

Похоже, все его существование – сплошной обратный отсчет.

Глава 5

Пора.

Молитвенные коврики постелены. Колени коснулись земли, и все головы обратились к востоку, а затем опустились рядом с коленями. Рты раскрылись и забубнили знакомый речитатив.

До Мекки две тысячи пятьсот морских миль, часов пять лёту.

Но для людей на ковриках она куда ближе.

Как только молитвы были вознесены, а религиозный долг отправлен, коврики свернули и убрали. Аллах тоже убрался на задний план умов своих приспешников.

Есть было еще рано. Но пить уже не рано.

В Танжере есть места, приспособленные для этого, будь ты хоть мусульманский трезвенник, хоть нет.

Две дюжины человек отправились в одно из таких мест. Но не пошли пешком по улицам, а поехали автокортежем из четырех «Хаммеров», бронированных по американским военным стандартам и способных противостоять не только пулям, но и большинству ракет. Как и автобусы, эти автомобили казались чересчур громоздкими для узких улочек. Главный ехал в третьем «Хаммере», прикрытом и спереди, и сзади.

Звали его Халид бен Талал. Он был саудовским принцем, двоюродным братом короля. И одна лишь эта связь обеспечила ему уважение во всех уголках мусульманского и христианского миров.

В Танжере он бывал нечасто. И сегодня прибыл по делу. Запланировал отбыть в ранние утренние часы на собственном реактивном лайнере, обошедшемся куда больше ста миллионов долларов. Ошеломительная сумма едва ли не для всякого, но меньше процента его чистых активов. Саудиты – близкие союзники Запада вообще и Америки в частности, во всяком случае, на публике. Стабильный поток нефти – залог доброй дружбы. Мир летит на всех парах, и обитатели пустыни, где толком ничего не растет, могут позволить себе купить самолет за девятизначную цену.

Однако этот саудовский принц был не так уж и дружелюбен. Талал ненавидел Запад. И американцев пуще всех. Открыто занимать подобную позицию против оставшейся мировой сверхдержавы опасно.

Талала подозревали в похищении, пытках и убийстве четверых военнослужащих США, насильно захваченных в лондонском клубе. Впрочем, доказать ничего было нельзя, так что принцу все сошло с рук. Также его подозревали в финансировании трех террористических атак в двух разных странах, приведших к гибели свыше ста человек, дюжина из которых были американцами. И опять же, доказать ничего было нельзя, и все обошлось без последствий.

Но за эти действия Талал в конце концов угодил в список. И расплата за пребывание в этом списке должна вот-вот наступить с полнейшего благословения саудовского руководства. Он просто стал чересчур докучливым и амбициозным, чтобы позволять ему жить.

Люди, прибывшие сюда на встречу, тоже не питали особых симпатий ни к Западу, ни к американцам. У них с Талалом было много общего. Им виделся мир, где впереди не будут развеваться звезды и полосы. И собрание должно было обсудить, как воплотить это видение в жизнь. И сей конклав содержался в строжайшем секрете.

Ошибка их состояла в том, что они позволили этому строжайшему секрету перестать быть секретом.

Вход в клуб преграждала металлическая дверь с цифровым замком. Головной охранник Талала набрал десятизначный код, менявшийся ежедневно. Дверь шестидюймовой толщины с гидроприводом захлопнулась за ними. В стратегических точках были установлены взрывозащитные стены. По внутреннему периметру расставлена вооруженная охрана. Такие серьезные меры безопасности по карману очень немногим.

Принц и его группа уселись за большой круглый стол в огражденной канатами зоне, скрытой за драпировками и устроенной на возвышенной платформе из тикового дерева. Глаза принца все время бегали, оценивая окружающую обстановку. Он пережил два покушения; одно организовал кузен, другое — французы. Кузен теперь покойник, равно как и лучший наемный убийца Франции.

Талал не доверял никому, понимая, что американцы уже на подходе, раз их французский союзник сел в калошу. Его охрана — тесно сплоченные, лояльные ветераны, не подпускающие чужаков. Ни белые, ни черные, ни латиносы даже близко к его внутреннему кругу не подойдут. И сам он вооружен. Он хороший стрелок. Не снимает своих зеркальных очков от солнца даже в помещении. Нипочем не угадаешь, куда он смотрит. Да и линзы сделаны специально. Их увеличение позволяет увидеть то, чего невооруженным взглядом и не заметишь. Но на затылке глаз у него нет.

Подоспел официант в униформе, но не с напитками, а только с салфетками. Принц привез бокалы и алкоголь с собой. Быть отравленным в его повестку дня не входило. Он налил себе джину «Бомбей Сапфир» и добавил тоника. Отхлебнул, обегая взглядом помещение, мысленно отчасти сосредоточившись на предстоящей встрече. Он был готов ко всем непредвиденным случайностям.

Кроме раздутой простаты.

С этой докукой не в силах совладать даже его богатство. Отправить кого-нибудь помочиться вместо себя Талал не мог.

Его люди убедились, что туалет пуст и свободен от взрывчатки, а проникнуть в него можно только через единственную дверь. Помощник протер раковину, стульчак и кабинку салфетками с антибактериальным спреем. До писсуаров царственные миллиардеры снисходят нечасто.

Талал вошел в обеззараженную кабинку, закрыл за собой дверь и запер щеколду, воспользовавшись для этого носовым платком. Свой халат перед приходом сюда он сбросил, одевшись в сшитый на заказ костюм, обошедшийся в десять тысяч британских фунтов. У него полсотни таких костюмов; он даже и не вспомнит, где они все, потому что они разбросаны по его многочисленной недвижимости по всему миру. Он ни разу не летал коммерческими рейсами, даже в юности. В каждом из его домов своя команда слуг. Если он и останавливался в отелях, то в самых изысканных, снимая целые этажи, чтобы ему не приходилось терпеть вид чужаков, когда он выходит из своего номера. Его повсюду доставляли либо автокортежем, либо вертолетом. Люди его достатка не торчат в пробках. Его жизнь рафинированной роскоши просто невообразима. И его это вполне устраивало, потому что, по собственному мнению, он не такой, как другие человеческие существа.

«Я лучше. Куда лучше».

И всё же ему требовалось расстегнуть молнию в ширинке, чтобы сделать свое дело – точь-в-точь как любому другому человеку, богатому или бедному. Он разглядывал стену перед собой, исчерченную граффити и непристойными надписями. И наконец с отвращением отвел взгляд. Это западное влияние принесло им подобную пакость, в этом Талал не сомневался. В западном мире женщины могут водить машины, голосовать, работать вне дома и одеваться, как шлюхи. Это пагуба, разрушающая мир. Даже в его стране теперь поговаривают, что женщины могут голосовать и заниматься другими вещами, делать которые пристало только мужчинам. Король же — безумец и, что хуже, марионетка Запада.

Талал нажал на рычаг спуска подошвой, застегнул брюки и отпер дверь кабинки. Моя руки, разглядывал свое отражение в зеркале. На него смотрел пятидесятилетний мужчина с сединой в бороде и изрядным брюхом. Он стоит куда поболе двадцати миллиардов долларов, что делает его шестьдесят первым из богатейших людей планеты, согласно журналу «Форбс». Взяв свои нефтяные деньги, Талал вложил их во многие прибыльные предприятия, опираясь на свою деловую смётку и международные связи. В списке он втиснут между российским олигархом, при помощи бандитской тактики практически даром прибравшим к рукам государственные активы после падения Советского Союза, и техническим корольком двадцати с чем-то лет, чья компания не принесла и гроша прибыли.

Покинув туалет, Талал направился обратно к столу в окружении телохранителей, образовавших вокруг него строй в форме бриллианта. Эту тактику он перенял у американских секретных служб. Личный врач путешествовал вместе с ним, как и врач президента США. «Почему бы не подражать сильнейшим?» — думал Талал.

И мысленно считал себя не менее важным, чем американский президент. Правду говоря, он предпочел бы сместить того с поста лидера свободного мира де-факто. Хотя под его началом мир будет далеко не таким свободным, начиная с женщин...

Покончив с аперитивом, они перешли для вечерней трапезы в ресторан, снятый целиком, чтобы принц мог отужинать в мире и покое, не опасаясь вмешательства чужаков. После этого он переоделся обратно в халат и вернулся на свой самолет, размещенный в надежном ангаре частного авиапарка под городом. Въехав сквозь открытые ворота ангара, «Хаммеры» остановились перед массивным воздушным судном. Хотя большинство самолетов красят в белый цвет, этот был целиком черным. Принц любил черный цвет, считая его мужественным, могучим и не лишенным ощутимого элемента опасности.

В точности как он.

«Хаммер» Талал покинул, лишь когда ворота ангара полностью сомкнулись. Никаких шансов прицелиться из снайперской винтовки в щелочку ворот.

Поднялся по трапу, чуточку запыхавшись, пока добрался до верхней ступеньки.

Вновь ворота ангара откроются, лишь когда самолет будет готов к взлету.

Встреча состоится на борту, пока самолет будет на земле. Продлится час. Контролировать ее будет принц.

Он привык держать ситуацию под контролем.

Но осталось уже недолго.

Глава 6

У основания трапа, ведущего на самолет, стояли двое охранников. Остальные силы безопасности находились на борту, со всех сторон обступив потенциально главную мишень любого нападения. Дверь фюзеляжа закрыта и заперта. Он как сейф. Крайне дорогой. Но, как и все сейфы, не лишен слабинок.

Принц сидел во главе стола в главной части салона. Интерьер обустроили по его собственным замыслам — почти восемь тысяч квадратных футов мрамора и экзотических пород древесины, восточных ковров и изысканных полотен и скульптур давно покойных художников музейного класса, дабы он мог любоваться ими на высоте сорока одной тысячи футов и на скорости пятьсот миль в час. Талал из тех, кто тратит свои деньги, чтобы насладиться своим богатством.

Он оглядел сидящих за столом. Двое гостей. Один русский, другой палестинец. Маловероятный союз, но он заинтриговал принца.

Они обещали, что за подходящую цену могут осуществить нечто такое, что практически все, и Талал в том числе, сочтут невозможным.

Принц покашлял.

— Вы уверены, что справитесь? — Голос его был полон недоверия.

Русский — крупный мужчина с окладистой бородой и лысиной, придававшими ему неуравновешенный, перетяжеленный книзу облик, кивнул неспешно, но твердо.

— Мне любопытно, как такое возможно, потому что мне сказали, что совершенно бессмысленно даже пытаться, — сказал принц.

— Крепчайшая из цепей рвется по самому слабому звену, — подал голос палестинец — мелкотравчатый, но с еще более окладистой бородищей, чем у русского. Вдвоем они как буксир и линкор, но совершенно очевидно, что лидер в этом союзе — коротышка.

— И где же это слабейшее звено?

— Одно лицо. Но это лицо находится рядом с желаемым для вас. И это лицо принадлежит нам.

— Не вижу, как такое возможно, — заметил принц.

— Это не просто возможно. Это факт.

— Пусть даже так. А как с доступом к оружию?

— Работа этого лица — обеспечивать доступ к оружию.

— И как же вы завладели подобным лицом?

— Эти подробности несущественны.

— Для меня существенны. Значит, это лицо должно идти на смерть. Иначе быть не может.

— Это условие выполнено, — палестинец кивнул.

— Почему? Уроженцы Запада так не поступают.

— Я не сказал, что это лицо с Запада.

— Внедрение?

— Готовилось десятилетиями.

— Зачем?

— А зачем кто-либо из нас делает что-либо? Мы верим в определенные вещи. И должны предпринять шаги, чтобы воплотить эту веру в жизнь.

Принц с заинтригованным видом откинулся на спинку кресла.

— Планы составлены. Но, как вам известно, для подобного требуются значительные средства. Изрядная часть для последующего. На данный момент наше лицо в безопасности. Но это может в ближайшее время измениться. Глаза и уши повсюду. Чем дольше мы ждем, тем больше вероятность, что наша миссия провалится еще до того, как ей будет дан хоть один шанс на успех.

Принц пробежался пальцами по резной деревянной столешнице, бросив взгляд в иллюминатор. Иллюминаторы были особенно велики, потому что ему нравилось любоваться видами с высоты.

Сверхзвуковая пуля угодила ему прямо в лоб, взорвав мозг. Откинувшись на кожаное сиденье, он медленно сполз на пол. Некогда прекрасный интерьер забрызгали ошметки серого вещества, кровь и осколки костей.

Русский подскочил на ноги, но оружия у него не было, потому что его конфисковали перед трапом. Палестинец же, оцепенев, не мог даже шелохнуться.

Охранники отреагировали. Один указал на разбитый иллюминатор:

— Там!

Они бросились к двери.

Двое телохранителей у трапа выхватили оружие и теперь стреляли в источник фатального выстрела.

Пули барабанили вокруг позиции Роби. Прицелившись, он выстрелил в ответ. Первый часовой упал от смертельного выстрела в голову. Второй повалился несколько секунд спустя с пулей в сердце.

Нацелив из своего «вороньего гнезда» винтовку на дверь самолета, Роби сделал пять выстрелов в ее центр, выведя из строя механизм открывания. Затем повернулся и разнес фонарь кокпита, а вместе с ним и системы управления самолетом. На какое-то время эта большая птица отлеталась. К счастью для его миссии, пуленепробиваемые материалы слишком тяжелы и толсты, чтобы превращать самолеты в броневики. Это просто сейф за сто миллионов долларов с громадной ахиллесовой пятой.

На этом он с убийствами покончил.

Теперь самое трудное.

Отход.

Роби шел по ферме, балансируя, как канатоходец, пока не достиг стены в дальнем конце ангара. Распахнул окно, прикрепил свой трос к анкерному кольцу, ввернутому вчера ночью, и дюльфером спустился по стене. Едва коснувшись подошвами асфальта, побежал строго на восток, прочь от ангара и мертвого принца. Перемахнув через ограду, свалился с другой стороны. Позади послышались крики. Темноту рассекли лучи прожекторов. В его сторону полетели пули, но все очень далеко от цели. Однако полагаться, что так будет и дальше, не стоит, понимал он.

Подъехала машина. Швырнув снаряжение на заднее сиденье, Уилл запрыгнул, и машина отъехала еще до того, как дверца захлопнулась. Он не смотрел на водителя, а тот не смотрел на него. Проехав всего несколько миль, до предместий Танжера, автомобиль затормозил. Роби выскользнул, по переулку прошел еще футов пятьсот и вошел в тесный дворик, где стоял синий «Фиат». Усевшись на место водителя, выудил ключи из-под козырька, завел двигатель, дал газу и выехал со двора. Через пять минут он уже подъезжал к центру Танжера. Проехав через весь город, припарковал машину у порта. Поднял торцовый люк и вынул небольшую сумку с одеждой и прочими необходимыми вещами, включая проездные документы и местную валюту.

Но сел не на тот скоростной паром до Испании, которым прибыл сюда, а на тихоходный, добирающийся из Барселоны до Танжера за двадцать четыре часа, а обратно — еще на три часа дольше.

Работодатель раскошелился на трехместную семейную каюту, а не просто на сиденье. Зайдя в каюту, Роби убрал сумку, запер дверь и улегся на кровать. Через несколько минут паром отвалил от причала.

Уилл понимал логику решения. Никто и не подумает, что убийца улизнет на судне, добирающемся до места назначения целые сутки. Будут проверять аэропорты, скоростные паромы, шоссе и железнодорожные вокзалы. Но только не грузное старое корыто, которому требуется двадцать семь часов, чтобы одолеть пару сотен миль по Средиземному морю. Фактически же он прибудет через два дня, потому что уже почти полночь.

У Роби с собой был направленный микрофон, позволивший ему прослушать беседу на самолете между принцем и двумя другими. Доступ к оружию. Десятилетия внедрения... Значительные средства на то, что последует... Это расследуют. Но это не его работа. Он свое задание выполнил. Он отрапортует, и эстафету примут другие. Роби не сомневался, что даже саудовская королевская династия вздохнет с облегчением от того, что паршивую овцу из их стада прикончили. В официальном заявлении сей акт насилия будет предан гневному осуждению. Потребуют всестороннего расследования. Будут вставать в позу, пылать негодованием и причитать. Будет произведен обмен напряженными дипломатическими нотами. Но в частной обстановке они будут поднимать тосты за причастных к убийству. Иначе говоря, пить за американцев.

Операция прошла чисто. Роби держал принца на перекрестье прицела с того самого момента, как тот вышел из своего внедорожника. Уилл мог снять его, но хотел дождаться, когда принц с охраной будет на борту самолета. Если команда безопасности застрянет в самолете, это даст ему больше времени, чтобы уйти. Войдя в самолет, принц пропал у него из виду примерно на полминуты, но снова оказался на прицеле, как только прошагал по проходу и сел за стол.

Роби целился Талалу в голову, хоть это и более трудная мишень, потому что разглядел кое-что через телескопический прицел. Когда принц подался в кресле вперед, стали видны ремни под его халатом. Он был в бронежилете. На голову же бронежилет не напялишь.

Роби провел три дня и три ночи своей жизни на высоком насесте, справляя малую нужду в банку и питаясь протеиновыми батончиками в ожидании, когда объект окажется в помещении, якобы опечатанном и совершенно безопасном.

Теперь принц мертв.

Его планы умрут вместе с ним.

Уилл Роби закрыл глаза и уснул под плавное покачивание парома, неспешно пересекавшего спокойные воды Средиземного моря.

ГЛАВА 7

А вот это дело совсем другое.

Близко от дома.

Настолько близко, что просто *дома.*

Минуло почти три месяца со времени Танжера и гибели Халида бен Талала. Погода стала чуть прохладнее, небо — чуть серее.

За это время Роби не убил никого. Столь долгий период бездействия для него был в диковинку, но он не сетовал. Прогуливался, читал книги, питался вне дома, даже пускался в путешествия, не требовавшие ничьей смерти. Иначе говоря, вел себя нормально.

Но потом появился флеш-накопитель, и Роби пришлось перестать быть нормальным и снова взяться за пистолет. Задание поступило два дня назад. Времени на подготовку в обрез, но миссия приоритетная, поведала флешка. А когда она говорила, Роби действовал.

Он сидел в кресле своей гостиной с чашкой кофе в руке. Было раннее утро, а Уилл провел на ногах уже несколько часов. По мере приближения следующей миссии становилось все труднее уснуть. С ним всегда так было — не столько из-за нервозности, сколько из желания как можно лучше подготовиться. Пока он бодрствовал, какая-то часть мозга неустанно наводила на план глянец, отыскивая погрешности и исправляя их. Во сне Роби этого делать не мог.

Во время вынужденного простоя он взялся за предыдущий план побольше общаться и даже принял приглашение на неофициальную вечеринку, устроенную одним из соседей в своей квартире на третьем этаже. Пришла всего дюжина человек, некоторые из которых тоже жили в этом доме. Сосед представил Роби нескольким из своих друзей. Однако его внимание вскоре сфокусировалось на одной молодой женщине.

Она сняла здесь квартиру совсем недавно и пускалась в путь к Белому дому на своем велике в четыре утра. Роби знал, где она работает, потому что был проинформирован и о ней. И знал, что она уезжает на работу так рано, поскольку частенько наблюдал за ней через глазок.

Она намного моложе Роби, очаровательна, интеллигентна, насколько он мог заметить. Несколько раз их взгляды встречались. Может статься, чуял Уилл, что друзей у нее не больше, чем у него. А заодно чуял, что если заговорит с ней, она не станет возражать. На ней была короткая черная юбка и белая блузка, волосы убраны назад в конский хвост. Держа в руке бокал, она то и дело поглядывала в сторону Роби, улыбалась, а потом снова отводила взгляд и продолжала беседу с другим персонажем, не знакомым Роби.

Несколько раз Уилл подумывал подойти к ней. И всё же удалился с вечеринки, так и не сделав этого. Уже уходя, оглянулся на нее. Она смеялась над чьей-то репликой и даже не посмотрела в его сторону. Пожалуй, оно и к лучшему, подумал он. Потому что на самом деле — какой смысл?

Встав, Роби поглядел за окно.

Уже осень. Листва в парке начала желтеть. По вечерам зябко. Летняя духота еще не в диковинку, но уже не такая докучная. Стоящая погода недурна для города, выстроенного на болоте — и остающегося болотом, по мнению многих; во всяком случае, в той части, где свили гнездышко профессиональные политики.

Роби провел рекогносцировку в усеченном варианте, насколько позволяло отведенное время. Прогоны с осложненной в подобной ситуации логистикой еще не закончены.

И все же ему это не нравится.

Но это не его ума дело.

Чтобы добраться до места, Роби не потребуется ни самолет, ни поезд. Но и мишень другая. И не в лучшем смысле.

Порой он убирал субъектов, представляющих глобальную угрозу, вроде Риверы или Талала. А порой просто решал проблему.

Можно навешивать какие угодно ярлыки, но смысл в конечном итоге один и тот же. Его работодатели решали, кто из живущих и дышащих заслужил роль мишени. А потом обращались к людям вроде Роби, чтобы положить конец жизни и дыханию.

В оправдание твердя, что это делает мир лучше.

Скажем, бросив мощнейшую армию планеты против безумца на Ближнем Востоке. Военная победа гарантирована изначально. А вот предсказать, что воспоследует за победой, было возможно не вполне. Вроде хаоса трансформации, вырваться из которого невозможно.

Угодить в западню, сотворенную собственными руками.

Агентство, на которое работал Роби, имело совершенно недвусмысленную политику в отношении оперативников, попавшихся во время задания. Признавать, что Роби хоть когда-то работал на Соединенные Штаты, никто не станет. Не будет предпринято ровным счетом никаких мер по его спасению. Полная противоположность мантре морпехов США: в мире Роби своих бросают. Всех без исключения.

Так что на каждом задании Уилл припасал план отхода, известный только ему — на случай, если операция пойдет косо-криво. Использовать персональный резервный план ему ни разу не пришлось, потому что ни одной миссии он не провалил. И всё же... Завтра будет очередной день, когда что-нибудь может пойти наперекосяк.

Одним из тех, кто научил этому Роби, был Шейн Коннорс, признавшийся, что однажды ему пришлось пустить в ход собственный резервный план — в Ливии, когда операция разлетелась вдребезги, хоть и не по его вине.

— Ты там один-единственный, кто на самом деле прикрывает тебе спину, Уилл, — сказал ему Коннорс. Этому совету Роби следовал все эти годы. И никогда его не забудет...

Роби окинул квартиру взглядом. Он прожил здесь четыре года, и она ему по большей части по душе. До ресторанов рукой подать. Район интересный, с множеством необычных магазинчиков, не входящих ни в какие гомогенные национальные сети. Роби частенько трапезничал вне дома. Ему нравилось сидеть за столом, наблюдая за прохожими. В каком-то смысле он исследователь человечества. Потому-то и жив до сих пор. Он умеет читать людей, зачастую понаблюдав за ними всего несколько секунд. И это отнюдь не прирожденный талант, а искусство, отточенное годами, как самое полезное из умений.

В подвале дома есть спортивный зал, куда Уилл ходил тренироваться, чтобы подтянуть мускулатуру, отточить моторные навыки, поприменять приемы, нуждающиеся в практике. И был единственным, кто вообще пользовался залом. Упражняться с оружием и прочими орудиями своего ремесла он ходил в другие места. К другим людям, с которыми работал.

И в сорок лет легче отнюдь не стало.

Роби подвигал шеей вперед-назад и был вознагражден удовлетворительным щелчком.

Услышал, как в коридоре открылась и закрылась дверь. Подошел к глазку и проследил, как женщина ведет свой велосипед по коридору. Та самая, с вечеринки, работающая в Белом доме. По пути на работу она надевает джинсы — наверное, переодевается в официальный прикид уже на месте. Она всегда утром покидает дом первой, если только Роби еще не отбыл по какой-то причине.

«А. Ламберт».

Это имя значится на почтовом ящике внизу. Он знал, что «А.» — это «Анна». Так говорят данные, предоставленные на нее.

На его собственном ящике написано просто «Роби». Никаких инициалов. Он даже не представлял, вызывает ли это у людей недоумение или нет. Впрочем, скорее нет.

Ей под тридцать, высокая, длинные светло-русые волосы, худенькая. Когда она только-только въехала, Роби однажды видел ее в шортах. Ноги немного иксиком, но черты лица изящные, с родинкой под правой бровью. Он слышал, как она спорит в коридоре с коллегой-квартиросъемщиком, недовольным нынешней администрацией. Ее резкие, информированные ответы произвели на Роби впечатление.

Он начал мысленно называть ее «А».

Она вместе с велосипедом скрылась в лифте, и Роби, отойдя от двери, переместился к другому окну с видом на улицу. Минуту спустя, покинув здание, «А» забралась на велосипед и укатила. Роби провожал ее взглядом, пока она не свернула за угол, и световозвращающие полоски на ее рюкзачке и шлеме скрылись из виду.

Следующая остановка: Пенсильвания-авеню, 1600.

Четыре тридцать утра.

Повернувшись к окну спиной, Уилл окинул взором свое жизненное пространство.

В квартире ровным счетом ничего такого, что поведало бы тем, кто затеет здесь обыск, чем он занимается. У него есть официальная должность, которую полностью поддержат, буде кто-либо пустится в расспросы. И все равно эта квартира совершенно непримечательна и почти не несет отпечатка его личности. Ему это больше по вкусу, чем пользоваться услугами других, изобретающих для него прошлое, расставляющих по квартире фотографии людей, вовсе ему не знакомых, и выдающих их за родственников или друзей. «Персонификация» жилища теннисными ракетками, лыжами, кляссерами с коллекциями марок или музыкальными инструментами – стандартная процедура. Роби отвергал все подобные предложения. Только кровать, несколько стульев, немного книг, которые он читал на самом деле, лампы, столы, закуток для еды, закуток с душем и туалетом.

Ухватившись за перекладину над дверным проемом спальни, Уилл быстренько подтянулся двадцать раз. Хорошо чувствовать мышцы в движении, легко поднимающие его вес к перекладине. На дистанции он дал бы фору большинству двадцатилетних с чем-то. Его сила и моторные навыки по-прежнему превосходны. И все же ему же сорок, и он явно уже не тот, что прежде. Остается лишь уповать, что неизбежная деградация рефлексов и физической формы скомпенсируется накопленным полевым опытом.

Роби лег на кровать, но накрываться не стал. Он поддерживает в квартире прохладу. Нужно поспать.

Ночка грядет хлопотливая.

И *другая*.

Глава 8

Роби находился в подвальном спортзале своего дома. Было почти девять вечера, но для жильцов зал открыт двадцать четыре часа в сутки семь дней в неделю. Нужен лишь ключ-карта. В одном отношении тренировки Роби никогда не менялись: он никогда не проделывал один и тот же комплекс дважды подряд. Уилл был нацелен не на силу, выносливость, равновесие или ловкость. Он был нацелен на все эти качества разом. Каждое его упражнение требовало не меньше двух, а порой и всех этих элементов.

Он повисел на перекладине вверх ногами. Проделал сгибания на пресс, а затем принялся прорабатывать косые мышцы, держа медбол. Армия США разработала функциональный режим фитнеса, имитирующий действия солдат на поле боя, задействующий мышцы и навыки, необходимые в схватке.

Придерживаясь той же концепции, Роби работал над теми вещами, которые необходимы, чтобы выжить *там*. Выпады, броски, взрывная мощь от пяток до макушки. Всё задействовано с полнейшей слаженностью. Верхняя и нижняя части корпуса одновременно, пока он дожимал корсетные мышцы до отказа. Рельеф у него безупречный, но рубашку Роби никогда не снимал. Он ни за что не стал бы демонстрировать кубики пресса, если только это не потребуется для миссии.

Уилл добрых полчаса занимался йогой, пока весь не взмок от пота. И держал крест на кольцах, когда дверь вдруг открылась.

На него уставилась А. Ламберт.

Не улыбнулась и даже не подала виду, что узнала его. Просто закрыла дверь за собой, прошла в угол и села на мат, скрестив ноги. Роби продержал крест еще тридцать секунд — не ради того, чтобы произвести впечатление, ведь она на него даже не глядела. А чтобы заставить тело выйти за пределы того, к чему оно привыкло. Иначе он просто теряет время попусту.

Закончив, Уилл легко спрыгнул на пол. Подхватил полотенце и утер лицо.

— По-моему, вы единственный, кто пользуется этим залом.

Опустив полотенце, он обнаружил, что теперь она смотрит прямо на него.

На ней были джинсы и белая футболка. И то, и другое обтягивающее. Спрятать оружие негде. Роби всегда первым делом проверял именно это, будь перед ним мужчина или женщина, подросток или старик.

— Вы же здесь, — заметил он.

— Не тренироваться.

— Тогда зачем же?

— Жаркий день в конторе. Просто поостыть.

Уилл оглядел небольшой, скверно освещенный зальчик, пропахший застарелым потом и плесенью.

— Наверняка, чтобы остыть, есть местечки и поуютнее.

— Я не ожидала встретить здесь хоть кого-то.

— Разве что кроме меня. Судя по вашим словам, вы знали, что я пользуюсь залом.

— Я сказала так только потому, что увидела вас тут нынче вечером, — пояснила она. — Прежде я вас тут не видела, да и никого другого, если уж на то пошло.

Ответ он знал, но все равно спросил:

— Значит, жаркий день в конторе. И где же вы трудитесь?

— В Белом доме.

— Впечатляет.

— В иные дни это не кажется таким уж впечатляющим. А вы?

— Инвестиции.

— Работаете на одну из больших компаний?

— Нет, я сам по себе. С самого начала. — Роби накинул полотенце на плечи. — Что ж, пожалуй, оставлю вас здесь прохлаждаться.

Однако на самом деле он еще не хотел уходить. Наверное, она это почувствовала.

— Я Энни, — встав, сказала она. — Энни Ламберт.

— Здравствуйте, Энни Ламберт.

Они обменялись рукопожатием. Пальцы у нее были длинные, гибкие и удивительно сильные.

— А у вас имя есть? — поинтересовалась она.

— Роби.

— Это имя или фамилия?

— Фамилия. На почтовом ящике написано.

— А по имени?

— Уилл.

— Это оказалось потруднее, чем должно бы, — она обезоруживающе улыбнулась. Роби поймал себя на том, что расплылся в ответ.

— Я не самый свойский парень из тех, что вам встречались.

— Но я же видела вас на вечеринке на третьем этаже позавчера вечером.

— Это мне малость не свойственно. Я впервые пропустил бокальчик мохито за долгое время... Может, мы могли бы изредка сходить куда-нибудь выпить. — Роби и сам не знал, с чего вдруг это сорвалось с его губ.

— Ладно, — небрежно отозвалась Энни. — Годится.

— Доброй ночи, — сказал Уилл. — Хорошо вам прохладиться.

Закрыв за собой дверь, он на лифте поднялся на свой этаж.

И сразу же позвонил. Вообще-то ему не хотелось этого делать, но обо всех контактах надо немедленно докладывать. Роби не думал, что есть основания беспокоиться из-за Энни Ламберт, но правила вполне недвусмысленны. Ее изучат более тщательно. Если что-нибудь всплывет, Роби уведомят и предпримут надлежащие действия.

Сидя в кухне, Уилл ломал голову, следовало ли звонить вообще. Ему больше не суждено воспринимать что бы то ни было по-человечески. Тот, кто проявляет к нему дружелюбие, – потенциальная угроза. Об этом надо доложить.

О «прохлаждающейся» женщине, поздоровавшейся с ним, надо доложить.

«Я живу в мире, даже отдаленно больше не напоминающем нормальный. Если он вообще когда-нибудь таким был. Но я-то не всегда буду таким. И у агентства нет никаких правил, запрещающих выпить в компании с кем-нибудь». Так что, может, он и будет. Изредка.

Покинув дом, Уилл пересек улицу. Из тамошней многоэтажки открывается прекрасный вид на его дом, в том-то и дело. На четвертом этаже была пустая квартира. У Роби имелся ключ от нее. Войдя в квартиру, он направился прямиком в самую заднюю комнату. Там был установлен прибор наблюдения, считающийся одним из лучших в мире. Включив его, Уилл направил его жерло на свой дом. Нажимал на кнопки и вертел лимбы, делая регулировки, пока не навел резкость на определенную часть здания.

Его этаж, четвертая дверь по коридору. Свет горит, жалюзи подняты на три четверти. Роби ждал. Десять минут. Двадцать. Ничего не менялось.

Открылась и закрылась входная дверь Энни Ламберт. Она направилась по коридору. Роби поворачивал прибор размеренными движениями, отслеживая ее путь. Остановившись в кухне, она открыла холодильник и вынула «Диет-колу» – прибор позволял без труда прочесть этикетку, – затем захлопнула холодильник толчком бедра. Наполнила стакан до половины газировкой, а вторую половину долила ромом, выудив бутылку из шкафчика над плитой.

Пошла по коридору. На подходе к спальне расстегнула молнию джинсов, стащила их и швырнул в корзину с грязным бельем. Поставив напиток на пол, стянула майку через голову. Ее нижнее белье оказалось розовым, причем вовсе не стрингами, покрывая всю попку целиком.

Роби этого не видел. Он отвернул свой прибор наблюдения, как только она начала расстегивать брюки. Прибор стоит пятьдесят кусков, и негоже пользоваться им для жалкого вуайеризма.

Вернувшись в свой дом, Уилл поднялся на лифте на верхний этаж.

Запертая дверь вела на крышу. Нехитрый замок был не помехой. Роби перемахнул короткий лестничный пролет, ведущий на кровлю здания. Подошел к самому краю и поглядел на город.

Ему ответил взглядом Вашингтон, округ Колумбия.

Ночью это очаровательный город. Монументы, подсвеченные луной на фоне темных небес, выглядят особенно величественно. По мнению Роби, округ Колумбия — единственный город в Соединенных Штатах, воистину конкурирующий с великими городами Европы, если речь заходит об официальном декоре.

Но заодно это еще и город секретов.

Роби и люди вроде него — один из этих секретов.

Сев спиной к стене, Уилл поглядел вверх.

А. Ламберт официально стала Энни Ламберт. Знать это из информационной справки — совсем не то же самое, что услышать собственными ушами.

А он доложил на нее всего-навсего за то, что она, наверное, просто была дружелюбной.

Жаркий день в конторе. Просто нужно место поостыть.

Это Роби знает на собственной шкуре. На его долю тоже перепадали жаркие дни в конторе. И ему не помешало бы местечко, чтобы поостыть.

Но не складывалось.

Приняв душ, он переоделся в свежее. Потом вооружился. Пора на работу.

Глава 9

Очередная приемная семья, где ей быть вовсе не хочется. Сколько уже? Пять? Шесть? Десять? Да какая разница!

Она прислушалась к крикам, доносящимся с нижнего этажа дуплекса[1], который называла домом последние три недели. Мужчина и женщина, орущие друг на друга, – ее приемные родители. Это даже не смешно, подумала она. Это уголовка. *Они* уголовники. Держат в доме целую стаю приемных детей, выращивая из них карманников и торговцев наркотой.

Она отказывалась шарить по карманам и толкать наркоту. Так что сегодня ее последний вечер здесь. Она уже набила рюкзачок своими жалкими пожитками. В одной комнате с ней живут еще двое приемных детей – оба моложе, и ей претит оставлять их здесь.

– Я позабочусь, чтобы вам помогли, ребятки, – сев на кровать, сказала она. – Сообщу в соцслужбу, что тут творится. Лады? Они придут и заберут вас отсюда.

– А ты не можешь взять нас с собой, Джули? – со слезой в голосе спросила девочка.

– Хотелось бы, да не могу. Но я вытащу вас отсюда, обещаю.

– Тебе не поверят, – возразил мальчик.

– А вот и поверят. У меня есть *улики*.

Обняв каждого, она открыла окно, выбралась наружу, сползла по водосточной трубе на плоскую кровлю пристроенного навеса для автомобиля, добралась до опорной стойки, спустилась на землю и побежала во тьму.

В голове билась только одна мысль.

«Я возвращаюсь домой».

---

[1] Дуплекс – отдельно стоящий дом, поделенный на две секции, объединенные одной крышей и боковыми стенами; у каждой из секций свой вход. Рассчитан на две семьи.

Родной дом – дуплекс даже меньше того, который она только что покинула. Проехала на подземке, потом на автобусе, а потом пошла пешком. По пути достала конверт, поднялась по ступеням большого кирпичного государственного здания и сунула конверт в щель для почты в двери. Письмо было адресовано женщине, занимавшейся передачей под опеку ее и двоих детишек, оставшихся в дуплексе. Она милая дама, желает лучшего, но совершенно погрязла в никому не нужных детях. В конверте была карточка памяти с фотографиями, на которых эта парочка жестоко обращалась со своими приемными детьми, занималась явно противозаконной деятельностью и сидела в полной отключке на диване с трубками для крэка и горстями пилюль на полном обозрении. Уж если и это не поможет, подумала Джули, тогда пиши пропало.

До дома она добралась час спустя. Через парадную дверь заходить не стала, а поступила, как всегда, когда возвращалась домой настолько поздно. Воспользовалась ключом, который держала в туфле, чтобы пробраться в дом через заднюю дверь. Попыталась включить свет, но ничего не произошло. Это ее ничуть не удивило. Значит, электричество просто отключили, потому что счет за коммунальные услуги не оплатили. Она ощупью двинулась вдоль стен, при свете луны сквозь окна ориентируясь достаточно хорошо, чтобы добраться до своей спальни на втором этаже.

Ее комната ничуть не изменилась. Сыро, но это *ее* сырость. Гитара, повсюду горы нотных листов, одежды и журналов. Матрас на полу, служивший ей кроватью, но почти заваленный остальным барахлом. Джули рассудила, что родители не стали прибираться у нее в комнате, потому что знали, что она вернется.

У них проблемы. Уйма проблем.

Большинство сочли бы их жалкими, обкуренными неудачниками.

Но они – ее родители. Они любят ее.

А она любит их.

Она хотела заботиться о них.

В возрасте четырнадцати лет Джули зачастую была и мамой, и папой, а родители зачастую были детьми. Она несла за них ответственность, а не наоборот. Но это не беда.

Она знала, что сейчас они наверняка спят. Хочется надеяться, не в отключке.

На самом деле на горизонте наметилось прояснение. Отец трудится на погрузочной площадке и зарабатывает уже целых два месяца. Мать работает официанткой в закусочной, где двухдолларовые чаевые – исключение, а не норма. Это правда, что мама и папа – выздоравливающие наркоманы, но они каждый день встают и идут на работу. Просто проблемы с наркотиками и отсидки в тюрьмах заставляют город порой считать их непригодными для опеки над ней.

Отсюда и изгнание в систему патронажного воспитания.

Но не для нее. Больше нет. Теперь она дома.

Джули пощупала листок бумаги в кармане куртки – письмо от мамы, пришедшее в ее школу и оставленное в канцелярии. Ее родители планировали переехать отсюда и начать с чистого листа. И, конечно, хотели, чтобы их единственное дитя отправилось с ними. Джули уже давно не была так взволнованна.

Прошла через коридор до их спальни, чтобы наведаться к ним, но там было пусто. Их кровать, как и ее, была просто матрасом на полу. Но в комнате порядок. Мать прибирается здесь. Одежда убрана, хоть и в корзины. У них нет ни шкафов, ни комодов. Сев на кровать, Джули сняла висевшее на стене фото всех их втроем. В темноте разглядеть было трудновато, но она в точности знала, кто там изображен.

Ее мать высокая и худая, отец пониже и еще более тощий. Вид у них нездоровый, да и откуда взяться здоровью? Годы злоупотребления наркотиками оставили неустранимые шрамы, хронические проблемы, значительно укоротив жизни. И всё же они всегда были к ней добры. Никогда не обижали. Заботились о ней, когда могли. Кормили ее, держали в тепле и безопасности — опять же, когда могли. Никогда не приносили проблемы с собой в дом. Все злоупотребления совершали вдали отсюда. Джули ценила это. И всякий раз, когда ее отдавали в приемную семью, они трудились не покладая рук, чтобы вернуть ее.

Повесив фото обратно на стену, она достала мамино письмо, присланное на адрес школы, и перечитала его. Инструкции вполне внятные. Джули была в восторге. Это может положить начало чему-то замечательному. Только они втроем и новая жизнь вдали отсюда. Единственное, что тревожило ее, — это план на случай непредвиденных обстоятельств, если они почему-то не смогут законтачить с дочерью. К письму прилагались наличные. Деньги предназначались для плана действий в чрезвычайных обстоятельствах. Что ж, встретиться с ней родителям ничего не мешает. Она предположила, что родители уезжают утром.

Направилась было к двери, чтобы вернуться в свою комнату и собрать вещи, которые не брала с собой в приемную семью.

И вдруг замерла.

Послышался шум, что не очень-то ее удивило, потому что родители порой задерживались далеко за полночь. Должно быть, пришли домой.

Но следующий услышанный звук заставил ее забыть обо всем.

Это был мужской голос. Но не отцовский.

На повышенных тонах. Злобный. Он спрашивал отца, что ему известно. Сколько ему сказали.

Услышала нытье отца, словно ему сделали больно.

Потом Джули услышала надрывный голос матери, умолявшей оставить их в покое.

Джули осторожно двинулась вниз по лестнице, дрожа всем телом.

Мобильника у нее нет, а то она вызвала бы полицию. Стационарного телефона в доме нет – родителям он был не по карману.

Услышав выстрел, на миг оцепенела, а потом бросилась вниз по лестнице бегом. Добравшись до низа, увидела отца, привалившегося к стене в темноте. Чужак целил в него из пистолета. На груди отца быстро расползалось темное пятно. Лицо его мертвенно побледнело. Он повалился на пол, опрокинув дергающимися руками лампу.

Обернувшись, вооруженный чужак увидел Джули и направил пистолет на нее.

– Нет! – взвизгнула ее мать. – Она ничего не знает!

И хотя весила едва ли сотню фунтов, ударила того под коленки, и он рухнул на пол. Пистолет отлетел далеко в сторону.

– Беги, солнышко, беги! – крикнула мать.

– Мам! – отозвалась Джули. – Мам, что...

– Беги! – снова взвизгнула мать. – Живо!

Повернувшись, Джули бросилась обратно вверх по лестнице – в тот самый миг, когда чужак с разворота нанес сокрушительный удар по макушке ее матери.

Добежав до своей комнаты, она схватила рюкзачок, бросилась к окну и ухватилась за металлическую шпалеру, прилаженную кем-то давным-давно для выращивания плюща. Полезла вниз настолько быстро, что сорвалась, и последние шесть футов пролетела. Поднялась, забросила рюкзак за плечи и побежала.

Несколько секунд спустя в доме раздался второй выстрел.

Когда убийца выбежал на улицу, девчонки уже и след простыл.

Но он остановился, прислушиваясь. Расслышал звук шагов. И решительно устремился на запад.

Глава 10

Женщина пошла к своей машине. Наверное, думая о миллионе разных вещей, сунула портфель на заднее сиденье своего седана «Тойота» рядом с детскими сиденьями. Занятой профессионал, мать, домашняя хозяйка — список можно продолжать и продолжать, как и в отношении многих других женщин.

Ее черный костюм, как и большинство других ее вещей, был куплен со скидкой в магазине готового платья. Чуточку испачкан после долгого дня, а ее каблуки с задирами в нескольких местах. Она небогата, но ее работа важна для страны. Это компенсирует то, что зарплата у нее поменьше, чем могла бы быть в частном секторе.

Ей за тридцать, рост пять футов девять дюймов, больше тридцати фунтов избыточного веса после последней беременности, а разобраться с этим совершенно некогда. У нее пара детей, одному три, а другому меньше года. Она как раз в процессе получения развода. Опека над детьми у нее и ее мужа, скоро бывшего, совместная. Неделю он, неделю она. Она хотела бы получить полную опеку, но при ее роде занятий с этим справиться трудновато.

Сегодня в графике произошло изменение. Перед возвращением домой ей пришлось сделать остановку. Она отъехала. В голове так и кишело от мыслей: проблемы по работе вперемешку с потребностями двух активных детей. Для нее самой места попросту не остается. Но, наверное, такова цена материнства.

* * *

Запрокинув голову, Роби посмотрел на пятиэтажный многоквартирный дом. Похож на его собственный. Старый, обветшалый. Но он-то живет в хорошем районе столицы государства. А эта часть округа Колумбия страдает от уймы насильственных преступлений. Однако здешние окрестности становятся безопаснее. Здесь можно растить детей, не слишком беспокоясь, что ребенок погибнет по пути домой из школы, попав в перестрелку банд наркодилеров, затеявших войну за господство на улицах.

Швейцара здесь нет. Передняя дверь заперта, и чтобы войти, нужна карточка-пропуск. У Роби она есть. Камеры наблюдения отсутствуют. Они стоят денег. Людям, живущим здесь, такие вещи не по средствам. Как и швейцар.

Роби перешел от боссов картеля к саудовским принцам. А на сегодняшнюю мишень досье было особенно легким. Черная женщина, тридцать пять лет. У него есть ее фото и ее адрес. Ему не сообщили конкретной причины, почему она должна умереть сегодня ночью, кроме того, что эта женщина связана с террористической организацией и глубоко законспирирована. Если б Роби потребовалось навесить на нее ярлык, он, вероятно, отнес бы ее в ящик «проблем», которыми его работодатель порой оправдывает смерть. Представление, чтобы кто-то из живущих здесь мог представлять глобальную угрозу, у него в голове не укладывалось. Такие склонны исхлопотать адреса пошикарнее или прятаться от закона в какой-нибудь стране, не выдающей преступников Соединенным Штатам. Но членов террористических ячеек учат сливаться с окружением. Очевидно, она — одна из них. В таком случае причина, по которой она должна умереть, — не его ума дело.

Роби бросил взгляд на часы. Квартиры в доме сплошь приватизированные, но занято меньше половины. После финансового краха пятьдесят процентов здешних жильцов лишились права собственности. Еще десять процентов потеряли работу и были выселены. Женщина живет на четвертом этаже. Она — квартиросъемщица, и закладная на подобное жилье ей не по карману, пусть даже конфискованное. На этом этаже живут только двое других — старушка, лишенная зрения и слуха, и охранник, сегодня ночью пребывающий на вахте в пятнадцати милях отсюда. Квартиры выше и ниже квартиры женщины тоже пустуют.

Подвигав шеей, Уилл ощутил щелчок. И накинул капюшон толстовки.

План запущен. Кнопка отбоя не предусмотрена. Ракета заправлена, и процедура запуска началась.

Поглядел на часы. Его наблюдатель видел, как она вошла в здание одна несколько часов назад с пакетом бакалеи в одной руке и портфелем в другой. Выглядела усталой, сообщил наблюдатель Роби. Но уж лучше такой вид, чем тот, что последует.

Именно в подобные моменты Уилл поневоле задумывался, что ему делать с остатком своей жизни. Он без проблем убивал картельное дерьмо и богатых пустынных шейхов-мегаломаньяков. Но сегодняшний вечер стал для него проблемой. Сунув руку в перчатке в карман, он нащупал лежащий там пистолет. Обычно прикосновение к оружию успокаивало его.

Сегодня – нет.

Должно быть, она в постели. В ее квартире темно. В этот час она должна спать.

Ну, хотя бы ничего не почувствует. Он уж позаботится, чтобы смерть была мгновенной. Жизнь продолжится без нее. Будь ты богат или беден, важная шишка или ничтожество, жизнь всегда продолжается. Уйдет он по пожарной лестнице, выходящей в переулок, как у многих из этих зданий, и к трем утра будет уже у себя дома. Как раз вовремя, чтобы лечь спать.

Забыть о случившемся.

«Как будто я на это способен».

Глава 11

Роби провел карточкой через считыватель, и дверь со щелчком открылась. Он натянул капюшон на голову потуже. Коридоры освещены скверно. Люминесцентные лампы хлопают и мигают. Ковер замызган и местами вспучен. Краска со стен облупливается.

Открыв дверь на лестницу, он начал подниматься. В воздухе пахло стряпней. Смешиваясь, запахи порождали не такой уж приятный аромат. Роби считал этажи. На четвертом покинул лестницу, прикрыв за собой дверь.

Коридор точь-в-точь такой же, как на первом этаже.

Ему нужна 404-я квартира.

Слепая и глухая дама живет в конце коридора слева. Отсутствующий охранник живет в 411-й. Замок в 404-й ригельный — видимо, заказанный его сегодняшней мишенью. Роби заметил, что в большинстве других входных дверей замки незатейливые. Ригельный означает, что она заботится о безопасности. И все же ему потребовалось всего-навсего тридцать секунд, чтобы одолеть замок с помощью двух изящных металлических загогулинок, пущенных в ход одновременно.

Закрыв за собой дверь, он надел прибор ночного видения. Обвел взглядом тесную гостиную. В розетку воткнут ночник, обеспечивающий мизерное освещение. Не играет роли. Роби дали план квартиры, и он запомнил все существенные детали.

Его пальцы сомкнулись вокруг рукоятки пистолета в кармане. Глушитель на ствол уже навернут. Чтобы не терять время.

В одном углу комнаты круглый стол из ДСП. На нем ноутбук и стопки бумаги. Похоже, дамочка взяла работу на дом. На маленькой полке книги. Коврового покрытия нет, только истоптанные коврики.

В одном углу складной манеж. На двух стенах приклеены скотчем листы ватмана. На них корявые фигурки, составленные из палочек, — дети и женщина с растрепанными волосами. И детским почерком выведены слово «Я» и слово «маму», разделенные корявым рисунком сердца. А в одном углу груда игрушек.

И это заставило Роби замешкаться.

«Я здесь, чтобы убить молодую мать. На флешке о детях не было ни слова».

Потом в его наушнике раздался голос:

— Ты уже должен быть в спальне.

Этим сегодняшняя ночь тоже отличается. На нем микрокамера, передающая изображение в реальном времени, и микронаушник, через который его контролер может давать подсказки, чтобы он исполнил свою работу более эффективно.

Роби двинулся через комнату, остановившись перед закрытой дверью спальни.

Несколько мгновений прислушивался, приложив ухо к дешевой древесине, и услышал то, что и рассчитывал: негромкое дыхание, мягкое посапывание.

Взялся за ручку двери одетой в перчатку рукой, открыл дверь и ступил внутрь.

Кровать стояла у окна. Прямо у пожарного выхода. Во многих отношениях все складывается чересчур уж легко, как в кинодекорациях с выстроенным светом, дожидающихся только, когда актеры исполнят кульминационную сцену. Тут было темно, но Роби видел женщину на двуспальной кровати. Ее грузное тело под одеялом образовывало немалый бугор. Изрядную часть веса она несла на бедрах и ягодицах. Роби понимал, что задача уложить ее на носилки, когда смерть будет констатирована, потребует некоторых усилий. Копы будут искать следы, но не найдут ни единого. Обычно Роби забирает гильзы и пули, но сегодня в магазине патроны с пулями дум-дум, так что они, скорее всего, останутся в ней. А если так, судмедэксперт найдет их во время вскрытия. Да только ему никогда не сыскать оружие, соответствующее им.

Выудив «Глок» из кармана, Уилл двинулся вперед. Когда хочешь гарантированно решить дело одним выстрелом, мест, подходящих для этого, не счесть.

Чтобы избежать выброса на себя крови и тканей, неизбежно следующего при контактном выстреле, Роби решил сегодня сделать смертельный выстрел с расстояния нескольких футов. Он выстрелит один раз в сердце, а затем для пущей уверенности всадит следующую пулю в аорту толщиной с садовый шланг, идущую вертикально к сердцу. Перед аортой есть и другие вещи, но когда знаешь, куда стрелять, и угол правильный, выстрел рассечет этот шланг десять раз из десяти. Жертва истечет кровью молниеносно. А если пули почему-то пройдут навылет, то, скорее всего, застрянут в матрасе.

Быстро, чисто.

Встав перед кроватью, он поднял пистолет. Женщина лежала на спине. Роби взял ее сердце на мушку. Но вместо мишени на миг увидел мысленным взором игрушки, манеж, рисунок с подписью «Я сердечко маму». Тряхнул головой, чтобы прояснить мысли. Снова сфокусировался. Рисунок снова ворвался в мысли. Роби снова тряхнул головой. И...

Чуть вздрогнул, разглядев рядом с ней маленький комочек.

Торчащую головку с курчавыми волосами. Она была скрыта под одеялом. И он не нажал на спуск.

Голос в его ухе произнес:

– Стреляй.

Глава 12

Роби не выстрелил. Но, должно быть, издал какой-то звук.

Курчавая голова пошевелилась. Потом комочек сел. Мальчик потер глаза, зевнул, открыл глаза и уставился прямо на Уилла, стоящего перед ним, нацелив пистолет на его мать.

– Стреляй, – сказал голос. – Застрели ее!

Роби не выстрелил.

– Мамуля, – произнес мальчик испуганным тоном, не отводя взгляда от него.

– Стреляй, – твердил голос. – Сейчас же!

В голосе прорезались истерические нотки. Уилл не мог представить его лицо, потому что лично с контролером не встречался. Стандартная процедура агентства. Никто не может опознать никого.

— Мамочка! — Малыш заплакал.

— Пацана тоже застрели, — приказал контролер. — Давай!

Роби мог бы выстрелить и скрыться. Чпок в грудь. Одну большую, другую маленькую. Одна пуля дум-дум, выпущенная в ребенка, разнесет его внутренности. У него не будет ни шанса.

— Стреляй сейчас же, — настаивал голос.

Уилл не стрелял.

Женщина зашевелилась.

— Мамочка? — Сын тыкал в нее пальцами, но глаз от Роби не отводил. По его худым щекам заструились слезы. Его затрясло.

Мать медленно пробуждалась.

— Да, детка? — промямлила она сонным голосом. — Всё в порядке, детка, это просто кошмар. С мамочкой ты в безопасности. Бояться нечего.

— Мамочка! — Он подергал ее за сорочку.

— Ладно, детка, ладно. Мамочка проснулась.

Она увидела Роби. И оцепенела, но только на миг. А потом спрятала ребенка за спину.

И завизжала.

Уилл приложил палец к губам.

Она снова завизжала.

— Застрели их, — отчаянно воззвал контролер.

— Тихо, или я стреляю, — предупредил ее Роби.

Она не смолкла.

Он выпустил пулю в подушку рядом с ней. Набивка полетела во все стороны, а пуля, отклонившись из-за пружин матраса, впилась в пол под кроватью.

Женщина прекратила вопли.

— Убей ее! — рявкнул контролер Роби в ухо.

— Тихо, — сказал тот женщине.

Она всхлипнула, обнимая сына.

— Пожалуйста, мистер, пожалуйста, не трогайте нас...

— Просто молчите, — велел Роби. Контролер продолжал орать ему в ухо. Будь он в комнате, Уилл пристрелил бы говнюка, только бы заставить его заткнуться.

— Берите, что хотите, — залепетала женщина, — только, пожалуйста, не трогайте нас. Не трогайте моего малыша.

Она повернулась, обнимая сына. Приподняла его, прижавшись щекой к его щеке. Коснувшись лица матери, тот перестал плакать.

И тут Роби осознал нечто такое, от чего внутренности у него скрутило в тугой ком.

Контролер больше не верещал. В наушнике воцарилось полнейшее безмолвие.

Надо было заметить это раньше.

Уилл ринулся вперед.

Женщина, решив, что он решил напасть, снова завизжала.

Оконное стекло разлетелось.

На глазах у Роби винтовочная пуля прошила голову мальчика и вошла в голову матери, убив обоих. Завидный выстрел снайпера, обладающего завидным мастерством. Но Уилл об этом не думал.

Взгляд женщины был устремлен на него, когда ее жизнь оборвалась. Вид у нее был изумленный. Мать и сын вместе повалились на бок. Она еще держала его. Казалось, посмертно ее руки еще крепче обняли бездыханное дитя.

Роби просто стоял, опустив пистолет и глядя за окно.

Где-то там предохранитель снят и линия обзора наверняка великолепная.

А затем инстинкты взяли верх, и Уилл, пригнувшись, откатился прочь от окна. И на полу наткнулся взглядом еще на одну вещь, увидеть которую сегодня совершенно не ожидал.

На полу рядом с кроватью стояла переноска. И в ней спал второй ребенок.

— Блин! — буркнул Роби.

И пополз вперед по-пластунски.

Его наушник ожил.

— Убирайся из квартиры, — приказал контролер. — По пожарной лестнице.

— Иди к черту! — огрызнулся Уилл. Сорвав микрокамеру и гарнитуру, отключил их и сунул в карман.

Ухватив переноску, подтянул ее к себе. Ждал второго выстрела, но вовсе не собирался предоставлять снайперу надежную мишень. А так человек на другом конце зоны поражения стрелять не станет, Роби знал это. Порой он сам был в роли того, кто залег с винтовкой во тьме.

Убравшись подальше от окна, он встал, держа переноску с ребенком за собой. Всё равно что волочь большую гирю. Надо убираться из здания, но идти запланированным путем явно нельзя. Роби окинул квартиру взглядом. Перед уходом надо кое-что захватить.

Вынеся ребенка из спальни, он осмотрел гостиную, включив миниатюрный фонарик. Углядел сумочку женщины. Поставив переноску, перерыл содержимое сумочки, выудил водительские права и сфотографировал их телефоном. Потом щелкнул ее удостоверение личности. Удостоверение личности государственного служащего.

«Что за?.. Этого факта на флешке не было».

Наконец углядел прямоугольный синий предмет, отчасти скрытый под стопкой бумаг, и схватил его.

Американский паспорт.

Сделал фото всех страниц, показывающих места, куда она ездила. Положил права, удостоверение и паспорт обратно и подхватил переноску.

Открыв входную дверь квартиры, поглядел направо и налево.

Вышел и уже через четыре шага был на лестнице. Сбежал на один пролет вниз, мысленно прокручивая план здания. Уилл запомнил каждую квартиру, каждого жильца, каждую возможность. Но отнюдь не с той целью, что теперь, — сбежать от своих же.

Квартира 307. Мать троих детей, припомнил Роби. И направился к ней по коридору стремительными шагами, мягко ступая по дрянному ковру.

Как ни странно, малыш не проснулся. Взяв ребенка, Уилл ни разу даже толком не поглядел на него и теперь бросил взгляд вниз.

Курчавые волосы, как у убитого мальчишки. Роби понимал, что ребенок даже не вспомнит брата. Как и мать. Жизнь порой не просто несправедлива, она по ту сторону добра и зла.

Поставив переноску перед 307-й квартирой, Роби трижды постучал, не озираясь по сторонам. Если кто-нибудь из другой квартиры смотрит, то увидит только его спину. Постучал еще раз и снова поглядел на ребенка, начавшего ворочаться. Услышал, что кто-то идет к двери, и скрылся.

Ребенок переживет эту ночь.

А вот насчет себя Роби был почти уверен, что нет.

Глава 13

Роби спустился еще на один пролет, на второй этаж. Теперь у него два варианта.

О задней стороне здания не может быть и речи. Там снайпер с винтовкой дальнего боя. Тот факт, что контролер настаивал на его отходе по пожарной лестнице, поведал Роби всё, что надо знать. Наградой за то, что он был достаточно глуп, чтобы пойти этим путем, будет пуля в голову.

О фасаде речи нет по той же причине. Единственный хорошо освещенный вход — с равным успехом он мог бы нарисовать себе мишень на лбу для резервной команды, которая подоспеет через минуту, чтобы зачистить этот бардак. Остаются лишь две боковых стены здания. У него два варианта, но Роби должен сократить их до одного. И побыстрее.

201-я или 216-я, думал он на ходу. Первая с левой стороны здания, вторая с правой. Стрелок позади здания может переместиться влево или вправо, прикрыв таким образом заднюю и одну из боковых стен одновременно.

Так влево или вправо?

Роби двигался, продолжая размышлять.

Контролер помогает снайперу, сообщая куда, по его мнению, направится Роби. Влево или вправо? Уилл силился припомнить окрестности. Эта многоэтажка. Переулок позади. Квартал небольших предприятий, заправка, одноэтажный торговый комплекс. С другой стороны от этой – другая многоэтажка, показавшаяся Роби бесхозной, когда он проводил рекогносцировку. Должно быть, стрелок там. Это единственная достойная линия огня. А если здание покинуто, у стрелка есть свобода перемещения, смены позиции, чтобы поймать Роби в прицел.

«Так куда же? Влево или вправо?»

Его исходная цель – 404-я – ближе к левой стороне здания.

Контролер может подумать, что Роби направится туда, потому что это уже ближайшая сторона. Контролеру неведомо, что он спустился на третий этаж, чтобы подбросить второго ребенка, после чего двинулся еще на лестничный пролет вниз. Но контролер сообразит, что Роби придется спуститься. Он не захватил с собой ничего подходящего, чтобы спуститься по стене здания дюльфером.

Роби уцепился за эту мысль. Увидел мысленным взором, как стрелок переносит позицию вправо – для Уилла влево, – устанавливает сошки, поправляет прицел и ждет его появления.

Но Роби всё не появляется, когда на счету каждая секунда. Снайпер это учтет, понимая, что Роби пытается переиграть его. Дернется там, когда его ждут тут. Значит, вправо, а не влево. Это объясняет, почему прошла такая уйма времени. А вовсе не подбрасывание второго ребенка.

Роби увидел, как на его мысленной шахматной доске снайпер совершает рокировку влево, от Роби вправо.

Времени на раздумья больше нет.

Он бегом ринулся по коридору к левой стороне здания.

201-я пустует. Очередное изъятие без права выкупа. Небольшие персональные чудеса порой произрастают из больших экономических катастроф. Через десять секунд он уже был в квартире. Планировка всех апартаментов одинаковая. Для ориентации ему не требовался ни свет, ни ПНВ. Добравшись до задней спальни, Уилл открыл окно и выбрался.

Ухватился за подоконник, поглядел вниз, оценивая высоту падения, и разжал руки.

Через десять футов упал и покатился, смягчая падение. И всё равно правую лодыжку прошило болью. Он ждал выстрела и попадания.

Его не последовало. Уилл рассчитал правильно. Побежав под углом прочь от здания, несколько секунд прятался за мусорным контейнером, пока чувства приспосабливались к новому окружению. Потом вскочил, перемахнул через забор и через пять секунд уже во весь опор несся по улице.

Наверное, они не видели, как Роби покинул здание, а то он уже был бы покойником. Но наверняка уже знают, что он улизнул. Опергруппа будет его разыскивать. Квадрат за квадратом. Процедура Роби известна. Вот только теперь ему надо оставить ее ни с чем.

Сколько Уилл помнил себя на этой работе, случившееся нынче ночью маячило на горизонте всегда. Не в качестве отчетливой возможности, но сбрасывать ее со счетов не стоило. И, как и на каждом задании, он заготовил план действия в чрезвычайных обстоятельствах. И теперь настало время этот план исполнить. Совет Шейна Коннорса наконец-то претворился в жизнь.

«Ты там один-единственный, кто на самом деле прикрывает тебе спину, Уилл».

Он отшагал еще десять кварталов. Пункт его назначения был впереди. Сверился с часами. Если график не изменился, в запасе у него двадцать минут.

Старый терминал «Трейлвейз» близ Капитолийского холма теперь перешел к годовалой автобусной компании «Аутта Хиа», то бишь «Прочь отсюдова». Очевидно, стартовый капитал компании невелик, и станция попрежнему кажется недействующей. Автобусы компании, припаркованные там, выглядят так, словно им не выдержать даже беглой инспекции. Эта поездка определенно будет экономклассом по полной программе.

Воспользовавшись вымышленной фамилией, Роби взял билет на автобус, через двадцать минут отбывающий в Нью-Йорк. Расплатился наличными. Добравшись до Нью-Йорка, он выполнит второй этап экстренного плана, предусматривающий отъезд за границу с целью убраться от коллег как можно дальше.

Уилл ждал перед терминалом. Местечко не такое уж безопасное, особенно в два часа ночи. Но куда безопаснее, чем ситуация, из которой Роби только что выпутался. С уличными бандитами он уж как-нибудь разберется. Профессиональные убийцы с дальнобойными винтовками куда грознее.

Уилл оглядел остальных людей, дожидающихся прибытия автобуса, который унесет их в Большое Яблоко, общим счетом тридцать пять пассажиров, считая и его самого. Автобус вмещает примерно вдвое больше, так что буферное пространство у него будет. Посадка свободная, так что он постарается пристроиться подальше от всех. У большинства с собой сумки, подушки и рюкзаки. При

Роби не было ничего, кроме прибора ночного видения, микрокамеры и пистолета «Глок» во внутреннем кармане толстовки, застегнутом на молнию.

Он снова обежал очередь взглядом. Пришел к выводу, что большинство ожидающих – бедные люди, рабочий класс или обделенные судьбой каким-либо иным образом. Догадаться нетрудно: одежда старая, потрепанная, куртки заношены до дыр, выражение на лицах усталое, угнетенное. Большинство людей, даже ограниченные в средствах, вряд ли надумали бы ехать в Нью-Йорк посреди ночи на обшарпанном автобусе, прихватив собственные подушки.

Автобус подрулил к остановке по широкой дуге и остановился рядом с ними под скрежет ржавых тормозов. Все выстроились в очередь. Тогда-то Роби и заметил ее. Он уже определил ее как одну из тридцати пяти, но теперь его взгляд задержался на ней.

Совсем юная. Лет двенадцать, может, чуть больше. Невысокая, кожа да кости, одета в потертые джинсы с дырами на коленках, рубашка с длинными рукавами, синяя лыжная аляска без рукавов. На ногах грязные, изношенные теннисные туфли, а темные тонкие волосы стянуты сзади в тугой конский хвост. Держа в одной руке рюкзак, девочка неотрывно уставила взгляд в землю. Казалось, она тяжело дышит, и Роби заметил на обеих ее руках и коленях следы грязи.

Как он ни смотрел, но не разглядел небольшого прямоугольного рельефа на карманах ее джинсов – ни спереди, ни сзади. Мобильник есть у каждого подростка, особенно у девочек. Впрочем, может, в отличие от большинства сверстников, она держит его в кармане куртки. Во всяком случае, не его это дело.

Роби огляделся, но не увидел никого, кто подошел бы на роль ее родителей.

Он понемногу продвигался вперед вместе с очередью. Не так уж невероятно, что его здесь найдут до отбытия автобуса. Сжав пистолет в кармане, Уилл потупил взгляд долу.

В автобусе он прошаркал в заднюю часть. Роби поднялся последним, и большинство людей уже расселись, заняв места ближе к передней части салона. Он же сел в последний ряд, около туалета. Больше никого в этом ряду не было. Уилл сел у окна. Здесь он будет невидимкой, зато сам будет видеть каждого вошедшего через зазор между двумя передними сиденьями. Стекла тонированные, и попытка стрелять снаружи обречена на провал.

Девочка-подросток села на три ряда впереди него по ту сторону прохода.

Водитель уже хотел было закрыть дверь, когда в нее поспешно заскочил мужчина, и Роби устремил взгляд вперед. Новый пассажир показал билет и двинулся в глубь салона. Приближаясь к девочке, он смотрел в другую сторону. Этот пассажир номер тридцать шесть сел самым последним.

Сползши по сиденью вниз, Роби натянул капюшон, прикрывая лицо. Сжав пистолет в кармане, повернул ствол вперед и вверх, чтобы тот был нацелен на то место, которое незнакомцу придется пересечь, если он продолжит свой путь к нему. Уиллу пришлось предположить, что его экстренный план каким-то образом стал известен и этого человека прислали закончить работу.

Но субъект остановился на ряд позади девочки, сев прямо у нее за спиной. Рука Роби на пистолете чуть расслабилась, но он продолжал следить за пришельцем сквозь щелку.

Встав, девочка убрала свой рюкзачок на багажную полку. Когда она поднялась на цыпочки, чтобы дотянуться, рубашка чуть задралась, и Роби заметил у нее на талии татуировку.

Автобус тронулся под натужный скрежет коробки передач, и водитель направил его на улицу, ведущую к федеральной автостраде, а там и в Нью-Йорк. Машин в этот час раз-два и обчелся. Окна в домах темные. Город проснется лишь через несколько часов. В этом отношении округ Колумбия на Нью-Йорк совсем не похож. По ночам он *спит*. Но встает ни свет ни заря.

Взгляд Уилла снова устремился на чужака. Ровесник Роби, примерно той же комплекции. Без багажа. Одет в черные слаксы и серую куртку. Взгляд Уилла пропутешествовал к рукам незнакомца. В перчатках. Бросив взгляд на собственные руки в перчатках, он выглянул за окно. Не так уж и холодно. Увидел, как тот потянул за рычаг, чтобы чуть откинуть спинку сиденья. И устроился поудобнее.

Но инстинкты подсказывали Роби, что это ненадолго.

Этот человек сел в автобус не просто ради поездки в Нью-Йорк.

Глава 14

Профессиональные убийцы – племя уникальное.

Роби обдумывал это, пока автобус набирал ход. Подвеска – дерьмо, а значит, и поездка будет тоже. Им придется сносить эту пытку две сотни миль, но Уилла сейчас занимало отнюдь не это. Он устремил взгляд сквозь щель, наблюдая и выжидая.

Когда ты на задании, то подмечаешь такое, на что другие люди даже внимания не обращают. Например, точки входа и выхода. Всегда нужно иметь хотя бы по паре и тех, и других. Углы прицеливания, позиции, с которых другие могут нанести ответный удар. Оценка противников исподволь. Попытка разгадать их намерения по одним лишь телодвижениям, пусть даже едва заметным. И ни в коем случае не дать никому заметить, что ты его заметил.

Именно всем этим сразу Роби сейчас и занимался. И это совершенно не связано с его напастью. Его преследуют, тут уж и к гадалке не ходи. Но так же очевидно, что кто-то увязался и за девчонкой. И теперь Роби понял, что сегодня он не единственный профессиональный убийца в этом автобусе.

И второй у него прямо перед глазами.

Он выудил «Глок» из кармана.

Девочка читала. Роби не видел, что именно, — какая-то книжонка в бумажной обложке. Она ушла в чтение с головой, позабыв обо всем на свете. Скверно. Молодежь — легкая добыча для хищников. Юнцы, приклеившиеся к экранам своих телефонов, давящие большими пальцами на клавиши, рассылающие сообщения громадной важности, вроде статуса в «Фейсбуке», цвета своего белья, проблем с девушками, проблем с волосами, спортивных результатов, места следующей тусы. А еще у них уши всегда заткнуты наушниками. С ревущей музыкой, за которой не расслышишь ничего, пока лев не прыгнет. А там уж поздно.

Легкая добыча. И даже не догадываются.

Роби нацелил ствол в щель между сиденьями.

Второй подался на своем сиденье вперед.

Поездка продолжалась всего несколько минут. За окнами замелькали здания еще более заброшенной части города.

Сиденье у окна рядом с девочкой не занято. Через проход от нее тоже никого. Ближе всех старушка, уже успевшая задремать. Большинство пассажиров устраивались спать, хотя отъехали едва ли на полмили.

Роби знал, как тот сработает. Голова и шея. Рывок вправо, рывок влево — тот самый метод, которому учат морпехов США. Объект — совсем дитя, оружие не понадобится. И никакого кровопролития. Большинство людей умирают молча. Никаких мелодраматичных предсмертных выкрутасов. Человек просто перестает дышать, булькает, дергается и затихает. Рядом никто и не догадается. Впрочем, большинство и так не догадываются.

Тот напружинился.

Девочка чуть передвинула книгу, чтобы жиденький свет потолочных светильников упал на страницу полнее.

Роби подвинулся вперед. Проверил оружие. Глушитель навернут до упора. Но в тесноте автобуса таких вещей, как беззвучный выстрел, не бывает. Насчет объяснений можно поломать голову и после. Он видел сегодня ночью, как два человека лишились жизни, и один из них — маленький мальчик. И доводить этот счет до трех он не собирался.

Тот перенес вес на пальцы ног. Поднял ладони, повернув их определенным образом.

Дерг-дерг, подумал Роби. Голова влево, шея вправо. Щелк.

Дерг-дерг.

Мертвая девочка.

Но не сегодня.

Глава 15

Самый мизер мог поведать Уиллу очень многое. Но случившегося дальше он даже предполагать не мог.

Чужак взревел.

Роби тоже взревел бы, потому что перечный аэрозоль, попав в глаза, чертовски жжет.

Девочка по-прежнему сжимала свою книжонку, пальцем придерживая страницу. Даже не обернулась на сиденье. Просто пшикнула аэрозолем назад над головой, угодив нападающему прямо в лицо.

Однако тот продолжал движение вперед, хоть и вопя и растирая глаза одной рукой. Вторая же нащупала шею девочки примерно в ту же секунду, когда пистолет Роби врезался ему в череп, заставив рухнуть на пол автобуса.

Девочка оглянулась на Роби, да и большинство других пассажиров, теперь проснувшихся, воззрились на него. Потом их взгляды переместились к упавшему. Одна пожилая дама в стеганом желтом халате завизжала. Водитель остановил автобус, поставил на стояночный тормоз, повернулся поглядеть на стоявшего позади Уилла и крикнул: «Эй!»

Тон и взгляд поведали Роби, что водитель считает источником проблемы его. Водитель — здоровенный чернокожий лет пятидесяти — встал и двинулся по проходу. Но, увидев пистолет Роби, застыл, выставив ладони перед собой.

Та же пожилая женщина завопила, вцепившись в свой халат.

— Какого черта вам надо?! — вопросил водитель у Роби.

Тот устремил взгляд на лежащего без сознания.

— Он напал на девочку. Я его остановил.

И поглядел на девочку в поисках поддержки. Та промолчала.

— Не хочешь им поведать? — призвал Роби.

Она продолжала молчать.

— Он пытался убить тебя. Ты шибанула его перечным аэрозолем.

Уилл протянул руку и, прежде чем она успела ему помешать, выхватил баллончик из ее руки и выставил на всеобщее обозрение.

— Перечный аэрозоль, — объявил он утвердительным тоном.

Теперь внимание остальных пассажиров обратилось на девочку. Она глядела на них, ничуть не смущенная пристальными взглядами.

— Что происходит? — недоумевал водитель.

— Этот тип напал на девочку, — пояснил Роби. — Она пшикнула в него перцем, а я его пристукнул, когда он не отстал.

— А почему у вас пистолет? — осведомился водитель.

— У меня есть на него разрешение.

Вдали послышались сирены.

Может, из-за двух трупов в том здании?

Человек на полу застонал и пошевелился.

— Не вставай, — приказал Роби, поставив ногу ему на спину, и поглядел на водителя. — Лучше вызовите полицию, — и повернулся к девочке: — У тебя с этим проблемы?

В ответ она встала, схватила свой рюкзак с верхней полки, продела руки в лямки и пошла по проходу к водителю.

Тот снова выставил ладони.

— Вы не можете уйти, мисс.

Вытащив что-то из куртки, она выставила это перед собой. Со своего места позади девочки Роби не видел, что именно. Водитель тотчас же попятился с выражением ужаса на лице. Пожилая дама снова заверещала.

Опустившись на колени, Уилл с помощью брючного ремня упавшего ловко связал ему руки за спиной, совершенно обездвижив. А потом двинулся по проходу за девочкой. Проходя мимо водителя, сказал:

— Звоните копам.

— Кто вы? — окликнул водитель следом.

Роби не ответил, потому что сказать правду никак не мог.

Дернув за рычаг, девочка открыла дверь автобуса и вышла.

Уилл нагнал ее, когда она уже пересекала улицу.

— Что ты ему показала? — поинтересовался он.

Обернувшись, она подняла гранату.

Роби даже бровью не повел.

— Это же пластмасса.

— Ну, он-то этого не сообразил.

Это были ее первые слова. Голос ее оказался ниже, чем предполагал Роби. Более взрослым. Они направились прочь от автобуса.

— Кто ты? — спросил Уилл.

Девочка продолжала шагать. Сирены приблизились, а затем пошли на убыль, удаляясь.

— Почему этот тип хотел тебя убить?

Она прибавила шагу, опережая Роби.

Они уже перешли через улицу. Девочка скользнула между двумя припаркованными автомобилями. Роби последовал ее примеру. Она заспешила вдоль улицы.

Прибавив ходу, он схватил ее за руку:

— Эй, я к тебе обращаюсь!

Ответа Уилл не дождался.

Взрыв сбил с ног их обоих.

Глава 16

Роби очнулся первым. Он не представлял, сколько пробыл в беспамятстве, но вряд ли так уж долго. Ни фараонов, ни экстренных служб. Только он и автобус, прекративший свое существование. Роби поглядел на горящий металлический остов, раньше представлявший собой большущее транспортное средство, и подумал, что выживших здесь быть не может, как в самолете, врезавшемся в землю носом.

Этот район округа Колумбия в столь поздний час пребывает в запустении, а жилых домов поблизости нет. Единственные, кто выбрался поглядеть, что стряслось, были явно бездомными.

Роби увидел, как старик в изодранных джинсах и рубахе, почерневшей от жизни на улице, выполз на тротуар из своего дома, слаженного из картона и пластиковых мусорных пакетов, служащих занавесом в дверном проеме. Поглядев на костер, который раньше был автобусом с пассажирами внутри, бомж процедил сквозь гнилые зубы:

— Дьявол, у кого-нить есть чё-нить хорошее, шоб поджарить?

Роби медленно поднялся. Ушибы ныли, но завтра будет уйма синяков, и заноет еще сильнее. Он огляделся в поисках девочки и увидел ее в десятке футов от того места, куда отбросило его.

Она лежала рядом с припаркованным «Сатурном» с окнами, выбитыми взрывной волной. Подбежав, Роби осторожно перевернул ее на спину. Принялся нащупывать пульс, нащупал и вздохнул с облегчением. Осмотрел ее. Никаких кровотечений, несколько ссадин на лице от столкновения с шершавым асфальтом. Жить будет.

Через несколько секунд глаза ее открылись.

Роби поглядел на гранату, которую она всё еще сжимала в ладони.

— Ты что, оставила в автобусе настоящую?

Девочка медленно села, устремив взгляд на уничтоженный автобус.

Роби ожидал, что это зрелище спровоцирует какую-нибудь реакцию, но она промолчала.

— Кто-то очень хочет твоей смерти, — заметил он. — Не догадываешься почему?

Девочка поднялась на ноги, углядела свой рюкзачок в нескольких футах, взяла его, отряхнула пыль и закинула лямку на плечо. Потом поглядела снизу вверх на Роби, возвышавшегося над ней, и спросила:

— Где ваша пушка?

Это застало Уилла врасплох. Он не знал, куда девалось его оружие. Огляделся по сторонам, потом присел на корточки и заглянул под несколько машин, припаркованных на улице. Ливневые стоки. Пистолет мог упасть туда, когда его сшибло с ног.

— На вашем месте я бы ее нашла.

Роби поглядел на нее. Девчонка наблюдала за ним с расстояния нескольких футов.

— Почему?

— Потому что она, наверное, вам понадобится.

— Почему? — спросил он снова.

— Потому что вас видели со мной.

Он встал. Сирен стало больше. Кто-то наконец-то позвонил, потому что звук нарастал. Экстренные службы уже едут. Бездомный теперь плясал вокруг костра, вопя, что еще хочет «чертовых зефирок».

— И почему это так важно? — полюбопытствовал Роби.

Она поглядела на уничтоженный автобус.

— Что? Вы чё, дурак?

Прекратив поиски оружия, он подошел к ней.

— Тебе надо пойти в полицию. Она может тебя защитить.

— Ага, как же.

— Сомневаешься?

— На вашем месте я бы сматывалась отсюдова.

— В этом автобусе не осталось ни одного выжившего, чтобы рассказать копам, что случилось, — возразил Роби.

— А что случилось, по-вашему?

— Свыше тридцати человек только что лишились жизни в этом автобусе, включая и типа, пытавшегося тебя прикончить.

— Это ваши предположения. А доказательства где?

— Доказательства в этом автобусе. Частично. Остальные, по-видимому, у тебя в голове.

— Опять же, *ваши* предположения.

Повернувшись, девочка зашагала прочь.

Роби несколько секунд смотрел ей вслед.

— Тебе не справиться в одиночку, знаешь ли, — заметил он. — Ты уже спеклась или тебя сдали.

Она обернулась.

— В каком это смысле? — Впервые в ее голосе прозвучала заинтересованность.

— Тебя уже выследили до автобуса или поджидали тебя. Если верно последнее, то тебя подставили. У них продвинутые разведданные. Знали автобус, время... всё. Так что ты или сама спалилась и позволила им последовать за собой, или кто-то, кому ты доверяешь, тебя сдал. Или одно, или другое.

Девочка через плечо оглянулась на горящую массу металла и тел.

— Как ты заметила мужика в автобусе? — спросил Роби. — Мне казалось, у него был чистый заход на убийство.

— Отражение в окне. Тонированное стекло, внутри верхний свет, снаружи темно — получается зеркало. Простая наука.

— Ты же читала книгу.

— Я *притворялась,* что читаю. Я видела, как мужик сел позади меня. А перед тем прошел три свободных ряда. Это заставляет насторожиться, правда? Плюс я видела, как он садился. Изо всех сил старался не дать мне увидеть его.

— Значит, ты могла узнать его?

— Возможно.

— Я тоже был позади тебя.

— Слишком далеко позади, чтобы вам оттого был хоть какой-то прок.

— Так ты и меня заметила?

— Просто привыкаешь всё подмечать, — она пожала плечами.

— Значит, он следил за тобой до автобуса. Он тебя преследовал? Я вижу грязь у тебя на ладонях и коленках. Похоже, прежде чем сесть в автобус, ты проехалась по земле.

Девочка поглядела на свои коленки, но не ответила.

— Но в одиночку тебе все равно не справиться, — повторил Роби.

— Ага, вы уже говорили. И что же вы предлагаете?

— Если не пойдешь в полицию, тогда пошли со мной.

Она на шаг попятилась.

— С вами? Куда?

— Куда-нибудь, где безопаснее, чем здесь.

— А почему бы *вам* не остаться поговорить с копами? — Девочка смерила его ледяным взором.

Глядя на нее, Роби слышал, что сирены воют уже неуютно близко.

— Это как-то связано с тем, что вы с пушкой сели в автобус в такой час? — Она пригляделась к нему повнимательнее. — Вы как-то не вписываетесь, знаете?

— В смысле?

— Вы не похожи на человека, который поедет на паршивом автобусе среди ночи, чтобы попасть в Нью-Йорк. Как и тип, что сидел за мной. Это была его вторая ошибка. Надо иметь прикид под стать.

— Если хочешь выпутываться в одиночку, ступай. Не сомневаюсь, еще пару часов водить их за нос тебе по плечу. Но потом для тебя всё будет кончено.

Она еще раз оглянулась через плечо на горящую массу и проронила:

— Я не хотела, чтобы еще кто-нибудь погиб.

— *Еще* кто-нибудь? А кто еще погиб?

Роби чувствовал, что ей хочется разреветься, но она лишь спросила:

— Кто вы такой?

— Человек, наткнувшийся на что-то и не желающий бросать всё как есть.

— Я не верю ни вам, ни кому-нибудь еще.

— Я тебя не виню. Я бы тоже не верил.

— Куда вы хотите отправиться?

— Куда-нибудь в безопасное место, как и сказал.

— Сомневаюсь, что такие места есть, — проронила она голосом, впервые прозвучавшим совершенно по-детски. Со страхом.

— Я тоже, — отозвался Роби.

ГЛАВА 17

Уилл не просто располагал планом бегства на случай, если во время одной из миссий что-нибудь пойдет не так. У него была и конспиративная квартира. И теперь, с подопечной на буксире, он остановил выбор на плане С.

К сожалению, план С уже заметно осложнился.

Роби окинул взглядом конец переулка. Надел ПНВ. Это был лишь проблеск, но Уилл уцепился за него, потому что знал, насколько тот важен — блик света на ружейном прицеле.

Сняв ПНВ, он скользнул обратно в тень и посмотрел на девочку.

— Как тебя звать?

— Зачем?

— Просто чтобы как-то звать. Не обязательно настоящее имя, — добавил он.

Она поколебалась.

— Джули.

— Ладно, Джули. Можешь звать меня Уиллом.

— Это ваше настоящее имя?

— А Джули — *твое* настоящее имя?

Девочка примолкла, глядя мимо него во тьму. Они удалились кварталов на десять — на самом деле настолько далеко, что звук сирен стих. Она не обязана идти с ним. Они молча согласились покинуть место взрыва, просто повернувшись и вместе зашагав прочь.

Роби мог представить деятельность вокруг автобуса. Экстренные службы пытаются определить, что вызвало взрыв. Дефект топливного бака? Или террористический акт? Но затем Уилл сосредоточился на том блике.

— Там кто-то есть, — вполголоса сообщил он Джули.

— Где? — не поняла она.

Роби указал через плечо, окидывая ее взглядом.

— А на тебе, случаем, нет устройств слежения? Потому что я хорошо заметаю следы, а тут нас настигли довольно быстро.

— Может, они лучше вас.

— Будем надеяться, что нет. Так что насчет маячка? Может, твой мобильник? Я не заметил его у тебя в карманах. Но у тебя он есть? И GPS включен?

— У меня нет мобильника, — ответила Джули.

— Разве не у всех детей есть мобильники?

— Наверное, нет, — сухо отрезала она. — И я не ребенок.

— Сколько тебе лет?

— Сколько лет *вам*?

— Сорок.

— Вы очень старый.

— Поверь мне, я это чувствую. Так сколько?

Она снова замялась.

— Можно соврать? Как с именем?

— Разумеется. Но если скажешь, что больше двадцати, я тебе вряд ли поверю.

— Четырнадцать.

— Лады.

Роби посмотрел в ту сторону, откуда они пришли. Он нутром чуял, что возвращаться тем же путем не следует.

— Что вы такое видели, раз решили, что там кто-то есть? — поинтересовалась она.

— Отражение, в точности как твое в окне автобуса.

— Это мог быть кто угодно.

— Отражение света от оптического прицела. Его ни с чем не спутаешь.

— А-а...

Роби разглядывал стены по обе стороны от них. А потом задрал голову.

— Ты боишься высоты?

— Нет, — быстро ответила она — пожалуй, слишком быстро.

Поспешив к строительному контейнеру для мусора, стоящему в переулке, Роби принялся там копаться. Наконец выудил несколько отрезков веревки и быстро связал их вместе. Нашелся в контейнере и кусок фанеры. Уилл пристроил его поверх контейнера так, чтобы получилась платформа, на которую можно встать.

— Пристегни рюкзак к спине как можно плотнее.

— Зачем?

— Надо.

Подтянув лямки до отказа, девочка выжидательно поглядела на Роби.

— Что будем делать?

— Полезем наверх.

Подняв Джули, Уилл поставил ее на фанеру и вскарабкался следом сам.

— Что теперь?

— Я же сказал, полезем.

Она уставилась на кирпичную стену здания.

— А это вообще возможно?

— Вот и выясним, — он поманил ее. — Давай. Встань мне на плечи. Мы целим вон туда, — указал на лестницу пожарного выхода, убранную в верхнее положение намного выше уровня улицы.

— По-моему, я не дотянусь.

— Можем хоть попытаться. Напряги ноги и держи их прямо.

Подняв ее на плечи, он ухватил Джули за лодыжки и сделал армейский жим, подняв ее еще выше. Но, даже вытянув руки изо всех сил, она не дотягивалась на добрый фут. Роби опустил ее.

Затем, взяв веревку, добытую из контейнера, перекинул ее через верхнюю перекладину лестницы. Завязал на одном конце петлю, пропустил второй через нее, ухватился за веревку и ловко вскарабкался на лестницу, после чего освободил веревку и спустил один конец обратно Джули.

— Я не ахти как лазаю по веревкам. Я сачковала физру, — с сомнением протянула она.

— И не придется. Завяжи веревку вокруг лямок рюкзака. И затяни узел потуже.

Она сделала, как велено.

— А теперь скрести руки и крепко прижми к телу, — добавил Роби. — Это не даст рюкзаку соскользнуть.

Джули послушалась, и Уилл потащил ее наверх.

И когда она была уже почти у него в руках, Роби понял, что они в беде. Топот бегущих ног никогда не предвещает добра.

— Лезь, живо, — приказал он с явным напором. — Как можно выше.

Джули принялась карабкаться по пожарной лестнице, а Уилл обернулся назад, сосредоточившись на том, что надвигалось.

Глава 18

Человек свернул в переулок, остановился, убедился, что никого не видно, и двинулся вперед. Через десяток ярдов снова остановился, посмотрел налево, направо, а затем вперед. И продолжил движение, точными, отмеренными движениями поводя винтовкой вправо-влево. Повторил то же самое еще дважды. Он был хорош, но не очень, потому что вверх не посмотрел еще ни разу.

И когда наконец сделал это, то как раз вовремя, чтобы увидеть летящие на него подошвы Роби.

Ботинки двенадцатого размера врезались ему в лицо, стремительно обрушив прилагающееся к лицу тело на асфальт. Уилл приземлился на него сверху, перекатился и вскочил в атакующую позицию. Пинком отшвырнул винтовку и посмотрел вниз. Неизвестно, мертв тот или нет, но определенно без сознания. На его обыск потребовалось несколько секунд.

Ни удостоверения личности.

Ни телефона.

Неудивительно.

Но и никаких официальных документов. Никакого золотого значка.

Зато в кармане обнаружился электронный прибор с мигающим голубым огоньком. Раздавив его подошвой, Роби выбросил обломки в контейнер. Ощупал лодыжки лежащего и нашел револьвер «Смит-и-Вессон» калибра.38 без номеров. Сунув оружие в карман куртки, повернулся и запрыгнул на фанеру. Ухватился за веревку, вскарабкался, пристроился на ступеньке лестницы, снял и убрал веревку и полез наверх.

Джули он нагнал уже на самом верху.

— Он мертв? — спросила она, глядя вниз.

Очевидно, всё видела.

— Я не проверял. Пошли.

— Куда? Мы наверху.

Роби указал вверх, на крышу футах в десяти выше них.

— Как? — спросила Джули. — Лестница туда не доходит. Кончается на верхнем этаже.

— Жди здесь.

Уилл уцепился одной рукой за подоконник, другой — за щель между кирпичей, и полез вверх. Минуту спустя он уже стоял на крыше. Лег на живот, раскрутил веревку и спустил ее Джули.

— Привяжи к лямкам рюкзака, как раньше, снова сцепи руки и закрой глаза.

— Не уроните меня, — в ее голосе прозвучала паника.

— Я уже поднял тебя раз. Ты ничего не весишь.

Через минуту она уже стояла рядом с ним на крыше.

Роби повел ее по плоской площадке, засыпанной гравием, и с противоположной стороны поглядел вниз и по сторонам. С этой стороны нашлась вторая пожарная лестница. С помощью веревки он спустил Джули, потом перебрался через парапет, несколько секунд повисел на руках, а потом спрыгнул. Приземлившись на металлическую площадку пожарной лестницы, схватил Джули за руку, и они двинулись вниз.

— А мы не столкнемся с той же проблемой, если там кто-то есть? — полюбопытствовала девочка.

— Столкнемся, если дойдем до самого низу.

Они добрались до третьего этажа здания, и Роби, остановившись, заглянул в окно. А затем с помощью ножа из ножен на лодыжке справился с нехитрым запорным механизмом и поднял раму окна.

— А если здесь кто-то живет? — шепнула Джули.

— Тогда мы вежливо удалимся, — ответил Роби.

Квартира была пуста.

Бесшумно проскользнув через нее, они пробежали по коридору до лестничной клетки, и минуту спустя уже спешили в направлении, противоположном тому, откуда пришли.

Наконец притормозив, Роби сказал:

— Они тебя отслеживали. Должно быть, на тебе где-то жучок.

— Откуда вы знаете?

— Из-за прибора, который нашел у того типа. Я его сломал, но надо ликвидировать источник. Открой рюкзак.

Она послушалась, и Роби быстро обыскал его содержимое. Чистые вещи, косметичка с туалетными принадлежностями, небольшая камера, несколько учебников, «Айпод Тач», небольшой ноутбук, тетради и ручки. Уилл снял заднюю стенку «Айпода» и осмотрел ноутбук, но не нашел там ничего постороннего. Ручки тоже чистые. Роби методично пересмотрел туалетные принадлежности, но ничего не обнаружил. Закрыв рюкзак, вернул его владелице.

— Ничего.

— Может, это на вас жучок? — предположила она.

— Это невозможно, — возразил Роби.

— Вы уверены?

Он хотел было ответить утвердительно, но прикусил язык. Выудил микрокамеру, которую сунул в карман, вскрыл крышку — и внутри обнаружился второй мигающий голубой огонек за сегодняшнюю ночь.

— Видите, это *вы*. Я была права, — торжествующе провозгласила Джули.

Роби швырнул камеру, гарнитуру и трансивер в мусорный бак.

— Ага, ты права, — признал он.

Поблизости не было видно ни одного такси. Правду говоря, такси и не значилось в списке его желаний на данный момент. Ему не хотелось, чтобы постороннее лицо, которое могут допросить, знало, где его схрон.

Роби вскрыл и искусно включил зажигание древнего пикапа, припаркованного перед автозаправкой. Забрался на водительское сиденье. Джули за ним не последовала.

— Решила выпутываться в одиночку? — Уилл поглядел на нее через переднее сиденье.

Она промолчала, возясь с лямками рюкзака. Сунув руку в карман, Роби вытащил что-то и протянул ей.

Баллончик с перечным аэрозолем.

— Тогда это может тебе понадобиться.

Баллончик Джули взяла, но тут же забралась в грузовичок, крепко захлопнув дверцу.

Включив передачу, Роби неспешно тронул машину с места. Визг шин посреди ночи может привлечь внимание, а этого ему сейчас хотелось или требовалось меньше всего.

— Почему передумала? — осведомился он.

— Негодяи не возвращают оружие. — Девочка помолчала. — И вы спасли мне жизнь. Дважды.

— Логично.

— Значит, за мной гонятся. А за вами кто? — осведомилась Джули.

— В отличие от тебя, я знаю, кто они. Но не должен тебе говорить. И не скажу. Это пагубно для твоего будущего.

— Сомневаюсь, что оно у меня есть, — хоть так, хоть эдак...

Откинувшись на спинку сиденья, она примолкла, устремив взгляд вперед.

— Думаешь о ком-то? — негромко поинтересовался Роби.

Джули сморгнула слезы.

— Нет. И больше не спрашивайте, Уилл.

— Лады.

Роби погнал машину.

Какой бы ошеломительно скверной ни казалась сегодняшняя ночь, у него было явственное ощущение, что дальше пойдет только хуже.

ГЛАВА 19

Роби сделал одну остановку — у круглосуточного магазина, чтобы закупить продукты. Полчаса спустя фары грузовичка осветили фасад небольшого фермерского дома. Остановив машину, Роби поглядел на Джули.

Глаза ее были закрыты. Казалось, она спит, но, увидев, как девочка постояла за себя при нападении в автобусе, Роби не стал бы так уж доверять очевидному. Не желая получить порцию перечного аэрозоля, он не стал протягивать руку, чтобы потормошить. Просто негромко произнес:

— Приехали.

Глаза ее мгновенно распахнулись. Она не зевнула, не потянулась и не потерла лицо, как поступили бы большинство людей. Просто проснулась.

На Роби это произвело впечатление. Потому что именно так просыпается и он.

— Что это за место? — спросила Джули, озираясь.

Они проехали по гравийной дороге, устланной облетающей желтой листвой. Поездка окончилась перед белым дощатым домом. Входная дверь, покрашенная черной краской, два окна на фасаде, небольшое крыльцо. Позади дома намного выше конька крыши возвышался сарай.

— Безопасное, — отозвался Роби. — Насколько это возможно при подобных обстоятельствах.

— Это ферма или типа того? — Девочка уставилась на сарай.

— Типа того. Уже давно. Лес отвоевал землю у полей.

Это перестраховка Роби. Работодатель предусмотрел другие явочные квартиры для Роби и людей вроде него. Но это место принадлежит только ему. Владение через подставную компанию. К нему — никаких следов.

— Где мы?

— К юго-западу от округа Колумбия, в Вирджинии. Если подыскивать определение, то у черта на куличках.

— Это ваше?

Тронув грузовичок на подъездной дороге задним ходом, Роби повел его к сараю. Остановился, вылез, открыл двери сарая и завел машину внутрь. Снова выбрался, прихватил пакет с продуктами и сказал: «Пошли».

Джули последовала за ним в дом. Писк сигнализации при входе прекратился, как только Роби ввел код, позаботившись, чтобы Джули не увидела, какие цифры он нажимает.

Закрыл и запер дверь.

Она огляделась, по-прежнему сжимая рюкзак в объятьях.

— И куда мне?

— Запасная спальня, вторая дверь справа, — Роби указал на прямой лестничный марш сбоку от небольшого холла при входе. — Ванная через коридор. Есть хочешь?

— Лучше посплю.

— Ладно, — он выразительно указал глазами на лестницу. — Спокойной ночи.

— Спокойной ночи.

— И постарайся не окатить себя перечным аэрозолем. Сильно жжет кожу.

Джули опустила глаза на руку, в которой прятался крохотный баллончик.

— Откуда вы узнали?

— Я видел, как ты целила им в меня всю дорогу. Это я не в упрек. Пойди поспи.

Что она и сделала. Роби смотрел, как она тащится вверх по лестнице. Услышал, как дверь спальни открылась и закрылась. Следом щелкнул замок.

«Умная девочка».

Направившись в кухню, Уилл разложил продукты и сел за круглый столик напротив раковины. Положил дешевку 38-го калибра на стол и вытащил свой сотовый. Без GPS-чипа. Такова политика компании, потому что чип работает в обе стороны. Но с камерой его кинули.

Должно быть, подозревали, что он не станет стрелять в женщину с детьми. Подсунули ему маячок на случай, если он уйдет в отрыв.

Подстава с самого начала. Миленько... Теперь надо выяснить почему.

Нажав несколько кнопок на телефоне, он стал просматривать фотографии, сделанные в квартире убитой.

В правах значилось, что ее звали Джейн Уинд, возраст тридцать пять лет. Она без улыбки смотрела на Роби с фото. Вскоре она ляжет на металлический стол судмедэксперта округа Колумбия с лицом не просто без улыбки, а жутко обезображенным ружейной пулей. Ее ребенка тоже вскроют. Но у мальчика, принявшего на себя изрядную долю кинетической энергии пули, и лица-то не осталось.

Роби просмотрел фотографии страниц ее паспорта. Увеличил изображение, чтобы разобрать пограничные пропускные пункты. Там значилось несколько европейских стран, включая Германию. Это в порядке вещей. Но потом Роби увидел Ирак, Афганистан и Кувейт. А вот это уже не в порядке вещей.

Затем посмотрел ее государственное удостоверение.

«Управление Генерального инспектора, Министерство обороны США».

Роби вытаращился на экран.

«Я в жопе. Я в глубокой жопе».

Воспользовавшись телефоном для доступа в Интернет, он пролистал новостные сайты, отыскивая любую информацию о смерти Уинд или взрыве автобуса. Об

Уинд ни слова. Возможно, ее еще не нашли. Но взрыв автобуса уже привлек внимание. Впрочем, подробностей маловато. Роби явно известно больше, чем любому из репортеров на месте событий, пытающихся выяснить, что же произошло. Согласно сводкам новостей, пока власти не исключают возможность, что причиной взрыва послужила механическая неисправность.

«И так оно может и остаться», — подумал Роби. Если только не сумеют найти доказательств обратного. Взорвать старый автобус посреди ночи, убив пару дюжин людей, как-то не вписывается в список предсмертных желаний джихадиста.

Связаться с ним контролер больше не пытался. Роби это ничуть не удивило. Что так, что эдак, ответа они от него все равно не ждали. Пока что здесь он в безопасности. А завтра? Кто знает... Бросил взгляд в сторону лестницы. Он в бегах, и не один. В одиночку у него еще были бы шансы. Но теперь?

Теперь у него на руках Джули. Ей лет четырнадцать — быть может. Она не верит ни ему, ни кому-либо еще. И тоже бежит от чего-то.

И рассудок, и тело уже изнемогали от усталости, и больше ничего Роби сейчас поделать не мог. Так что сделал то, что имело смысл, — поднялся наверх, в спальню через коридор от спальни гостьи, запер за собой дверь, положил револьвер себе на грудь и закрыл глаза.

Сейчас главное — поспать. Неизвестно, когда еще выпадет такой шанс.

Глава 20

Окно открылось, и связанные вместе простыни заизмеились вдоль стены. Затянув один конец вокруг изножья кровати, Джули подергала, чтобы проверить надежность узла. Выскользнула из окна, тихонько спустилась по импровизированной веревке, коснулась земли и пулей метнулась во тьму.

Она точно не знала, где именно находится, но примечала дорогу, делая вид, что спит. Рассудила, что сможет выбраться на главную дорогу, а затем пройти по ней до какого-нибудь магазина или заправки, а оттуда позвонить и вызвать такси. Проверила свою заначку наличными и кредитку. Упакована по полной.

Темнота ее не пугала. В городе днем порой куда страшнее. Но Джули кралась совершенно бесшумно, потому что каким бы искушенным ни казался Уилл, кто-то ведь еще идет по их следу. Мысленно вычертив карту в голове, она решила, что при сложившихся обстоятельствах сгодится.

Джули понимала, что родители мертвы. Ей хотелось лечь на землю, свернуться калачиком и плакать без конца. Она больше никогда не увидит маму. Никогда не услышит смех отца. Затем их убийца покушался на нее. А потом его разнесло в клочья вместе с тем автобусом.

Но свернуться калачиком и заплакать для нее непозволительная роскошь. Надо двигаться. Меньше всего родители хотели, чтобы погибла и она.

Она выживет. Ради них. И выяснит, зачем кому-то понадобилось их убивать. Пусть даже убийца теперь сам труп. Ей нужно знать правду.

До дороги рукой подать. Она прибавила шагу.

И даже не успела отреагировать.

Это просто случилось.

Голос сказал:

— Знаешь, я собирался приготовить тебе завтрак.

Охнув, она обернулась и уставилась на Роби, сидевшего на пне, глядя на нее. Он встал.

— Я что, сказал что-то не то?

Джули бросила взгляд в сторону дома. Тот остался довольно далеко позади, так что можно было лишь разобрать намек на электрический свет где-то по ту сторону путаницы деревьев и кустов.

— Я передумала. Двинусь дальше.

— Куда?

— Это уж мое дело.

— Уверена?

— На все сто.

— Лады. Деньги нужны?

— Нет.

— Хочешь еще баллончик перечного аэрозоля?

— А у вас есть?

Вытащив из кармана, Роби швырнул ей баллончик. Джули поймала его на лету.

— Вообще-то этот помощнее того, что у тебя, — заметил Уилл. — В него добавлен паралитический газ. Уложит нападающего минут на тридцать минимум.

— Спасибо. — Она сунула баллончик в рюкзак.

— Вот так можно срезать к дороге через лес, — он указал налево. — Главное, не сходи с тропы. На дороге сверни налево. До заправки полмили. У них есть таксофон — быть может, последний в Америке. — И повернулся к дому.

— И всё? Вы просто дадите мне уйти?

— Я же сказал, — он обернулся, — это не мое дело. Ты сама так решила. И, честно говоря, у меня своих проблем по уши. Удачи.

И снова зашагал прочь.

Джули не тронулась с места.

— А что вы собирались приготовить на завтрак?

Уилл остановился, но не оглянулся.

— Яйца, бекон, каша, тосты и кофе. Но есть и чай. Говорят, кофе тормозит детский рост. Но ты же сказала, что уже не ребенок...

— А омлет?

— Как скажешь. Но моя закрытая глазунья не знает себе равных.

— Я могу уйти и утром.

— Да, можешь.

— Так и сделаю.

— Лады.

— Ничего личного, — добавила она.

— Ничего личного, — отозвался он.

Они зашагали обратно к дому. Джули поотстала от Роби на три шага.

— Я выбралась из дома довольно тихо. Откуда вы узнали?

— Я зарабатываю этим на жизнь.

— Чем?

— Выживаю.

«Я тоже», — подумала Джули.

Глава 21

Три часа спустя Роби оторвал голову от подушки. Принял душ, оделся и направился к лестнице. Услышал доносящееся из гостевой спальни тихое посапывание. Думал было постучать, но решил дать ей поспать.

Бесшумно спустился по лестнице и направился в кухню. Сигнализацию он не выключал. И не выключит, пока не покинет убежище. Кроме сигнализации в доме, датчики периметра раскиданы по всей территории собственности. Один из них и сработал при побеге Джули. Ему было проще простого срезать путь через лес и перехватить ее.

Отчасти он был рад, что она решила вернуться. Отчасти же добавочная ответственность его отнюдь не тешила.

Но большей частью души он все-таки радовался, что девочка вернулась.

«Может, из-за чувства вины, что позволил маленькому ребенку погибнуть прямо у меня на глазах? Я что, заглаживаю ее, спасая Джули от напасти и преследователей?»

Чуть позже Уилл услышал, как дверь открылась и по коридору прошлепали босые ноги. Позже зашумел смывной бачок и в раковину побежала вода. Лилась какое-то время. Наверное, Джули «принимала ванну» в раковине, чтобы привести себя в порядок.

Когда она спустилась минут через двадцать, стряпня шла полным ходом.

— Кофе или чай? — осведомился Роби.

— Кофе, черный, — ответила девочка.

— Вон там, угощайся. Чашки в шкафчике у холодильника, верхняя полка.

Проверив, как там каша, он открыл упаковку яиц.

— Глазунью — хорошо или чуть прожаренную, — болтунью или вкрутую?

— Да кто ж еще варит яйца вкрутую?

— Я.

— Болтунью.

Принявшись разбалтывать яйца в миске, Роби бросил взгляд на маленький телевизор на холодильнике и сказал:

— Посмотри-ка.

Джули убрала мокрые волосы за уши и, потягивая кофе, подняла глаза. Она переоделась. За окнами еще не совсем рассвело. Но в ярко освещенной кухне девочка выглядела моложе и еще тщедушнее, чем вчера ночью.

Ну, хотя бы больше не прячет в руке перечный аэрозоль. Обе ладони сжимают кружку с кофе. Лицо она отдраила дочиста, но Роби видел, что глаза у нее красные и припухшие. Она плакала.

— Сигаретки не найдется? — спросила Джули, отводя глаза под его пристальным взглядом.

— Мала еще, — отрезал Роби.

— Мала для чего? Умирать?

— Иронию я уловил, но сигарет не держу.

— А раньше курили?

— Да. А что?

— Да просто вид у вас такой.

— И какой же?

— Типа «сам себе голова».

Звук телевизора был приглушен, но сцена на экране говорила сама за себя. До сих пор дымящийся автобус, выгоревший до металлического остова. Все горючие предметы практически исчезли — сиденья, шины, тела.

И Роби, и Джули уставились на него.

Бак автобуса был залит под горловину, понимал Роби, для поездки до самого Нью-Йорка. Полыхал, как в пекле. Нет, он и *был* пеклом. В этом рейсе найдут тридцать с лишним обугленных трупов. По крайней мере, их фрагменты.

Их крематорий.

У судмедэксперта будет работы невпроворот.

— Вы не могли бы включить звук? — попросила Джули.

Взяв пульт, Роби чуть прибавил звук.

Угрюмый теледиктор посмотрел в объектив и сказал:

— К моменту взрыва автобус только выехал в Нью-Йорк. Взрыв произошел около половины второго вчера ночью. Оставшихся в живых нет. ФБР не исключает возможности террористического акта, однако на данный момент непонятно, почему его объектом был выбран именно этот автобус.

— Как по-вашему, что произошло? — поинтересовалась Джули.

— Давай сперва поедим.

Следующие четверть часа они сосредоточенно жевали, глотали и пили.

— Хорошая яичница, — наконец провозгласила Джули, отодвигая тарелку. Налила себе еще кофе и снова села. Посмотрела в почти пустую тарелку Роби, а потом на него самого. — Теперь мы можем поговорить об этом?

Положив нож и вилку на тарелке крест-накрест, Уилл откинулся на спинку стула.

— Возможно, взрыв устроил тип, преследовавший тебя.

— Что, типа террорист-смертник?

— Возможно.

— А вы разве не заметили бы на нем пояс шахида?

— Наверное. Большинство поясов шахидов бросаются в глаза. Динамитные шашки бок о бок, провода, батареи, выключатели и детонатор. Но я его связал, так что он не смог бы ничего запустить.

— Значит, это не он.

— Не обязательно. Чтобы взорвать автобус, взрывчатки нужно не так уж много. Она могла быть запрятана где-нибудь на нем. Толика «Си-четыре» или «Семтекса», а об остальном позаботится полный бак бензина. Сколько-то взрывоопасных паров в баке плюс постоянный приток топлива для горения. И запустить ее могли дистанционно. Правду сказать, если так и было, дистанционный запуск был просто необходим, потому что его связали. Примерно половина шахидов на Ближнем Востоке сами на спуск вообще не нажимают. Их просто отправляют с бомбами, а взрыв производят их контролеры с безопасного удаления.

— Значит, похоже, контролерам особо утруждаться не приходится.

Роби подумал о собственном контролере, с безопасного удаления повелевавшего жизнями — в буквальном смысле.

— Спорить не буду.

— Значит, если этот чувак не был источником взрыва...

— Тогда по автобусу садануло что-то еще.

— Типа чего?

— Один из вариантов — зажигательная пуля в бензобак. Воспламеняет пары — и бах! А потом подпитываемый бензином пожар доделывает остальное.

— Вы слышали выстрел? А то я — нет.

— Нет, но он мог быть не настолько близко от места взрыва, чтобы мы расслышали.

— А зачем им понадобилось взрывать автобус?

— Как, по-твоему, этот тип нашел тебя в автобусе?

— Он подоспел впопыхах и последним, — раздумчивым тоном произнесла Джули, глядя на него.

Роби по достоинству оценил тон, к которому и сам частенько прибегал.

— Значит, либо он получил задание в последнюю минуту и ринулся вдогонку. Либо, что вероятнее, тебя потеряли, но потом снова нашли. — Он помолчал. — Как по-твоему, что именно?

— Без понятия.

— Уверен, у тебя есть понятие. Даже догадка.

— А как же субъект с винтовкой в переулке?

— Этот целил в меня.

— Ага, это-то я знаю. У вас был маячок. Но почему он целил в вас?

— Об этом я рассказывать не могу. Я же говорил.

— Тогда и я отвечу так же, — отрезала Джули. — И что теперь?

— Могу подвезти тебя до заправки. Ты можешь вызвать такси. Сесть на другой автобус до Нью-Йорка. Или на поезд...

— В билетах на поезд указывают имя.

— На твоем будет просто указано «Джули».

— А на вашем — просто «Уилл», — парировала она. — Но этого ведь маловато будет, а?

— Да.

Они сидели, глядя друг на друга.

— Где твои родители? — спросил Роби.

— Кто сказал, что у меня они есть?

— У каждого есть родители. Эта вроде как обязательно.

— Я имела в виду, *живые*.

— Значит, твои умерли?

Она отвела взгляд, теребя ручку кружки.

— Наверное, этот расклад не сработает.

— Может, нам пойти в полицию?

— А в вашей ситуации это сработает?

— Я имел в виду — для тебя.

— Нет, вообще-то не сработает.

— Если ты расскажешь мне, в чем дело, может быть, я смогу тебе помочь.

— Вы мне уже помогли, я благодарна за это. Я толком не представляю, что еще вы можете поделать, правда.

— А зачем ты ехала в Нью-Йорк?

— Потому что он не здесь. А зачем ехали вы?

— Это удобно.

— Ну а для меня неудобно.

— Значит, тебе пришлось. Почему?

— Это знать надо, — отозвалась Джули. — А вы не знаете.

— Что? Что ты малолетний шпион или вроде того?

Роби бросил взгляд на экран, заметив что-то уголком глаза. Из кондоминиума выкатывали двое носилок с телами, накрытыми простынями с головой. Одно большое, другое маленькое.

Другой репортер перед камерой беседовал с представительницей департамента полиции округа Колумбия.

— Жертвы, — говорила пресс-атташе, — мать и ее маленький сын, опознаны, но мы не будем разглашать их имена, пока не уведомим ближайших родственников. У нас есть несколько зацепок, помогающих в следствии. Мы просим всех, кто что-нибудь видел, связаться с нами по поводу этой информации.

— Как сообщают, расследование возглавляет ФБР? — спросил репортер.

— Покойная была федеральной служащей. Привлечение Бюро — стандартная оперативная процедура в подобных ситуациях.

«Нет, вовсе не стандартная», — подумал Роби. Он не сводил глаз с экрана, жадно впитывая информацию. Казалось, минул целый год с той поры, как Уилл ускользнул из этого здания, теперь окруженного полицией и федеральными ищейками.

— И там был еще ребенок? — осведомился репортер, поднося микрофон к лицу пресс-атташе полиции.

— Да. Он не пострадал.

— Ребенка нашли в той же квартире?

— Больше ничего мы пока сообщить не можем. Спасибо.

Отвернувшись от телевизора, Роби наткнулся на пристальный взгляд Джули. Ее глаза, как кислота, прожигали все защитные барьеры и фасады, которые он мог выставить.

— Это вы?

Он не отозвался ни словом.

— Мать и дитя, а? И что? Помогаете мне, чтобы искупить это?

— Еще есть хочешь?

— Нет. Я лишь хочу уехать.

— Могу подвезти.

— Нет, предпочту пешком.

Она ушла к себе в комнату и через минуту спустилась со своим рюкзачком.

Отключив сигнализацию и открыв для нее переднюю дверь, Роби проронил:

— Я не убивал этих людей.

— Я вам не верю, — просто отозвалась она. — Но спасибо, что не убили меня. Мне и без того дерьма хватает, не расхлебаешь.

Роби проводил взглядом девочку, заспешившую по гравийной дороге.

И пошел за своей курткой.

Глава 22

Надев шлем, Уилл снял кожаный чехол со своего дорожного мотоцикла «Хонда», завел его и выехал из сарая. Припарковавшись, закрыл и запер сарай, а затем снова оседлал серебристо-синий байк с двигателем на 600 кубиков.

До дороги добрался как раз вовремя, чтобы увидеть,

как Джули забирается на переднее сиденье здоровенного, как катер, древнего «Меркурия», за рулем которого сидела старушка, макушкой едва достающая до верха рулевой баранки.

Дав газу, Роби пристроился ярдах в пятидесяти позади «Меркурия». И ничуть не удивился, когда длинный автомобиль свернул на заправку, о которой он говорил Джули. Промчавшись мимо, срезал по боковой дороге и повернул обратно. Остановив мотоцикл, заглушил двигатель. Через щель в изгороди у дороги проследил, как Джули высаживается и идет к таксофону. Она нажала три кнопки. Наверное, 411[1], заключил Роби.

Сунув в щель несколько монет, она набрала другой номер.

Таксомоторная компания.

Поговорив, Джули повесила трубку, вошла в здание заправки, взяла ключ от туалета и пошла за угол.

Ей придется ждать такси — значит, и Роби тоже.

Его телефон зазвонил. Бросив взгляд на экран, он беззвучно охнул.

Определившийся номер на экране принадлежал к числу так называемых «синих» — с самой верхушки его агентства. До сих пор таких звонков Роби не получал. Но номер помнил. Придется ответить. Но это вовсе не значит, что он должен быть так уж расположен к сотрудничеству.

Нажав на кнопку телефона, он сказал:

— Вы не можете отследить этот звонок. Вам это известно.

— Надо встретиться, — ответили на том конце.

Это был не контролер. Роби знал, что так и будет. Синие звонки поступают не от полевых контролеров.

---

[1] Номер 411 — «Белые страницы», справочная служба в США, позволяющая узнавать номера телефонов, адреса и т. п.

— У меня была встреча вчера ночью. Сомневаюсь, что смогу пережить следующую.

— Последствий для вас не будет.

Уилл не отозвался ни звуком, позволяя молчанию донести абсурдность этого заявления.

— Ваш контролер был неправ.

— Рад слышать. Но я все равно не выполнил задание.

— Разведанные тоже были неправильными.

Роби промолчал, догадываясь, к чему все идет, и сомневался, что хочет в это влезать.

— Разведанные были неправильными, — повторил собеседник. — Произошло досадное недоразумение.

— Досадное? Женщину *обрекли* на смерть. А ведь она была американской гражданкой.

Наступила очередь собеседника промолчать.

— Управление Генерального инспектора, — произнес Роби. — Мне сказали, что она — член террористической ячейки.

— Что вам сказали, роли не играет. Ваша работа — исполнить приказ.

— Даже если он неправильный?

— Если он неправильный, разбираться с этим — не ваше дело. А мое.

— А вы-то кто такой, черт побери?

— Вам известно, что это синий звонок. Выше вашего контролера. Куда выше. Отложим это до встречи.

Роби пронаблюдал, как Джули вышла из туалета и зашла внутрь, чтобы вернуть ключ.

— Почему ее избрали мишенью?

— Послушайте, Роби, решение по вам можно и изменить. Этого вы хотите?

— Сомневаюсь, что мои желания играют хоть какую-то роль.

— На самом деле, играют. Мы не хотим вас терять. Мы считаем вас ценным активом.

— Спасибо. Где мой контролер?

— Получил перевод.

— В смысле, тоже покойник?

— Мы не играем в такие игры, Роби. Вам это известно.

— Очевидно, мне не известно ни черта.

— Все обстоит так, как обстоит.

— Продолжайте твердить себе это. Может, поверите.

— Мы принимаем антикризисные меры, Роби. Нам нужно поработать над этим вместе.

— Мне как-то больше не по душе работать с вашим братом.

— Но вам нужно переступить через это. Фактически говоря, это настоятельная необходимость.

— Давайте подбираться к этому постепенно. Вы посылали кого-то убить меня вчера ночью? Субъекта с винтовкой в переулке? Мои подошвы отпечатались у него на лице? Фактически говоря, он еще может валяться в переулке без сознания.

— Он был не из наших. В этом я могу вам поклясться. Сообщите мне точное местоположение, и мы проверим.

Роби не верил ему, но особой роли это не играло. Он сообщил собеседнику, где это произошло, тем и ограничившись.

— Чего вам еще от меня надо? Новых заданий? Я не в настроении. Эдак вы в следующий раз пошлете меня убирать бойскаута.

— В связи со смертью Джейн Уинд ведется следствие.

— Ага, еще бы.

— Его возглавляет ФБР.

— Еще бы.

— Мы хотим, чтобы вы взяли на себя роль посредника между агентством и Бюро.

Сколько сценариев Роби ни прокручивал в голове, такого среди них не было.

— Вы шутите?

Молчание.

– Я к этому делу и на пушечный выстрел не подойду.

– Нам нужно, чтобы вы стали нашим связным. И мы хотим, чтобы вы исполнили все так, как хотим этого мы. Это необходимо.

– Да почему вам вообще понадобился посредник?

– Потому что Джейн Уинд работала на нас.

Глава 23

Договорившись о месте и времени встречи, Роби неспешно спрятал телефон. Поглядел через щель в изгороди на такси, заехавшее на парковку заправки. Джули вышла из здания заправки с пачкой сигарет и бутылкой сока.

«У нее есть документы, подтверждающие, что ей восемнадцать».

Села в такси, и машина сразу отъехала.

Немного выждав, Роби тронулся и влился в поток движения в ярдах пятидесяти следом.

Потерять ее он не боялся, потому что подложил в ее болтунью легкоусваивающийся биопередатчик. Тот будет действовать еще двадцать четыре часа, после чего покинет ее кишечник. Монитор слежения был у Роби на запястье. Бросив на него взгляд, Уилл отстал еще больше. Нет смысла без крайней нужды давать ей знать, что за ней хвост. Джули уже доказала, что обладает наблюдательностью куда выше средней. Может, она и малолетка, но недооценивать ее не стоит.

Такси свернуло на федеральное шоссе 66 и покатило в направлении округа Колумбия.

Движение в этот час было затрудненным. Утренняя поездка на работу в округ Колумбия с запада – обычно просто издевательство. Солнце шпарит прямо в глаза, а вечером терпишь ту же пытку бок о бок с тысячами других кипятящихся водителей, возвращающихся с работы.

Езда на «Хонде» позволяла Роби быть более маневренным, чем в автомобиле, и он без труда держался в пределах видимости от такси. Оно проехало по 66-му, пересекло мост Рузвельта и приняло вправо на развилке, направляясь к Индепенденс-авеню. Они быстро миновали манящий туристов район памятников округа Колумбия, въехав в куда менее привлекательные места столицы.

Такси остановилось на перекрестке в окружении ряда старых дуплексов. Джули вышла, но, должно быть, велела водителю подождать. Зашагала по улице пешком, а машина медленно покатила следом. Остановившись у одного из дуплексов, девочка достала свою миниатюрную камеру и сделала несколько снимков. Сняла окружающий участок, после чего снова села в такси, и машина быстро поехала дальше.

Запомнив адрес дуплекса, Роби снова пустился в преследование.

Минут через десять он сообразил, куда направляется Джули, – и отчасти просто не мог этому поверить. Зато в другой части вполне ее понимал.

Она направлялась обратно к месту взрыва автобуса.

Таксист высадил ее в паре кварталов от места назначения, поскольку дороги были перекрыты полицейскими кордонами. Оглядевшись, Роби увидел копов и федералов повсюду. Этот взрыв застал врасплох всех. Уилл так и видел, как рты федеральных служащих по всему городу поглощают тонны антацида[1].

Припарковав мотоцикл, он снял шлем и двинулся в преследование пешком. Джули оторвалась от него на целый квартал. И даже ни разу не оглянулась. Это возбудило у него подозрения, но преследования он не пре-

[1] Антациды – лекарственные препараты, предназначенные для лечения кислотозависимых заболеваний желудочно-кишечного тракта посредством нейтрализации соляной кислоты, входящей в состав желудочного сока.

кратил. Она свернула, и он свернул. Она снова свернула, и он тоже. Они уже оказались на той улице, где автобус прекратил свое существование. Один квартал улицы был закрыт и для пешеходов. Полицейские не хотели, чтобы народ слонялся по их пласту улик. Роби видел остов автобуса, хотя копы полным ходом возводили большие металлические рамы с занавесами, чтобы загородить его от глаз публики.

Роби посмотрел на место, куда приземлился после взрыва, до сих пор не ведая, куда подевался его пистолет. Достаточный повод для беспокойства. Поднял глаза выше, на углы зданий. Установлены ли здесь камеры наблюдения? Возможно, у некоторых светофоров. Начал высматривать банкоматы, снабженные встроенными камерами. Через улицу обнаружился целый банк. Снять, как они с Джули сошли с автобуса, он не мог, потому что расположен не на той стороне улицы. В данный момент еще никто не знает, что они были единственными пережившими взрыв.

Уилл обратил внимание на женщину в возрасте лет под сорок, в ветровке и бейсболке ФБР. Темные волосы, миловидное лицо. Рост пять футов шесть дюймов, изящная, с узкими бедрами и широкими атлетическими плечами. На ногах рабочие ботинки Бюро на дюймовом каблуке, черные брюки, на руках латексные перчатки. Бляха и пистолет на поясе.

Роби видел, что переговорить с ней подходят и спецагенты, и полицейские в форме. Отметил про себя пиетет, с которым к ней обращаются. Возможно, она спецагент, возглавляющий всё это мероприятие. Отступив в тень дверного проема, он продолжил наблюдение — сначала за агентессой ФБР, а затем за Джули. Наконец девочка повернулась и зашагала по улице прочь от останков автобуса. Выждав пару минут, Роби последовал за ней.

Глава 24

Джули дошла до грошовой гостинички, втиснувшейся между двумя пустующими зданиями, и вошла внутрь.

Остановив мотоцикл, Роби принялся следить через окно гостиницы. Джули регистрировалась с помощью кредитной карты. Любопытно, чье имя там значится. Если ее, то оно пошлет по системе сигнал, сообщающий преследователям ее точное местонахождение.

Минуту спустя она вошла в лифт. На этом месте Роби наблюдение прервал, но с ней еще не закончил. Вошел в гостиницу и подошел к стойке регистрации. Пожилому портье было бы более к лицу укладывать асфальт в августе, чем цепляться за эту работу.

– Моя дочь недавно зарегистрировалась, – заявил Роби. – Я завез ее для стажировки на Холме. Хотел, чтобы она воспользовалась своей карточкой «Американ экспресс», потому что карта, которую я ей дал, взломана, но она почти наверняка забыла. Пытался ей дозвониться, но дочь, наверное, отключила телефон.

Это выбило пожилого индивида из колеи.

– Она только-только въехала. Может, спросите у нее сами?

– А в какой она комнате?

– Такие сведения я давать не могу, – старичина ухмыльнулся. – Это персональные данные.

Роби напустил на себя достаточно раздраженный вид, как и надлежало бы любому отцу.

– Послушайте, не поможете ли мне? Мне меньше всего на свете надо, чтобы какой-нибудь киберотморозок раскурочил мне кредит из-за того, что мой ребенок воспользовался не той картой.

Портье выразительно посмотрел на лежащий перед ним журнал регистрации.

— Это ж сколько трудов надобно!

Тяжко вздохнув, Уилл извлек бумажник и выудил двадцатку.

— Не поможет ли это в ваших *трудах*?

— Нет, но парочка эдаких могла бы.

Роби вытащил вторую двадцатку, и портье выхватил обе купюры.

— Ладно. Она воспользовалась «Визой». Владельцем счета числится Джеральд Диксон.

— Это я знаю. Я и *есть* Джеральд Диксон. Но карточек «Виза» у меня две. Можно посмотреть номер?

— Можно... еще за двадцать.

Разыграв серьезное раздражение, Уилл уступил. Посмотрел на карту и запомнил цифры. Теперь Джеральд Диксон у него в руках.

— Замечательно, — он вздохнул. — Это и есть взломанная карта.

— Уже прогнал платеж, старина. Ничего не могу поделать, — с ликованием сообщил портье.

— Вот уж спасибо, — отозвался Роби.

Повернулся и ушел. Он выяснит, кто такой этот Джеральд Диксон. Но Джули на данный момент в безопасности, так что надо двигаться.

Доехав до своей квартиры, Уилл осмотрел фасад и тыл здания, после чего все-таки вошел внутрь, но поднялся по лестнице вместо лифта. Не встретил ни души. В этот дневной час все на работе. Роби открыл дверь квартиры и сунул голову внутрь. Всё точь-в-точь как он оставил.

Чтобы убедиться, что внутри никого нет, потребовалось пять минут. Роби расставил крохотные вешки — обрывок бумаги в петле двери, ниточка, рвущаяся при открывании выдвижного ящика, — предупреждающие, что в помещении без его ведома кто-то побывал и устроил обыск. Ни одна из них не сработала.

Он переоделся в слаксы, спортивную куртку и белую

рубашку, после чего открыл сейф, скрытый за полкой с телевизором, где хранился его пакет документов. Роби давненько им не пользовался. Сунул пакет во внутренний карман и тронулся.

По настоянию Роби, встреча состоится в публичном месте.

Отель «Хей-Адамс» расположен через улицу от парка Лафайетт, в свою очередь расположенного через Пенсильвания-авеню от Белого дома. Самая защищенная территория на планете. По разумению Роби, даже его агентству придется попотеть, чтобы выйти сухим из воды после убийства на этой территории.

Фактическим местом встречи был зал Джефферсона — обширная столовая, отделенная от вестибюля лесенкой в пару ступенек. Роби пришел заранее, чтобы поглядеть, кто мог прийти до него. И принялся ждать.

За минуту до назначенного времени в вестибюль вошел человек лет шестидесяти. Скромный, недорогой костюм, красный галстук, надраенные туфли массового производства, осанка и солидность слуги общества, за время жизни скопившего больше власти, нежели богатства. Его сопровождали двое рослых молодых людей. Бугаи. Выпуклости на груди выдают оружие. Гарнитуры и провода — наличие связи.

«Телки́» проследовали за ним в зал Джефферсона, но за столик вместе с ним не сели, заняв позиции на периметре и обшаривая окрестности взглядами в поисках угроз. Сесть в прямой видимости любого из окон они подопечному не позволили. Один из них извлек небольшой приборчик, установил его на пианино, приткнувшееся в углу ресторана, и включил. Послышался негромкий гул.

«Станция постановки помех с белым шумом, — сразу же понял Роби, потому что и сам пользовался подобной техникой по своей линии работы. — Если здесь есть средства электронного наблюдения, записи будут забиты помехами».

И только тогда он вышел из укрытия. Позволил, чтобы его увидели, но не подходил, пока старший не заметил его и не кивнул, тем самым подтверждая для охраны, что именно с Роби он и встречается.

Несмотря на обеденный час, в зале было пусто. Уилл знал, что это не случайность. Прислуги ни слуху ни духу. Ресторан фактически закрыт. Если Роби голоден, поесть ему придется позже. Кухня сегодня вообще вряд ли значится в повестке дня.

Он сел наискосок от начальства, тоже спиной к стене.

— Рад, что вы смогли подойти, — сказал тот.

— Имя у вас есть?

— Сойдет просто Синий.

— Документы, Синий, просто для подтверждения.

Сунув руку в карман, собеседник позволил Роби увидеть герб, фотографию и должность, обозначенные на удостоверении личности, но без имени.

Этот человек на высоком посту в агентстве. Куда более высоком, нежели предполагал Роби.

— Ладно, давайте поговорим. Джейн Уинд... Вы сказали, она была из наших. Я смотрел ее удостоверение. Она из СКРМО. Служба криминальных расследований минобороны.

— А паспорт ее вы тоже видели?

— Поездки по Ближнему Востоку, в Германию. Но у СКРМО есть конторы во всех этих местах.

— Вот потому-то это было идеальным прикрытием.

— Она была адвокатом?

— Да. Но не только.

— Что именно она для вас делала?

— Вы же знаете, что не были уполномочены.

— Тогда зачем было звать меня сюда?

— Я сказал, что вы не были уполномочены. Теперь я официально вверяю вам полномочия.

— Ладно.

— Но сперва мне надо в точности знать, что произошло вчера ночью.

Роби рассказал, рассудив, что умалчивать о чем бы то ни было просто глупо. Однако ни о Джули, ни об уничтожении автобуса не обмолвился ни словом. В его сознании эти материи существовали совершенно отдельно друг от друга.

Откинувшись на спинку стула, Синий принялся переваривать информацию. Он не прерывал молчания; Роби тоже, полагая, что Синему предстоит сказать куда больше, чем осталось поведать ему самому.

— Агент Уинд работала в поле много лет. Она была хорошим агентом, как я уже сказал. Когда у нее появились дети, ее перевели в Управление генерального инспектора при МО, но она по-прежнему работала в тесном сотрудничестве со СКРМО во всех ее следственных секторах. И, разумеется, продолжала работать на нас.

— Как она могла из-за этого угодить в список ликвидации, где ей вообще не место? — осведомился Роби. — И как вообще могло случиться нечто подобное? Я знаю, что мы засекречены, но притом входим в организацию с системой сдержек и противовесов.

— Неконтролируемые биржевые маклеры теряют миллиарды долларов казенных денег что ни день. А ведь эти организации крупнее и лучше финансируются, чем мы. И все равно это происходит. Если один человек, а вероятнее, небольшая группа людей настроены достаточно решительно, они могут осуществить невозможное.

— Я видел, как она тем вечером входила в дом. Детей с ней не было.

— Очевидно, они были с сиделкой, живущей в том же доме, к услугам которой она уже прибегала. Эта сиделка привела их на квартиру, когда агент Уинд вернулась домой.

— Ладно. На что же такое наткнулась Уинд, раз ее убили?

— А откуда вам известно, что она на что-то *наткнулась*? — Синий с любопытством поглядел на него.

— Она жила в дрянной квартирке с двумя детьми. На столе у нее в гостиной лежали юридические документы. Приносить домой секретные материалы и бросать их где попало никто не станет. Значит, ее работа не засекречена. Согласно паспорту, последнюю поездку за границу Штатов Уинд совершила два года назад. Она не была полевым агентом — во всяком случае, в последнее время, по вашим словам. Ее младшему ребенку нет и года. Наверное, из-за этого ее и отозвали с полевых работ. Но она работала над чем-то — вероятно, считая это дело рутинным. Она что-то раскопала. Поэтому ее и взяли на мушку. Сомневаюсь, что это связано с ее работой напрямую.

Обмозговав это, Синий одобрительно кивнул.

— Вы хорошо анализируете, Роби. Я впечатлен.

— А я лопаюсь от вопросов. Вам известно, на что она наткнулась?

— Нет, не известно. Но мы, как и вы, не думаем, что это связано с ее официальными обязанностями.

— А зачем я вам нужен в качестве офицера связи с Бюро? Это большой риск, особенно если оно выяснит, что я делал в последние дюжину лет.

— Что ему не удастся.

— Как вы сказали, если один человек или небольшая группа людей настроены достаточно решительно, они могут осуществить невозможное.

— Изложите мне свою гипотезу.

— Кто-то выяснил, *что* она обнаружила, и заложил ее. На нашей стороне есть «крот», как свидетельствуют действия моего контролера и остальных, и была организована ликвидация. Они не были уверены, что я нажму на спуск, так что выставили дублера. Тот без малейшего зазрения совести порешил ребенка вместе с матерью. А вы сказали, что моего контролера перевели. Это ложь. Мне от вас ложь не нужна.

— Как вы поняли, что это ложь?

— Он приказал мне убить Уинд. Вы сказали, что санкции на это не было. Значит, он — предатель. Предателей вы не переводите. Если б вы упекли его, вам бы не требовалось, чтобы я рассказывал вам о случившемся и пускался в домыслы, почему. Отсюда следует, что контролер скрылся. Вместе с теми, кто с ним работал. И о скольких лицах идет речь?

— Мы полагаем, в цепочке еще не меньше троих, — Синий вздохнул, — но может быть и больше.

Роби просто смотрел на него, ничего не говоря.

Синий потупил взгляд, тормоша посеребренную ложку на безупречно белой льняной скатерти.

— Это скверно, конечно.

— Тянет на «преуменьшение года». Чего именно вы от меня хотите?

— Мы должны держать руку на пульсе расследования, не подавая виду. Так что официально вы станете специальным агентом СКРМО, но на самом деле будете докладываться мне. Мы обеспечим вам все необходимые прикрытия и документы. Пока мы тут беседуем, их уже размещают у вас в квартире.

Лицо Роби омрачилось.

— Вы говорите, изменников не меньше четырех. А если на самом деле больше? И что, если один из них как раз сейчас в моей квартире?

— Этих агентов привлекли из совершенно отдельного подразделения. С вашим контролером они не контактировали. Их лояльность не подлежит сомнению.

— Само собой. Простите, что считаю это чушью собачьей.

— Рано или поздно вам надо проявить доверие, Роби.

— Нет, ничуть. И всех устраивает, что я присоединюсь к охоте?

— СКРМО в команде. Не хотите ли побеседовать с советником по национальной безопасности? Или замдиректора ЦРУ?

— В данный момент для меня не важно, что они скажут. Но почему я?

— Как ни странно, потому что вы не нажали на спуск. Мы верим, что вы поступите правильно, Роби. В данный момент людей, о которых я могу это сказать, раз-два и обчелся.

Уиллу пришла в голову другая возможная причина для его привлечения.

«Я был там. Откуда следует, что из меня получится идеальный козел отпущения, если все пойдет прахом».

Но вслух он сказал:

— Ладно.

Рассуждал Роби довольно прямолинейно. Уж лучше работать над этим делом самому, чтобы добиться какого-то решения и справедливости, чем ждать, когда это сделает кто-то другой, способный пустить под откос и дело, и его самого.

«Уж если идти ко дну, то по собственной вине».

Встав, Синий протянул руку:

— Спасибо. И удачи.

Роби не принял руку для пожатия.

— Удача здесь почти всегда ни при чем. Нам обоим это известно.

Повернувшись, он вышел из «Хей-Адамса» обратно в мир, казавшийся чуть более незнакомым и пугающим, чем при входе в отель.

Глава 25

Когда Роби вернулся в свою квартиру, все уже ждало его. Это не очень-то тешило.

«Ни одна из моих ловушек не сработала».

Он посмотрел досье, документы и биографическую информацию.

Надо войти в курс этого дела как можно быстрее. Но

если гнать на всех парах в подобном случае, можно и наделать ошибок.

«Наверное, без этого не обойдется».

И тогда речь пойдет о том, как скоро сойдет на нет поддержка Синего.

«Куда быстрее, чем партия и финансовая поддержка кандидата с рейтингами ниже плинтуса».

Именно так всё в этом городишке и устроено.

С документов на него смотрело имя «Уилл Роби». Как ни парадоксально, для задания подобного рода его реальное имя — самое безопасное.

Взяв значок и удостоверение, Роби сунул их в карман пиджака. Сверх того его ждали новенький «Глок G20» и наплечная кобура. Он рад был избавиться от дешевого ствола 38-го калибра. Приладив кобуру, застегнул пиджак.

Уже выходя, Роби посмотрел вдоль коридора и увидел, как она отпирает дверь. Энни Ламберт обернулась к нему. На ней был черный деловой костюм и кроссовки с белыми носками по щиколотку.

— Привет, Уилл, — проговорила она.

— Обычно среди дня вас тут не видать, — заметил он.

— Да, забыла кое-что... Раньше обеда было никак не вырваться. А вы чего так разоделись?

— Просто встреча. Как прошел сеанс прохлаждения?

— Что?.. А, замечательно.

Изучение подноготной Ламберт, запущенное ее контактом с Роби, не дало ровным счетом ничего. И неудивительно. Чтобы работать в Белом доме, нужно быть чистеньким до скрипа.

— Извините, что ушел так сразу, — сказал он. — Просто устал.

— Нет проблем. Вообще-то я тоже была усталая. — Чуть помявшись, Энни смиренным тоном добавила: — Но, может быть, как-нибудь всё-таки выпьем.

— Ага, не исключено, — отозвался Роби, думая обо всем, что его ждет.

— Ладно, — неуверенно проронила она.

Уилл направился было прочь, но потом вдруг остановился, сообразив, что снова ее отшил. И обернулся.

— Спасибо за предложение, Энни. Мне правда приятно. И я хочу выпить с вами.

— Замечательно, — она просияла.

— И давайте поскорее. В ближайшее время.

— Почему? Вы куда-то уезжаете?

— Нет. Но хочу начать почаще вылезать из норы. И лучше бы с вами.

Ее улыбка стала шире.

— Просто дайте знать.

Роби вышел, гадая, с чего это вдруг так захвачен этой женщиной. Она недурна собой, явно не дура и, быть может, запала на него. Но в прошлом это для Уилла роли не играло. Обернувшись, он поглядел на дверь ее квартиры. Она уже зашла, но перед мысленным взором Роби еще стояла в теннисных туфлях и деловом костюме. Он улыбнулся.

До места преступления доехал на своем «Ауди». Документы позволили ему припарковаться в пределах охранного периметра. По пути, проезжая мимо гостиницы, где остановилась Джули, он бросил взгляд на монитор трекера. Она еще там.

Подошел ко входу многоквартирного дома, чувствуя себя крайне неуютно. Он должен помочь в расследовании убийства, очевидцем которого был сам.

В вестибюле здания сгрудилась толпа полицейских и «пиджаков». Роби направился к ним, намереваясь отметиться и представиться людям, ведущим дело. При его приближении толпа начала расступаться. Из толпы выдвинулась та самая женщина-спецагент ФБР, которую он видел на месте взрыва автобуса.

Выступив вперед, она вопросительно поглядела на него.

Уилл извлек бумажник с документами, сначала козырнув значком, а потом удостоверением. Женщина в ответ предъявила свои. В удостоверении значилось, что она спецагент ФБР Николь Вэнс.

— Агент Роби, добро пожаловать на представление. У меня к вам ряд вопросов, — заявила она.

— С нетерпением жду возможности поработать над этим делом с вами, агент Вэнс.

— Начальство звонило мне на ваш счет, — сообщила она. — Мы должны подключить вас к делу, но исключительно по поводу установочной информации по убитой и прочих сведений, которые помогут нам раскрыть дело. Но во главе остается ФБР, сиречь *я*.

— Ничего другого я и не предполагал, — без запинки отозвался Роби.

Вэнс пригляделась к нему повнимательнее.

— Ладно, — осторожно произнесла она. — Главное, чтобы мы понимали фундаментальные правила.

— В чем вам понадобится моя помощь?

— Любые сведения, которые вы можете дать нам о жертве.

Роби извлек из кармана пиджака флешку.

— Ее личное дело здесь.

Взяв накопитель, Вэнс передала его помощникам.

— Прочтите и резюмируйте как можно скорее. — И снова повернулась к Роби: — Мы как раз собирались снова пройтись по месту преступления. Не хотите ли составить компанию?

— С благодарностью. Мое начальство хотело бы знать, что я не зря ем свой хлеб.

Этим комментарием он заслужил улыбку.

— Полагаю, все федеральные агентства работают одинаково, — заметила Вэнс.

— Пожалуй.

Уже направляясь к лифту, она поинтересовалась:

— О взрыве автобуса вы слыхали?

— Видел в новостях, — ответил Роби. — Как я понимаю, это расследование тоже ведет ФБР.

— А конкретнее, я.

— У вас забот полон рот, — прокомментировал он.

— Возможно, есть веская причина объединить расследования.

— А именно?

— Мы нашли ствол на месте взрыва автобуса.

Устремив взгляд перед собой, Роби ощутил, как участился его пульс.

— Ствол?

— Ага. Мы уже прогнали баллистику. Найденный нами «Глок» соответствует пуле, извлеченной из пола квартиры убитой. Так что, по моему мнению, оба дела определенно связаны. Теперь нам остается лишь выяснить, каким образом.

— Убийца мог просто выбросить пистолет во время бегства. Возможно, рядом с местом взрыва автобуса он оказался по чистейшему совпадению.

— Не верю я в совпадения. Во всяком случае, подобные.

Когда они вышли из лифта и направились к квартире, где у него на глазах убили двух человек, у Роби на лбу, несмотря на прохладу, проступили капельки пота.

Он предпочел бы ликвидировать сотню саудовских принцев-мегаломаньяков и кровожадных главарей картелей, — только б не это.

Глава 26

С той поры, как Роби был здесь, квартира переменилась. Эксперты провели тщательный обыск, и по всему тесному помещению виднелись остатки дактилоскопического порошка и маркеры улик; тридцатипятимиллиметровые камеры то и дело пыхали блицами, снимая улики.

Роби поглядел на опечатанную коробку для улик на столе из ДСП.

— Это рабочие документы агента Уинд? Ноутбук?

— Да, — Вэнс кивнула. — Мы опечатали их вплоть до рассмотрения вашим агентством. У меня полный карт-бланш на подобные вещи, но не хочу перебегать вам дорогу.

— Искренне благодарен.

— Однако нам нужно быть в курсе. Если в этих документах и файлах что-то могло послужить причиной ее убийства, Бюро должно это знать.

— Понимаю. Я сегодня же просмотрю их и смогу ввести вас в курс сразу же после этого.

Вэнс настороженно улыбнулась:

— Еще ни разу не встречала представителя агентства, более открытого к сотрудничеству... Вы меня разбалуете.

— Приложу все силы, — отозвался Роби, про себя подумав: «Пока не закроюсь для сотрудничества».

— На замке входной двери следы отмычки, — сообщила спецагент. — Чуть заметные, так что взломщик знал свое дело. Следуйте за мной.

Они вошли в спальню.

Роби огляделся. Трупы унесли, но мысленно он еще видел их в кровати, с головами, превращенными в кашу.

— Уинд и ее сына Джейкоба нашли в кровати. Она его обнимала. Обоих убили одним выстрелом, — она указала на разбитое окно. — Мы сняли траекторию. Выстрел сделали из той высотки метрах в трехстах отсюда. Сейчас определяем, из какой именно комнаты. Здание заброшено, так что вряд ли кто-либо что-либо видел. Но пока мы следуем по этой ниточке. Если повезет, снайпер что-нибудь оставил.

«На такую удачу не рассчитывайте», — подумал Роби.

— Но вы сказали, что нашли в полу пулю от «Глока». Как это увязывается с выстрелом издалека? Их убила не пистолетная пуля. Должна быть винтовочная.

— Знаю. Вот это как раз и озадачивает. Если пускаться в предположения, тут замешаны двое. Человек в этой комнате вчера ночью выстрелил в кровать. Пуля прошла навылет и засела в полу. Эта пуля соответствует пистолету, найденному под машиной рядом с местом взрыва автобуса. Но смертельный выстрел был сделан через окно; пуля попала в Джейкоба, прошла через его голову и попала в мать. Оба умерли мгновенно. Во всяком случае, так утверждает судмедэксперт.

Вспомнив выражение лица Джейн Уинд, Роби засомневался, что ее смерть была столь уж «мгновенной».

– Итак, два стрелка? Как-то маловато смысла, – вслух сказал он.

– Полная бессмыслица, – согласилась Вэнс. – Но только потому, что мы не располагаем достаточным количеством фактов. Как только наберем, смысл сразу появится.

– Ценю ваш оптимизм. – Роби остановился перед кроватью почти на том же месте, где вчера ночью выстрелил из пистолета. – Итак, стрелок, предположительно вломившийся в квартиру, выстрелил в кровать. Где нашли пулю?

Вэнс знаком велела одному из своих экспертов отодвинуть кровать. Уилл увидел маркер улики рядом с дырой в деревянном полу.

Поднял воображаемый пистолет. Прицелился и согнул палец под пристальным взглядом Вэнс.

– Вероятно, стоял где-то здесь, – произнес Роби, разумеется, зная, что это факт. – Матрас и пружины выглядят совсем тонкими. Вряд ли они сильно изменили траекторию пули на такой близкой дистанции.

– Я тоже пришла к такому же выводу, – откликнулась Вэнс.

– Больше никаких ран на трупах? Выстрел в матрас их не задел?

– Никак нет. На пуле никаких человеческих тканей, а на жертвах нет других ран.

– Значит, он выстрелил в матрас? Зачем? Чтобы привлечь их внимание?

— Возможно, — согласилась Вэнс.

— Они не спали, когда их убили?

— Похоже, что так. Положение, в котором они упали на кровать, наводит на мысль, что они не спали, когда были убиты.

— Итак, он стреляет, но в них не попадает. Он сделал это для привлечения их внимания, а может, чтобы заставить их замолчать... Никто не сообщал, что слышал крики?

— Вы не поверите, — Вэнс вздохнула, — единственный человек, живущий на этом этаже и находившийся дома вчера ночью, — старушка, не только глухая, но и слепая. Разумеется, она ничего не слышала. А еще один — и последний — обитатель этажа в это время был на работе в Мэриленде. Квартиры этажом выше и этажом ниже пустуют.

«О, вполне верю», — подумал Роби.

— Но убила их пуля снаружи, — проговорил он. Подошел к разбитому окну и осмотрел его. Поглядел сквозь него на здание, которого вчера ночью не было видно. Внизу переулок. Тот самый, по которому он должен был ретироваться. Между двумя высотками были и другие здания, но сплошь одноэтажные. Зона обстрела была у снайпера как на ладони.

— Лады, стрелок внутри. Снайпер снаружи. Стрелок стреляет в кровать. Снайпер снаружи убивает агента Уинд и ее сына. — Он обернулся к Вэнс: — У Уинд было двое сыновей.

— Вот еще один момент, вызывающий недоумение. Второму ее сыну меньше года. Кстати, его зовут Тайлер. Его нашла женщина на втором этаже.

— Как нашла?

— Это просто безумие, Роби. Кто-то постучал к ней в дверь вскоре после убийства Уиндов. Во всяком случае, согласно предварительной оценке времени смерти судмедэкспертом. Женщина открыла дверь и увидела на пороге

Тайлера, крепко спящего в автомобильной переноске. Она узнала сына Уинд и попыталась позвонить ей, потом поднялась к ней в квартиру. Никто не открыл, и она вызвала полицию. Вот тогда-то и обнаружили трупы.

— У вас есть какие-то предположения на сей счет?

— Понимаю, это звучит невероятно, — она покачала головой, — но ребенка туда мог отнести тот, кто вломился в квартиру Уинд.

— Зачем?

— А зачем убивать младенца? Он не сможет дать показаний против тебя.

— Другого сына они убили ничтоже сумняшеся, — возразил Роби.

— Об этом я думала. Поглядите-ка на отверстие в окне, а затем на кровать. Если Уинд схватила своего второго сына — возможно, чтобы защитить от чужака, — он мог находиться слева; иначе говоря, со стороны окна.

— Снайпер стреляет, на самом деле намереваясь убить только Уинд, — подхватил Роби, — но сначала пуля попадает в ребенка, а потом в нее. Может, он и собирался убить обоих, или по меньшей мере хотел убить Уинд, а если ребенок ее загораживает — что ж, тем хуже для него.

— Именно так я это и представляю, — поддержала Вэнс. — И это открывает любопытную возможность.

— То есть?

— Как вам такая гипотеза? Чужак проникает в квартиру — просто банальный взлом с целью воровства. Это не входит в его намерения, но он каким-то образом будит Уинд и ее сына. Стреляет в кровать, чтобы заставить их замолчать. В то же самое время, без его ведома или ведома Уинд, конечно, снайпер метит в нее из другого здания в точности в тот же момент. Стреляет, убивая ее и сына. Чужак ошарашен. Должно быть, бросился на пол, думая, что может стать следующей жертвой. Видит другого ребенка в переноске, хватает ее и во время бегства подкидывает к дверям другой квартиры. А после удирает.

– Я думал, вы не верите в совпадения, – заметил Роби.

– Понимаю, – она блекло улыбнулась. – Вот уж всем совпадениям совпадение, правда?

«И ведь именно так и случилось», – подумал Роби.

Глава 27

Они находились в другом здании, откуда был сделан выстрел, – брошенном, заваленном хламом. Проникнуть сюда и выбраться проще простого. Иначе говоря, идеальное место.

Роби и Вэнс осмотрели несколько комнат, которые могли быть убежищем снайпера. Едва они переступили порог пятой, Уилл сказал:

– Здесь.

Спецагент застыла, уперев руки в бока, и поглядела на него.

– Почему?

Роби подошел к одному из окон.

– Окно чуточку приоткрыто. Во всех других окна закрыты. Линия визирования прямехонькая. И пыль потревожена, – он указал на подоконник. – Посмотрите на узор. Отметины от ствола. Следы ствольного пламени, – он продемонстрировал темное пятно размером с десятицентовую монету чуть дальше на подоконнике и посмотрел на бетонный пол. – В грязи – отпечатки коленей. Воспользовался подоконником в качестве опоры, прицелился и поразил мишень.

Опустившись на колени, он извлек свой пистолет, прицелился через окно, выстроив прорезь, мушку и дыру в окне на той стороне на одной линии.

– На том высоком здании на противоположной стороне от дома Уинд осветительная рампа. По ночам светильники включены. Стрелку пришлось бы смотреть прямо на них, так что прицел по четвертому этажу вон там был бы ни к черту. Кроме этой точки. Угол идеальный. — Встав, он спрятал пистолет. — Вот так.

— Служили в спецвойсках? — подивилась Вэнс.

— Если и служил, говорить об этом права не имею.

— Да бросьте! Я знаю многих бывших «дельт» и «котиков».

— Ничуть не сомневаюсь.

Она выглянула из окна.

— А еще знаю кое-кого из СКРМО. «Эсэмэснула» им насчет вас. Никто о вас и слыхом не слыхивал.

— Я только-только из-за границы, — пустил Роби в ход легенду. — Если и вправду хотите разузнать обо мне, позвоните в СКРМО. Могу дать вам прямой телефон своего начальства.

— Лады. И позвоню, — не смутилась она. — Итак, моя гипотеза о взломщике и отдельном снайпере выглядит обоснованной. Не представляю, откуда субъект в квартире вчера ночью мог знать, что здесь стрелок.

«Ты права, я и не знал», — подумал Роби.

— Но теперь встает вопрос, — продолжала Вэнс, — зачем убивать Уинд? Над чем она работала для вас? Мне надо знать.

— Я узнаю у своих. Но она могла и случайно наткнуться на что-нибудь, — возразил Роби.

— Наткнуться? С чего бы это вдруг?

— Я вовсе не утверждаю. Просто надо иметь в виду такую возможность. Одно то, что она работала на СКРМО, не означает, что убили ее именно из-за этого.

— Лады. Но надеюсь, вы меня простите, если в качестве рабочей гипотезы я приму то, что ее смерть связана с работой.

— Это ваша прерогатива, — уступил Роби. — Ее бывшего уведомили?

— В процессе. Ее сын у социальной службы.

— Чем занимается ее бывший муж?

— А вы не знаете? — удивилась Вэнс.

— Не заглядывая в личное дело, — нет. Меня только что прикомандировали к этому делу, агент Вэнс. Проявите чуточку снисхождения.

— Ладно, извините. Рик Уинд. Военный в отставке, но у него другая работа. Мы как раз разыскиваем его.

— Как раз разыскиваете? Должен же он был видеть новости... И уже должен был позвонить.

— Поверьте, Роби, я и сама над этим задумываюсь.

— У вас есть его домашний адрес?

— В Мэриленде. Мои агенты уже там побывали. В доме ни души.

— Вы сказали, у него есть работа. И где же он работает?

— Ему принадлежит ломбард на северо-востоке округа Колумбия. На Бладенсбург-роуд. Заведение называется «Премиум-ломбард». Не самая шикарная часть города, но поблизости от «Ритца» ломбарды попадаются нечасто, не так ли?

— «Премиум-ломбард»? Броско... Кто-нибудь пытался связаться с ним там?

— Там тоже ни души. Всё под замком.

— И где же этот тип?

— Если б знала, я вам поведала бы.

— Раз его ни дома, ни на работе, и в полицию он тоже не звонил, значит, остается не так уж много возможностей.

— Либо он не смотрит телевизор, не слушает радио и ни с кем не дружит, либо убил бывшую жену и ушел в бега, либо тоже мертв.

— Верно. Но вы думаете, этот тип убил бывшую и ребенка из снайперской винтовки? Бытовые вопросы подобного рода обычно решают лицом к лицу.

— Ну, он же бывший военный. И они *разошлись*.

— То есть это было не полюбовно?

— Не знаю. Навожу справки. Может, вы просветите меня в этом отношении... В конце концов, она же из вашего агентства.

Уилл пропустил это мимо ушей.

— У Джейн Уинд были в окрестностях какие-нибудь известные вам родственники?

— А вы уверены, что вы оба из одного и того же агентства? — Вэнс искоса взглянула на него.

— Агентство большое.

— Ну уж не настолько. ФБР ему фору даст.

— ФБР даст фору чуть ли не любому... Ну так что, родственники поблизости есть?

— Ни единого. Равно как у ее муженька, очевидно. Во всяком случае, мы их пока не нашли. Но я работаю над этим делом не больше восьми часов.

— А вы обыскали его дом и ломбард? — осведомился Роби.

— Дом — да. Ничего полезного. Очередь за ломбардом. Не против составить компанию?

— Безусловно.

Глава 28

Черные «бюровозы» подкатили к «Премиум-ломбарду»; из одного вышли Роби с Вэнс, а из другого — еще двое агентов ФБР. Входная дверь и окна ломбарда были забраны решетками. На двери — три солидных замка. Фасады соседних, давно прогоревших заведений заколочены почерневшими листами фанеры. Улицы усеяны мусором. Уилл углядел двух торчков, куда-то бредущих нога за ногу.

Отправив двоих других агентов проверить заднюю сторону здания, Вэнс вместе с Роби подошла к фасаду. Заслонив глаза с боков, заглянула сквозь витрину.

— Ничего не видно.

— Вы можете выбить дверь или нужен ордер?

— С домом Рика Уинда проблем было меньше. Мы подозревали, что он мог быть ранен. Здесь же явно закрыто.

— Он может быть внутри, раненый или умирающий, — ответил Роби, присоединяясь к ней у фасада и вглядываясь между прутьями решетки в сумрачный интерьер. — Этого должно быть достаточно.

— А если мы обнаружим улики, доказывающие, что он совершил преступление, а его защитник отведет их, потому что наш обыск будет признан незаконным согласно Четвертой поправке?

— Наверное, поэтому вы, агенты ФБР, и загребаете громадные деньжищи.

— И огребаем громадные карьерные обломы.

— А если я вышибу дверь и устрою обыск?

— Доказательная проблема никуда не денется.

— Ага, но карьерный облом огребу я, а не вы.

— С вами здесь я.

— Я скажу, что сделал это один, вопреки вашему недвусмысленному запрету... — Уилл осмотрел дверь и раму вокруг нее. — Сталь на стали. Навороченная штуковина. Но способ всегда найдется.

— Что вы за федерал такой? — Вэнс приподняла брови.

— Да уж не карьерный жополиз, конечно.

— Роби, нельзя же просто...

Достав пистолет, Уилл трижды выстрелил, и тройка замков упала на тротуар.

— Ни фига себе! — воскликнула Вэнс, отскакивая. Послышался топот ног — без сомнений, это двое других агентов ринулись выяснять, что произошло.

— Сигнализация, наверное, сработает, — невозмутимо проговорил Роби. — Стоит позвонить «фараонам», сказать, чтоб не беспокоились. — И не успела она что-либо возразить, как он уже открыл дверь и ступил внутрь.

Сигнализация не сработала.

Роби счел это дурным знаком. Держа пистолет на изготовку, он нашарил выключатель, стукнул по нему, и по ломбарду тут же растекся тусклый свет. Роби уже доводилось бывать в ломбардах, и этот выглядел довольно типичным. Часы, лампы, кольца и разнообразные другие предметы были аккуратно разложены по контейнерам и стеклянным шкафчикам. Все снабжены бирками с номерами. Армейское прошлое, отметил про себя Роби. Этот аккуратизм не растеряешь. По крайней мере, в большинстве случаев.

Но от досок пола несло мочой, а потолок почернел от наслоений грязи, копившейся не один десяток лет. Роби не ведал, что здесь было до ломбарда, но явно не пансион благородных девиц.

Уилл обратил внимание на пуленепробиваемое стекло кассовой будки — царапины и две выщерблины, как от выстрелов. То ли раздосадованные клиенты, то ли желающие ограбить владельца. Отставной военный Рик Уинд, наверное, разобрался с этим с помощью собственного железа. Роби рассудил, что где-то в этой будке не меньше двух единиц огнестрела.

Осмотрев углы потолка, он увидел установленную в одном из них камеру с прямым обзором будки. Это может пригодиться.

Уилл двинулся вперед, заметая взглядом из стороны в сторону. Не слышно было ровным счетом ничего, кроме повседневной жизни снаружи. Сквозь открытую дверь тянуло сквозняком, шелестевшим абажурами и раскачивавшим бирки на товарах.

Услышав за спиной шаги, он обернулся и увидел Вэнс с пистолетом в руке и разъяренным лицом.

— Вы идиот, — прошипела она.

— Я же велел вам оставаться на улице, — шепнул он в ответ.

— Вы не можете мне ничего велеть. Если только не хотите, чтобы вашу жопу...

Роби приложил палец к губам. Он расслышал этот звук первым.

Скрип. Потом еще.

Указал в глубину магазина. Она кивнула. Злости на ее лице как не бывало.

Уилл двинулся первым, свернув в один из проходов, и пробирался по нему до двустворчатой двери, открывающейся в обе стороны, приоткрытой на щелочку. Створки чуть покачивались, но скрип исходил не от них.

Поглядев на Вэнс, Роби указал на себя, затем на дверь, а потом направо. Она кивнула – дескать, поняла – и заняла место справа от него.

Подняв ногу, Уилл резко пнул одну из створок и влетел внутрь, ведя пистолетом по дуге в готовности к стрельбе и делая шаг влево. Вэнс последовала за ним справа, прикрывая эту часть комнаты.

Ничего.

Поглядев вниз, она скривилась при виде серой твари, шмыгнувшей в темный угол.

– Крысы.

Опустив взгляд, Роби увидел хвост животного, прежде чем тот скрылся из виду.

– Сомневаюсь, что крысы пищат такими голосами, – сказал он.

– Тогда что же?

– Вот что, – он указал в темный угол комнаты слева.

Поглядев, Вэнс судорожно передохнула.

С потолочной балки вниз головой свисал человек.

Они подошли. Тело слегка покачивалось от сквозняка, и веревка со скрипом терлась о деревянную балку. Роби бросил взгляд на щель между качающимися створками двери.

– Открытая дверь сработала как вытяжка, – выговорил он. – Снаружи ветрено. Вот тело и потревожило.

Вэнс поглядела на покойника. Тот был черным.

И зеленым. И лиловым.

– Это Рик Уинд? – поинтересовался Роби.

— А черт его разберет, — откликнулась спецагент. — Умер уже давненько.

— Это не самоубийство. Руки связаны. Странгуляционных линий нет, — Роби потрогал предплечье трупа. — И он не убивал жену и сына. Судя по состоянию трупа, он умер раньше них. Окоченение давно прошло.

Наклонившись, Роби заглянул в разинутый рот покойника.

— И еще кое-что.

— Что?

— Похоже, ему отрезали язык.

Глава 29

Разбираться с новым трупом в ломбарде Роби оставил на долю спецагента Вэнс. Они получили подтверждение, что это Рик Уинд. Причина смерти была не очевидна, и без судмедэксперта ее вряд ли установишь. Проверили камеру наблюдения магазина. DVD кто-то забрал. Теперь Роби сидел в своей квартире, печатая на компьютере, но работал не над убийствами Джейн Уинд и ее бывшего мужа. Его мысли были заняты другим — во всяком случае, на время.

Он ввел имя Джеральда Диксона. Получил слишком много совпадений — уж больно распространенное имя. Сменил тактику, перейдя от «Гугла» к более изысканной базе данных, доступ к которой у него имелся. На сей раз возвращенные совпадения оказались более удобоваримыми. Наконец Роби сузил поиск до одного имени. Посмотрел на адрес. Не совпадает с тем, куда Джули ездила на такси.

Но одна строка в анкете этого человека привлекла его внимание.

Опекун патронатного воспитания.

Этот тип и его жена берут детишек на воспитание.

Записав адрес, он проверил трекер. Радиус действия

маячка вполне достаточный, досюда достает. Джули пока не показывала носу из захудалой гостинички. Это странно, если только она не боится, что ее обнаружат. Во всяком случае, очевидно, что покидать город девчонка больше не собирается.

Интересно, с чего бы ей передумывать. Может, что-то в доме, где она останавливалась? Надо будет выяснить. Но пока Роби надо сходить в другое место.

Джеральд Диксон жил в двухэтажном дуплексе в паршивом районе. Когда Роби постучал в дверь, отклика долго не было, но внутри слышался шум, красноречиво говоривший о лихорадочной деятельности. Когда же дверь наконец открылась, Роби увидел перед собой субчика с малиновыми пятнами на щеках, налитыми кровью глазами и запахом освежителя дыхания изо рта, буквально валившим с ног.

«Этот идиот шлепал себя по щекам, чтобы протрезветь, и хлебал "Листерин", чтобы замаскировать спиртовой перегар. Стандарты патронатного воспитания в стране летят под откос».

— Ага? — враждебным тоном вопросил субчик.

— Джеральд Диксон?

— И хто спрашивает?

Роби козырнул бляхой:

— Я из управления внутренних дел округа Колумбия.

Диксон попятился на шаг. Он на дюйм пониже Роби, но болезненно тощий. Почти полностью облысел, хотя ему едва за сорок. Бледный, с пергаментной кожей, весь издерганный, как человек, тело и разум которого необратимо изъедены химией.

— Внутренних дел... Рази оно не для копов?

— Оно для многого, — отрезал Роби. — Включая и вашу ситуацию. Можно войти?

— Зачем?

— Поговорить о Джули. — Уилл нутром чуял, что девчонка назвала свое настоящее имя.

Диксона перекосило.

— Коли сыщете ее, скажите, шоб лучше тащила свою жопу сюда. Коли ее тута не будет, мне не заплотют.

— Значит, она пропала?

— Верняк.

— Можно войти?

Это выбило Диксона из колеи, но он кивнул и отступил, пропуская Роби в дом.

Внутри дом выглядел ничуть не лучше, чем снаружи. Они уселись на обшарпанные стулья. Корзины с грудами грязного белья громоздились повсюду, но у Уилла сложилось впечатление, что перед тем, как он постучался, все вещи были раскиданы по полу. Заметил он и бумаги, и край пивной банки, виднеющейся из-под стула, и гадал, что там еще припрятано. Сиденье было очень твердым. Вряд ли это набивка.

Невысокая фигуристая женщина в обтягивающих джинсах и еще более обтягивающей блузке вышла из глубины дома, утирая руки о штанины. С виду ей было не больше тридцати. Пепельно-каштановые волосы, лицо размалевано, вид совершенно отвязанный от реальности. Закурив сигарету, она воззрилась на Роби.

— Эт хто?

— Какой-то кент с внутренних дел, — проворчал Диксон.

Роби откинул клапан бумажника, продемонстрировав бляху.

— Я здесь, чтобы поговорить о Джули. И курение при детях запрещено, — присовокупил он.

Женщина поспешно раздавила сигарету о столешницу.

— Звиняйте, — буркнула она без малейшего намека на раскаяние. И тут же выпалила: — Нет ее. Сбежала. Засранка мелкая, никогда не ценила, шо мы ей даем...

— И вы будете?.. — справился Роби.

— Пэтти. Мы с Джерри женатые.

— Сколько у вас в настоящее время подопечных?

— Двое, не считая эту засранку Джули, — сообщила Пэтти.

— Я бы предпочел, чтобы вы не называли ребенка, вверенного под вашу ответственность, засранкой, — твердо изрек Роби.

— Он чё, из опеки? — Пэтти глянула на мужа.

— Он сказал, что с внутренних дел, — выложил Джеральд с сокрушенным видом.

— Я представитель госорганов, — заявил Роби. — Больше ничего вам знать не требуется. Итак, где остальные дети?

— В школе, — Пэтти подпустила в голос любящие материнские нотки и улыбнулась. — Мы отправляем этих ангелочков в школу что ни день, как оно нам и следовает.

Тут сверху послышался какой-то звук.

— У вас есть собственные дети? — Роби поднял глаза к потолку.

Джеральд и Пэтти нервно переглянулись.

— Своих двое, — сказал муж. — Малы еще, в школу еще не ходют. Наверное, читают там. Развитые не по годам.

— Разумеется. Итак, о Джули. — Роби открыл блокнот, достав его из кармана пиджака. При виде мелькнувшего перед глазами оружия Джеральд Диксон вытаращил глаза.

— У вас пушка.

— Это верно, — подтвердил Уилл.

— Я думала, эт насчет опеки, — промямлила Пэтти.

— Это насчет того, что я скажу. А чтобы вам двоим не увязнуть в беде по уши, рекомендую оказать мне полное содействие.

Роби решил, что хватит разыгрывать добрячка перед этой парой идиотов. На это у него ни времени, ни желания.

Джеральд сел попрямее, а Пэтти уселась рядом с ним.

— Расскажите мне о Джули, — потребовал Уилл.

— Она в беде? — полюбопытствовал Джеральд.

— Расскажите мне о ней, — твердо повторил Роби. — Полное имя, факты биографии, как она оказалась здесь. Всё без утайки.

— А рази вы этого ищо не знаете? — спросила Пэтти.

Уилл уставился на нее с каменным лицом.

— Я здесь, чтобы подтвердить информацию, которой мы уже располагаем, миссис Диксон. И прошу иметь в виду мою просьбу о содействии и учесть возможные последствия отказа от сотрудничества.

— Заткнись и дай мне это уладить, — саданув жену локтем, буркнул Джеральд и обернулся к Роби: — Звать ее Джули Гетти. Пришла сюда... м-м... недели три назад.

— Возраст?

— Четырнадцать.

— Почему ее передали под опеку?

— Ейные родители не могли об ей заботиться.

— Ага, это я понимаю. Почему они не могли о ней заботиться? Они мертвы?

— Не, не думаю. Слушайте, люди с агентства об таких вещах особо не распространяются. Просто дают детишков, а ты об них заботься.

— Как об своих собственных, — поспешно добавила Пэтти.

— Верно. Как вы сказали, не считая эту засранку Джули.

— Ну, я не совсем это хотела сказать, — зардевшись, она потупилась.

— Правду сказать, — подхватил Джеральд, — Джули та еще штучка. Чё на уме, то и на языке.

— И сейчас ее здесь нет?

— Сбёгла среди ночи.

— Мы так тревожились! — вставила Пэтти.

— И, конечно, сообщили об этом, правда?

Джеральд и Пэтти переглянулись.

— Ну, мы надеялись, шо она вернется, — проговорил он.

— Так шо решили чутка обождать, — добавила Пэтти.

— Она уже сбегала?

— Не в этот раз, ну, окромя как вчера ночью.

— В этот раз? — поднял Роби глаза от записей. — Ее уже отдавали под вашу опеку?

— Три раза.

— И что было в те разы?

— Толком не знаю, — сообщил Джеральд. — По-моему, ейные родители заполучили ее обратно. Помнится, соцработница говорила, что Джулины мама и папа в порядке. Но опосля ее обратно упекли под опеку.

— Когда вы видели ее в последний раз?

— Вчера вечером, опосля как подала ей вкусный ужин, — проворковала Пэтти таким сахарным тоном, что Роби захотелось выхватить пистолет и выстрелить у нее над самой макушкой.

— И когда вы обнаружили, что она пропала?

— Нынче утром, как она не спустилась.

— Значит, вы не проверяете своих возлюбленных «питомцев» по ночам?

— Она очень скрытная, — поспешно заявил Джеральд. — Мы старались не совать нос.

Роби выудил из-под стула пустую пивную банку.

— Это я понимаю, — он помахал ладонью в воздухе. — И открыли бы вы окна. Выветрили запах шмали.

— Мы не употребляем наркотики, — наигранно ужаснулся Джеральд.

— И я не знаю, чье это, — Пэтти указала на пивную банку.

— Разумеется, — Роби пренебрежительно отмахнулся. — Никаких вестей от Джули со времени ухода?

Оба затрясли головами.

— Есть какие-либо основания полагать, что кто-то хочет причинить ей вред?

А вот этому вопросу Диксоны удивились совершенно искренне.

— А чё, с ей чё-то стряслось? — спросил Джеральд.

— Просто отвечайте на вопрос. Тут не объявлялся кто-нибудь незнакомый? Подозрительные автомобили?

— Не, ничё такого, — отрапортовал Джеральд. — В какую чертовщину она впуталась? Банды?

— Вы думаете, она может быть в опасности? — Пэтти прижала ладонь к своей пышной груди.

Роби закрыл блокнот.

— Я определенно не стал бы исключать такую возможность. Кое-кто не задумывается, кому причиняет вред, — он с трудом удержался от улыбки.

Встав, приподнял обивку сиденья и вытащил пакет кокаина, несколько флаконов с бурой жидкостью, два шприца с колпачками и эластичные полоски для турникетов, заставляющих сосуды вздуться, чтобы легче было попасть в вену.

— И в следующий раз попытайтесь разместить свою аптеку в более укромном месте.

Оба воззрились на наркотики и относящиеся к ним причиндалы, но промолчали.

* * *

Уже шагая по улице прочь, Роби увидел женщину с конвертом, решительно шагающую с двумя полицейскими в кильватере.

— Вы не к Диксонам? — спросил он, когда женщина подошла.

— Да. А вы кто такой?

— Да просто человек, желающий, чтобы им больше никогда не разрешали опекать детей.

— Что ж, ваше желание только что исполнилось. — Женщина взмахнула конвертом и на всех парах устремилась к дому с полицейскими на буксире.

Роби пошел дальше. Что-то у него на запястье пикнуло. Он поглядел на трекер.

Джули Гетти наконец тронулась с места.

И Роби был практически уверен, что знает, куда именно.

Глава 30

Вскарабкавшись по лозам, Джули проскользнула в окно своей спальни и присела на корточки на полу, прислушиваясь. Но расслышала лишь биение собственного сердца. С трясущимися коленками двинулась вниз по лестнице, придерживаясь для опоры за стену. Зажмурившись, обогнула угол и распахнула глаза.

И оцепенела, едва сдержав крик.

На нее смотрел Роби.

— Ты вернулась, — произнес он.

Джули быстро оглядела комнату. Ничего, кроме мебели.

— Ожидала найти что-то еще? — поинтересовался Уилл, делая к ней шаг.

Она на шаг попятилась.

— Как вы сюда попали?

— Проследил за тобой.

— Это невозможно.

— Вообще-то ничего невозможного нет. Это ведь твой дом, верно?

Она промолчала, просто глядя на него — скорее с любопытством, нежели со страхом.

Роби поглядел на фото на приставном столике.

— Твои мама и папа были симпатичные. И ты прямехонько между ними... Похоже, счастливое было время.

— Вы ничего не знаете, — огрызнулась Джули.

— Поправочка: я знаю *кое-что*. Скажем, что ты в опасности. Тебя ищут. Люди, располагающие уймой денег, амбалов и связей.

— А вам-то откуда это знать?

— А оттуда, что они замели следы убийства двух человек прямо здесь.

— Откуда вы знаете? — Джули вытаращила глаза.

— Свежая краска, — Роби кивнул на стену рядом с местом, где она стояла. — Но только в этом месте. Она там, чтобы что-то скрыть. Тут был квадратный коврик, — он указал на пол. — Видно, где дерево светлее. Его нет. Опять же, чтобы что-то скрыть.

— Откуда вы знаете об убийстве? Это могло быть что угодно.

— Нет, не что угодно. Стены красят и ковры убирают, чтобы убрать улики. Кровь, ткани, прочие телесные жидкости. И они пропустили пятнышко крови на плинтусе вон там. Ты что, ожидала обнаружить здесь трупы? Был бы запах, знаешь ли. Такой, что ни с чем не спутаешь.

— Вы немало времени проводите рядом с трупами? — настороженно полюбопытствовала она.

— С той самой поры, как хожу в связке с тобой.

— Мы совершенно никак не связаны.

— Я знаю о твоих приемных родителях, хотя называть их «родителями» — наглое попрание истины.

— Мне не нравится, что вы разнюхиваете мою жизнь! — воскликнула Джули.

— Город дал им под зад коленкой, — сообщил Роби. — Остальных детей у них должны уже были забрать. По-моему, ты приложила к этому руку.

Гневное выражение лица Джули смягчилось.

— Они не заслуживают такого обращения. Ни один ребенок.

— А теперь расскажи, что произошло здесь.

— Зачем?

— Я же сказал: хочу помочь.

— Почему?

— Зови меня добрым самаритянином.

— Такие уже напрочь перевелись, — твердо заявила Джули.

— Даже твои родители?

— Не путайте сюда моих родителей! — вскинулась она.

— Ты видела, как они умерли? Поэтому и подалась в бега?

Джули пятилась, пока не уперлась спиной в стену. На минутку Роби показалось, что она ринется в бегство. И он не знал, как быть, если так и произойдет.

— Они увязли в чем-то по уши? — спросил он. — Наркотики?

— Мои мама и папа никому не причинили бы вреда. И нет, с наркотиками это никак не связано.

— Значит, их убили? Достаточно просто кивнуть.

Она чуточку наклонила голову.

— Ты видела, как это случилось?

Еще кивок.

— Тогда тебе надо пойти в полицию.

— Если я пойду в полицию, меня сразу же запроторят обратно под опеку. А потом эти люди найдут меня.

— Тип в автобусе был тот самый?

— По-моему, да.

— Джули, расскажи мне в точности, что произошло. Только так я смогу тебе помочь. Если вчерашняя ночь тебе что-то и доказала, так это то, что именно я и могу всё сделать.

— А как насчет этих людей по телику? Это вы их убили? Маму с ребенком? Вы сказали, что не делали этого, но мне надо знать правду.

— Ну, если б я и убил их, то ни за что на свете не признался бы в этом. Но если б я сделал это, с какой стати пришел бы сюда помогать тебе? Приведи мне причину.

Она испустила долгий вздох, тормоша лямки рюкзака.

— Клянетесь, что не убивали их?

— Клянусь, что я их не убивал. Прямо сейчас я работаю вместе с ФБР в попытке выяснить, кто это сделал. — Он достал свой значок, чтобы продемонстрировать ей.

— Ладно, — сказала Джули. — Наверное, это круто... Короче, вчера ночью я удрала от Диксонов и пришла сюда. Пробыла дома совсем недолго, когда услышала, как кто-то вошел. Думала, это родители, но с ними был кто-то еще. Он на них орал. Спрашивал о чем-то.

Роби приблизился на пару шагов.

— О чем он их спрашивал? Постарайся передать как можно точнее.

Джули задумчиво наморщила лоб.

— Он сказал: «Сколько тебе известно? Что тебе сказали?» Что-то вроде этого. А потом, а потом...

— Он причинил боль кому-то из них?

По ее щекам заструились слезы.

— Я услышала выстрел. Побежала вниз по лестнице. Мужик поглядел на меня. Папа был у стены вон там. Весь в крови. Мужик направил пушку на меня, но мама ударила его, и он упал. Я не хотела уходить, хотела остаться и помочь ей... Но она велела бежать.

Джули прикрыла глаза, но слезы всё бежали из-под век.

— Я вернулась в свою спальню и выбралась через окно. Потом услышала еще выстрел. И побежала что есть силы. Я струсила. Я знала: этот выстрел означает, что мама мертва. А я просто удрала. Я — говно. Я просто бросила ее умирать.

Открыв глаза, она окостенела, увидев, что Роби стоит рядом.

— А если б не убежала, была бы мертва, — проговорил он. — А от этого уж никому никакой пользы. Мама спасла тебе жизнь. Она пожертвовала своей жизнью ради твоей. Так что ты поступила правильно, потому что именно этого и хотела твоя мама. Чтобы ты жила.

Роби дал ей салфетку из коробки на столе, и Джули, утерев слезы, высморкалась.

— И что теперь? — спросила она.

— Как по-твоему, кто-нибудь в округе слышал выстрелы?

— Сомневаюсь. Соседнее жилье пустует. Так что остается дуплекс через улицу. Раньше здесь был приличный район, но потом все остались без работы.

— В том числе и твои родители?

— Они брались за любую работу, какую могли найти. Моя мама ходила в колледж, — с гордостью добавила Джули. — Папа был славный. — Она потупилась. — Просто порой занимался самоедством. Ему казалось, что весь мир против него.

— Как их звали?

— Кёртис и Сара Гетти.

— Не родня нефтяным Гетти, полагаю?

— Если и да, нам никто не сказал.

— Ладно, вот мой план, — сообщил Роби. — Узнаем, кто убил твоих родителей и почему.

— Но если это мужик из автобуса, так он мертвее мертвого.

— Вчера ночью ты покинула этот дом и направилась прямо к автобусной остановке?

— Да.

— Значит, тот субъект был не один. Он не мог навести лоск на дом, избавиться от двух трупов и притом поспеть к автобусу. Без других не обошлось.

— Но почему мои родители? Я любила их, но вряд ли они были важными особами или типа того.

— Ты уверена, что они не были замешаны в торговле наркотиками, бандитских шайках или чем-нибудь вроде того?

— Послушайте, будь они наркобаронами, думаете, жили бы здесь?

— Значит, никаких врагов?

— Нет. Во всяком случае, о которых я знала бы.

— Где они работали?

— Папа — на складе на юго-востоке. Мама — в закусочной в паре кварталов отсюда.

— Значит, твой папа мог наведываться туда, чтобы поесть?

— Ага. Я тоже проводила в закусочной много времени. А что?

— Просто собираю сведения.

— Я хочу отсюда уйти. Прямо сейчас. Больше это не мой дом.

— Ладно. Куда хочешь направиться?

— Нашла местечко, где остановиться.

— Ага, я проследил тебя дотуда. А красть и пускать в ход кредитку Диксона было глупо. Тебя за это привлекут. И, что важнее, могут отследить.

— Откуда вы... — Она осеклась с раздосадованным видом. — У меня наличные.

— Прибереги пока.

— И куда же мне идти? Не обратно же в ваше убежище. Слишком далеко от города.

— Нет, у меня есть другое жилье. Собери вещи — и пошли.

ГЛАВА 31

Роби дождался, когда совсем смеркнется. Время до той поры они провели, отправившись перекусить в семейный ресторанчик на Эйч-стрит. Роби засыпал девушку вопросами, деликатно ее прощупывая. Она давала отпор. Из нее получился бы хороший «фараон», подумал Роби. Ее склонность раскрываться как можно меньше просто поразительна, особенно для представительницы поколения, запросто постящего интимнейшие подробности о себе в «Фейсбуке».

Роби подвез Джули до своего района у парка Рок-Крик, вот только повел не к себе в дом, а на наблюдательный пост через улицу. О нем, как и о фермерском доме, никто, кроме Уилла, не знал.

Войдя, он отключил сигнализацию, а Джули огляделась.

— Это ваше жилье?

— Вроде того.

— Вы богаты?

— Нет.

— А по-моему, вы богач.

— Почему?

— У вас есть машина и два жилища. Значит, довольно богатый. Особенно в наши дни.

— Пожалуй, что так.

Вообще-то у него есть еще жилье прямо через улицу, но ей об этом знать незачем.

Он показал Джули, как пользоваться сигнализацией, а после дал оглядеться. Девочка сама выбрала для себя спальню из двух имеющихся. Бросила на кровать рюкзак и вторую сумку, собранную, прежде чем покинуть дом, и пустилась блуждать по квартире.

— А зачем телескоп? — полюбопытствовала она.

— Чтобы наблюдать за звездами.

— Это не астрономический телескоп. Да и угол тут не тот, чтобы в небо направлять.

— Ты разбираешься в телескопах?

— Я ведь хожу в школу, знаете ли.

— Люблю наблюдать, — пояснил Роби. — Особенно чтобы поглядеть, не наблюдают ли за мной.

— Значит, мы, типа, будем тут вместе? — От этой перспективы ей было явно не по себе.

— Нет. Переночую в другом месте. Но поблизости.

— Так у вас три дома? — недоверчиво протянула Джули. — Чем вы зарабатываете на жизнь? Пожалуй, я этим тоже займусь.

— У тебя есть все необходимое. — Он вынул из кармана мобильный телефон. — Это для тебя. Мой номер забит в быстрый набор. Отследить его нельзя, так что можешь пользоваться, когда захочешь.

— Насколько далеко вы будете?

— Я думал, тебя нервирует мысль, что мы будем тут вместе...

— Слушайте, я понимаю, что вы не какой-нибудь отморозок, набрасывающийся на малолеток, лады?

— Откуда ты знаешь?

— Оттуда, что мне уже приходилось разбираться с подобными козлами. Я знаю, что высматривать. У вас никаких симптомов.

— Ты выучилась этому в опеке? — вполголоса спросил Роби.

Она не ответила. А Роби подумал о Джеральде Диксоне, задумавшись, не следует ли попросту пристрелить это чмо, когда выпадет случай.

— У тебя есть всё, что потребуется, — сказал он. — Кухню я упаковал на прошлой неделе. Если что еще, звони.

— А как насчет школы?

Это застало Роби врасплох.

«Показывает, какой замечательный папаша из меня вышел бы».

— Где ты ходишь в школу? — осведомился он.

— Программа Д-Т на северо-востоке округа Колумбия.

— Д-Т? Это же коктейль.

— Да не джин с тоником. Даровитые и талантливые.

— Тебе четырнадцать; значит, ты в девятом классе?

— В десятом.

— Как это?

— Экстерном.

— Значит, довольно умная.

— В некоторых вещах. В других бываю полной дурой.

— Какого рода?

— Не люблю подчеркивать свои слабости.

– Учитывая то, что стряслось с твоими родителями, я не уверен, что тебе стоит возвращаться в школу. Их убийца наверняка знает, какую школу ты посещаешь. Или без труда это выяснит.

– Я могу воспользоваться мобильником, чтобы «эсэмэснуть» своей координаторше программы и впарить ей какую-нибудь лабуду.

– Считаешь себя умнее всех взрослых?

– Нет. Но я достаточно умна, чтобы уметь врать правдоподобно. – Джули пристально взглянула на Роби. – По-моему, вы по этой части тоже дока.

– Соцработники будут тебя разыскивать.

– Знаю. Уже не в первый раз. Явятся в дом родителей. Подумают, что они рванули из города и прихватили меня с собой. Потом пойдут в школу, узнают, что я «эсэмэснула» координаторше, решат, что я в порядке, и на том поставят крест. У них в обороте слишком много детей в куда худшем положении, чтобы и дальше париться насчет меня.

– Думаешь на несколько ходов вперед... Это хорошо. Играешь в шахматы?

– Играю в жизнь.

– Это я уяснил.

– Так насколько близко вы будете? – снова спросила Джули.

– Довольно близко.

– Я не собираюсь сидеть тут сложа руки. Я собираюсь помочь вам найти убийц моих родителей.

– Можешь предоставить это мне.

– Черта лысого! Если не позволите мне помогать, то, когда вернетесь, меня здесь не будет.

Сев в кресло, Роби устремил взгляд на нее.

– Позволь кое-что прояснить. Ты умный подросток. Ты знаешь улицы. Но те, против кого ты идешь, – люди совершенно иного плана. Они убивают всякого, кто встает у них на пути.

— Смахивает на то, что вы знаете этот тип досконально, — парировала Джули. Не дождавшись ответа Роби, провозгласила: — А мужик в автобусе? И как вы отделались от того чувака в переулке? И как проанализировали место преступления в доме моих родителей? И как выследили меня? И вы сказали, что работаете с ФБР. Вы не просто какой-то чел, просиживающий штаны с девяти до пяти. У вас есть тайные квартиры, пушки, неотслеживаемые телефоны и телескопы, направленные бог весть куда... — Помолчав, она добавила: — Вы и людей убивали, спорить могу.

Роби по-прежнему не обронил ни слова.

Джули поглядела за окно.

— Кроме родителей, у меня никого не было. И я убежала, когда могла остаться и помочь им... Теперь они мертвы. Понимаю, что еще мала, но я могу вам помочь. Если только вы дадите мне шанс.

Роби тоже поглядел за окно.

— Ладно. Сделаем это вместе. Но придется непросто.

— И что мне делать сперва? — пылко спросила Джули.

— У тебя в сумке есть бумага и ручка?

— Да. И ноутбук, который мне выдали в школе.

— Насколько давно ты виделась с родителями?

— С неделю.

— Ладно, запиши всё, что сможешь вспомнить, о последней паре недель. Постарайся припомнить всё, что видела, слышала или подозревала. Всё, что говорили родители. Каким бы малозначительным это ни казалось. И обо всех окружающих, с кем они были знакомы или разговаривали.

— Это чтобы меня занять или действительно важно?

— Ни у тебя, ни у меня нет времени, чтобы терять его на переливание из пустого в порожнее. Это нам понадобится.

— Ладно, сделаю. Начну сегодня же вечером.

Роби встал, чтобы уйти.

— Уилл!

— Ага?

— Я буду хорошим напарником, вот увидите.

— Ничуть не сомневаюсь, Джули.

Но внутри у него все заледенело. Куда уж лучше работать в одиночку. Не по душе ему тащить бремя еще одной жизни.

Глава 32

— Роби, выкроите минутку на чашечку кофе?

Звонила Николь Вэнс.

Уилл ответил на звонок по пути вниз в лифте, когда покинул Джули. Он дал девочке ключ от квартиры, но просил не уходить, не сообщив сперва ему. И велел включить сигнализацию.

— Есть какое-нибудь продвижение по делу? — спросил он у спецагента.

— Есть заведение, не закрывающееся допоздна, на юго-востоке, у пересечения Первой и Ди, называется «Доннеллиз». Я могу быть там через десять минут.

— Дайте мне еще десять сверх того.

— Надеюсь, не помешала?

— Увидимся там.

Роби сел в свою машину, припаркованную на улице. В этот час уличное движение в городе было легким. Припарковавшись на Первой, он поглядел на маячащий фоном купол Капитолия. Пятьсот тридцать пять членов Конгресса проворачивают свои дела поблизости отсюда в различных зданиях, названных в честь давно покойных политиков. Их, в свою очередь, окружает армия лоббистов, сидящих по уши в деньгах и трудящихся не покладая рук, чтобы убедить избранных сановников в непогрешимой праведности своего дела.

Для столь позднего часа в «Доннеллиз» было весьма оживленно. Большинство посетителей пили нечто покрепче кофе. Когда Роби нарисовался на пороге, Вэнс помахала ему из глубины главного зала.

Уилл сел напротив нее. Она была в цивильном, потому что пришла из дому. Слаксы, туфли, голубой свитер, вельветовая куртка. Хороший выбор для прохладной погоды. Распущенные волосы ниспадали до плеч. На работе они были стянуты на затылке. Длинные волосы на месте преступления порой создают проблемы. От нее пахло недавним душем и легким ароматом духов. Должно быть, надраивалась усердно, подумал Роби. Смрад смерти въедается в самые поры.

Чашка кофе была припаркована прямо перед ней. Взмахом руки Уилл привлек внимание официантки, а затем показал на чашку Вэнс и на себя. Дождался, пока та подойдет с чашкой свежего кофе и отбудет, и только после этого сосредоточился на Николь.

— Итак, я здесь.

— Вас трудновато найти.

— Вы позвонили мне всего раз.

— Нет, я имею в виду в СКРМО. Я звонила по тому номеру, что вы дали. Там подтвердили, что вы у них работаете, но ваше досье засекречено.

— В этом нет ничего ошеломительного. Я же вам говорил, что некоторое время провел за границей. Такие дела засекречивают. А теперь вернулся. — Отхлебнув кофе, Роби поставил чашку обратно. — Пожалуйста, скажите, что это не единственная причина, по которой вы пригласили меня на эту встречу.

— Не единственная. Я не люблю терять время попусту, так что приступим.

Она извлекла из сумочки, стоявшей рядом, манильскую папку, открыла и вынула оттуда несколько фотографий и страниц.

— Сведения о Рике Уинде.

Роби пролистал фото и письменные материалы. На одном из снимков был мертвый Уинд, висящий над полом своего ломбарда, смердящим мочой. На остальных был живой Уинд. На нескольких из них — в военной форме.

— Армия, а?

— Кадровый военный. Пошел на службу в восемнадцать лет. Отслужил от звонка до звонка и демобилизовался. Ему было сорок три.

— А дети у них маленькие. Поздно обзавелись?

— Джейн и Рик Уинд были женаты десять лет. Масса неудачных попыток забеременеть. Сорвали банк дважды за три года. Потом решили покончить с браком. Вот и поди разберись.

— Может, Рик Уинд решил, что не хочет быть отцом?

— Не уверена. У них была совместная опека над детьми.

— Где он жил?

— В округе Принс-Джорджес, Мэриленд.

— Причину смерти установили?

— Судмедэксперт еще возится с ним. Никаких очевидных ранений, кроме отрезанного языка. — Она помолчала. — Не так ли мафия поступает со стукачами?

— А у Уинда были связи с мафией?

— Нет, насколько нам известно. И он не сотрудничал ни с какими федеральными органами или местными полицейскими следователями в роли информатора. Но держал ломбард в дурном районе. Может, отмывал грязные деньги и попался на том, что запустил руку в банку с вареньем...

— И они же убили его жену и ребенка?

— Может, в качестве предупреждения для будущих любителей снимать пенки.

— Пожалуй, это перебор. Тем паче они не могли не знать, что Джейн Уинд — госслужащая, и ее убийство автоматически вовлечет ФБР. В смысле, к чему напрашиваться на лишние неприятности?

— Спасибо за вашу веру в доблесть Федерального бюро расследований на ниве искоренения преступности.

— Время смерти? — справился Роби.

— Около трех суток, говорит судмедэксперт.

— Никто не заметил его исчезновения? Его бывшая?

— Я же сказала, у них была совместная опека. Как раз шла ее неделя. Очевидно, они почти не общались. В ломбарде он работал один. Может, особой дружбы ни с кем не водил.

— Ладно, но все это могло обождать и до завтра.

— Ствол, найденный нами возле взорванного автобуса, — тот самый, который выпустил пулю в половицу Джейн Уинд.

— Я знаю. Вы мне уже говорили. — Взяв чашку, Роби сделал еще глоток.

«Ни в коем случае не следовало стрелять. Ни в коем случае не следовало терять оружие».

— А пуля, убившая Уинд и ее сына? — осведомился он.

— Совершенно другое оружие. Винтовочная пуля. Прошла через окно, как мы и думали.

— Опять же, всё это можно было сказать по телефону.

— И винтовочный патрон был довольно необычный.

— Как это?

— Смахивает на армейский боеприпас, — бесстрастно обронила спецагент.

Роби отхлебнул еще кофе. Хотя пульс его немного участился, рука не дрогнула ни на йоту.

— А конкретнее, что за пуля? Определили или слишком деформирована?

— В оболочке. Вышла в прекрасном состоянии. — Она сверилась со своими записями. — Стасемидесятипятиграновая «Сьерра Матч Кинг» с выемкой в наконечнике и сужающимся хвостовиком. Это достаточно конкретно для вас?

— Таких винтпатронов вокруг как грязи.

— Ага, но наш эксперт-оружейник сказал, что эта была другая. Спецпуля для стрельбы на большие дистанции с легкими следами модифицированной пороховой шашки. Если без обиняков, для меня это темный лес. Но он предполагает, что это армейская пуля США. Вам не кажется это знакомым?

— Наши ребята пользуются такими боеприпасами. А заодно венгры, израильтяне, японцы и ливанцы.

— Вы прямо кладезь оружейных фактов... Впечатляет.

— Подкину вам еще. Армия США использует систему вооружения М-двадцать четыре. Нашу мишень от стрелка отделяли примерно триста метров и одно оконное стекло. Погодные условия вчера ночью были хорошие, почти безветренно. Пулю, о которой вы говорите, также называют «7,62 MK 316 MOD O». Компонентами стасемидесятипятигранового винтпатрона являются пуля «Сьерра», соответствующая гильза производства «Федерал картридж компани», соответствующий капсюль-воспламенитель «Голд медал» и модифицированный прессованный пороховой заряд. Эта пуля вылетает из ствола, развивая мощность свыше двух тысяч шестисот фут-фунтов в секунду. На расстоянии трехсот метров энергии у «Сьерры» хватит, чтобы пройти череп ребенка навылет, сохранив достаточно убойной силы, чтобы оборвать другую жизнь в непосредственной близости.

На самом деле Роби размышлял вслух. Но, увидев выражение лица Вэнс, тут же раскаялся, что не оставил эти технические подробности при себе.

— Вы порядком разбираетесь в снайперских делах? — спросила она.

— Я из минобороны. Но боеприпасы «Сьерра» доступны и на массовом рынке. Очень жаль, что у нас нет гильзы.

— О, как раз есть. Стрелок не прибрал за собой. Во всяком случае, если и пытался, то не преуспел.

— И где она была? Я не видел ее в комнате, выбранной снайпером, а ведь я ее искал.

— Щель плинтуса. Эжектор выбросил гильзу, она ударилась о бетон, наверное, отскочила и закатилась прямо в щель. И совершенно скрылась из виду. Снайпер действовал в темноте. Электричества в этом здании нет. Даже если он пытался найти ее перед ретирадой, то не углядел бы. Мои парни нашли гильзу лишь потом, ползая на карачках с лазерными фонариками.

Роби облизнул губы:

— Ладно, позвольте спросить кое-что. Может, ответ вам известен, может, нет.

— Годится.

— Гильза была блестящая или тусклая?

— Не знаю. Ее нашли уже после моего ухода. Но для ответа достаточно одного телефонного звонка.

— Ну так сделайте его.

— Это так важно?

— Иначе я не спрашивал бы.

Она сделала звонок, задала вопрос и получила ответ.

— Тусклая, не блестит. На самом деле мой человек сказал, что чуточку обесцветилась. Думаете, это старый патрон?

Уилл допил свой кофе.

Вэнс беспокойно постучала ногтем по столешнице.

— Не держите меня в напряжении, Роби. Я сделала звонок. Получила ответ. А теперь скажите мне, почему это играет такую роль.

— Военные не используют гильзы повторно, не используют брак или старые боеприпасы. Но производители взимают дополнительную плату за лощение гильз, чтобы они были блестященькими и красивыми. Армии на это насрать; на тактико-технических характеристиках это не сказывается. Пуля из тусклого патрона летит так же прямо и верно, как из блестящего. А армия закупает миллионы патронов, так что экономит тонну денег, обходясь без лишнего лоска. Зато патроны для гражданских блестят, потому что эта публика не прочь переплатить.

— Значит, мы определенно видим боеприпас армейского образца?

— И это осложняет дело.

— Это всё, что вы можете сказать? — недоверчивым тоном произнесла спецагент.

— А что я должен сказать, по-вашему? — сдержанно отозвался Роби.

— Если это покушение войск США на государственного служащего, тогда это не просто осложнение — мы по уши в говне. Вот что вы должны сказать, по-моему.

— Ладно, мы *потенциально* по уши в говне. Вы довольны?

— Кстати, мой босс был вне себя от бешенства из-за вашей пальбы по замкам ломбарда. Сказал, что непременно переговорит со СКРМО.

— Отлично. Может, меня отзовут с этого дела.

— Черт возьми, Роби, откуда вы заявились? Вы хотя бы хотите быть следователем?

— Мы закончили? — Он начал вставать.

— Уж и не знаю, — она поглядела на него снизу вверх. — Закончили, нет ли...

Уилл вышел. Вэнс увязалась за ним наружу.

— Вообще-то, — она положила ладонь ему на плечо, — я с вами еще не закончила.

Сграбастав ее за руку, Роби дернул что есть сил, и оба упали за какие-то мусорные баки. И почти тотчас же град пуль вдребезги разнес витрину фасада «Доннеллиз».

Глава 33

Перекатившись, Роби выхватил пистолет из кобуры и прицелился через прогал между опрокинувшимися мусорными баками. Его мишенью был черный внедорожник с задним окном, приоткрытым на щелочку. И из нее торчало дуло пистолета-пулемета MP-5, изрыгавшее град пуль.

Перед самым началом стрельбы Роби оттолкнул Вэнс вниз, к себе за спину. Когда она попыталась приподняться, он хлопком осадил ее обратно.

— Не высовывайтесь или лишитесь своей окаянной головы.

Пули из MP крошили деревья, уличные столики, стулья и зонты и вгрызались в кирпичный фасад здания.

Люди в «Доннеллиз» и на улице кричали, пригибались и бежали к укрытиям. Во всем этом хаосе Роби не терял хладнокровия и стрелял точно в цель. Попал в шины, чтобы обездвижить автомобиль, в переднее и заднее пассажирские окна, чтобы поразить стрелка и водителя, и в переднее крыло внедорожника, чтобы прикончить двигатель.

И ничего.

Ствол MP-5 скрылся, окно скользнуло кверху, и машина с ревом рванула прочь.

Мгновенно вскочив, Роби вогнал свежий магазин и понесся за ней по улице, стреляя в задок и всякий раз попадая. Пробил задние шины.

И опять ничего.

Но затем Роби увидел, как разлетелись стекла «Хонды», припаркованной у бордюра, и упала срезанная ветка дерева, и прекратил огонь. Внедорожник свернул за угол и скрылся.

Уилл поглядел на крошево стекла у «Хонды» с надрывающейся сигнализацией. Перевел взгляд на ветку дерева, срезанную пулей, — вероятно, от рикошета. Извлек ключи от машины и уже собирался бежать к своему «Ауди», припаркованному в двух машинах от «Хонды». Но, увидев простреленные шины своего автомобиля, тут же убрал ключи.

Услышав топот бегущих к нему ног, припал на колено и прицелился.

— Это я! — взвизгнула Вэнс, держа пистолет, но подняв руки в знак капитуляции.

Роби встал, убирая оружие в кобуру, и зашагал к ней.

— Что это за чертовщина?! — воскликнула спецагент.

— Давайте оповещение. Надо перехватить этот внедорожник.

— Уже. Но вы знаете, сколько в окру́ге черных внедорожников? Номер посмотрели?

— Они его замазали.

Завыли сирены. Слышался топот еще множества бегущих ног. Полицейские с Капитолийского холма, находящегося всего в квартале отсюда, бежали в их сторону со всех ног с оружием на изготовку.

Роби оглянулся на ресторан. Люди медленно поднимались на ноги. Но не все. По улице растекалась темная жидкость. Изнутри ресторана слышались вопли и рыдания.

Есть жертвы. Много. Тяжелые.

— Сколько? — спросил Роби.

— Толком не знаю, — Вэнс поглядела на него. — Двое на улице убиты. Трое раненых. Может, внутри еще больше... За той витриной было много народу. Я вызвала «Скорые». Это вы? — Она бросила взгляд на верещащую «Хонду».

— Рикошет от моего оружия, — лаконично отозвался Роби.

— Рикошет? От внедорожника? Ваши пули должны были запросто пробить его.

— Я попал в него в общей сложности семнадцать раз, — сообщил Уилл. — Шины, окна, кузов. Рикошеты, все до единого. «Хонда». Ветка дерева. Мои пули, наверное, здесь повсюду.

— Но это означает... — начала побледневшая Вэнс.

— Что внедорожник был бронирован и оснащен самонесущими шинами, — досказал за нее Роби.

— Такого рода автомобили в округе Колумбия за пределами определенных кругов можно по пальцам перечесть. — Вэнс уставилась на него.

— В основном правительственные.

— Так они покушались на вас, на меня или на нас обоих? — задалась вопросом Николь.

— У стрелка был MP-пятый, переведенный на полностью автоматическую стрельбу. Это оружие неизбирательного действия. Убивает без разбора всех попавших в зону поражения.

Поглядев на его руку, Вэнс наморщилась:

— Роби, вы ранены.

Он поглядел на свое окровавленное плечо.

— Мягкие ткани не затронуты. Просто касательное.

— Но кровь-то всё равно идет. И сильно. Я вызову «Скорую» и для вас.

— Выбросьте «Скорую» из головы, Вэнс, — быстро, жестко отрезал он. — Нам нужен этот внедорожник.

— Говорю же, уже оповестила, — холодно отозвалась она. — Мои люди и военпол уже его ищут. На нем должны быть вмятины от ваших выстрелов. Может, это поможет.

Роби и Вэнс трусцой припустили обратно к ресторану. Игнорируя явно убитых, Уилл переходил от раненого к раненому, быстро определяя и останавливая кровотечение тем, что было под рукой, а Вэнс ассистировала. Полиция Капитолийского холма подхватила его труды.

Как только прибыли кареты «Скорой помощи» и из них хлынули парамедики, Роби оставил раненых на их попечение и пошел через улицу проверить свой «Ауди». Увидел дыры в кузове. Пули MP-5. Ни одного рикошета от его пистолета. С этой стороны был еще один стрелок. Скверно. Это значит, что его автомобиль им известен.

Они что, проследили за ним до этого места? Если так...

Повернувшись, Роби бегом бросился к спецагенту, беседовавшей с двумя офицерами военной полиции.

— Вэнс, можно одолжить ваши колеса? — встрял он в разговор.

— Что? — Она с недоумением поглядела на него.

— Вашу машину. Мне срочно надо в другое место. Это важно.

Николь встревожилась, а полицейские воззрились на Роби с подозрением.

Должно быть, Вэнс заметила это и тут же пояснила:

— Он со мной, — и достала ключи. — Припаркована за углом. Серебристый «БМВ»-кабриолет. Разумеется, тачка моя собственная.

— Спасибо.

— Так что вы уж с ним поосторожнее.

— Я всегда осторожен.

Она с сомнением окинула взором его расстрелянный «Ауди».

— Само собой... Но как я доберусь домой?

— Я вернусь и заберу вас. Это ненадолго. Я позвоню, когда буду выезжать.

И бегом ринулся прочь.

— И пожалуйста, позаботьтесь о своей руке! — крикнула вдогонку спецагент.

Она еще несколько секунд смотрела ему вслед, пока один из копов не встрепенулся:

— Гм, агент Вэнс!

Николь смущенно обернулась и продолжила вводить их в курс дела.

Глава 34

Скользнув в «бумер», Роби завел его и рванул с места. Уже на ходу позвонил на телефон, оставленный Джули. Она не ответила.

«Блин!»

Он вдавил на всю железку. Ехать быстро в городе, даже в этот поздний час, проблематично. Уличное движение и уйма светофоров. И уйма копов.

А затем ему в голову пришла идея. Вэнс, похоже, дама весьма высокоэффективная. А значит...

Он оглядел приборную доску. И увидел коробочку под рулевой колонкой. Явный довесок.

«Агент Вэнс, я вас люблю!»

Нажал на выключатель. За решеткой радиатора тотчас вспыхнули синие проблесковые огни и заулюлюкала сирена. Четырежды проскочив на красный свет, Роби промелькнул через город настолько быстро, что мог бы сняться в улетной рекламе немецкого автогиганта, и через считаные минуты уже мчался по своей улице. Пару раз ему на глаза попались копы в машинах, поглядывавшие на «бумер» с полицейскими огнями с подозрением, но пропустившие его.

Припарковавшись на боковой улице, Уилл выпрыгнул и зигзагами устремился пешком к зданию, где оставил Джули. По лестнице он несся, перепрыгивая через две ступеньки кряду. Вихрем промчался по коридору. По пути дважды сбрасывал ей СМС, но ответа не получил. Поглядел на дверь. Никаких следов взлома. Достав пистолет, сунул ключ в скважину и тихонько приоткрыл дверь.

В передней было темно. Сигнализация даже не пикнула. Скверный признак.

Он закрыл дверь за собой. Двинулся в комнату, ведя стволом по защитной дуге.

Голоса не подал, не зная, кто еще мог здесь затаиться.

Услышав шум, беззвучно отступил во мрак.

Шаги приближались. Роби нацелил пистолет в готовности открыть огонь.

Зажегся свет. Уилл вышел.

Джули взвизгнула.

— Какого черта?! — охнула она, держась за грудь. — Вы что, хотите довести меня до гребаного инфаркта?

Она стояла перед ним с влажными волосами, одетая в пижаму.

— Ты была в душе? — спросил Роби.

— Ага. Что, кроме меня, никто на свете не любит быть чистым?

— Я звонил и эсэмэсил.

— Вода и электроника не дружат, как я слыхала. — Она взяла телефон с кофейного столика. — Хотите, чтобы я эсэмэснула обратно?

— Я тревожился.

— Ладно, виновата... Но не могла же я взять телефон в душ.

— В следующий раз бери его хоть в ванную. А почему сигнализация не включена?

— Я спускалась в вестибюль за газетой. Собиралась включить перед сном.

— Газету? Вот уж не думал, что ваше поколение читает старомодные газеты...

— Я люблю информацию.

— Ладно, но я хочу, чтобы ты держала сигнализацию включенной постоянно.

— Отлично. Но с чего это вдруг вы так сдрейфили за меня? — Застыв, она уставилась на его руку. — Вы истекаете кровью.

— Порезался, — он потер рану.

— Через пиджак?

— Выбрось это из головы, — резко осадил Роби. — Ты не заметила ничего подозрительного сегодня вечером после моего ухода?

Она уловила в его голосе напряженные нотки.

— Расскажите, что случилось, Уилл.

— По-моему, меня преследовали. Но не знаю, с какого места. Если отсюда, это скверно — по очевидным причинам.

— Я не видела и не слышала ничего подозрительного. Если б кто-то хотел до меня добраться, шанс у них был.

Опустив взгляд, Роби увидел, что все еще держит пистолет. Убрал его в кобуру и огляделся.

— Всё в порядке? Тебе что-нибудь нужно?

— Все прекрасно. Я сделала домашнее задание, съела здоровый ужин, почистила зубы и помолилась. В полном ажуре, — саркастически добавила Джули. Затем достала листок бумаги из кармана пижамы и вручила ему.

— Что это?

— А поручение, что вы мне давали? Что-нибудь странное в последние пару недель... Заодно включила адреса мест, где мама и папа работали. Все, что знаю об их прошлом. Их друзья. Чем они обычно занимались. Думала, это может быть полезно.

Роби посмотрел на страницу, исписанную аккуратным почерком, и кивнул:

— Это будет полезно.

— Кто вас подстрелил?

Он инстинктивно посмотрел на руку, а потом на Джули.

— Я уже насмотрелась на огнестрельные ранения, — будничным тоном сказала та. — Уж в таком мире я выросла.

— Не знаю кто, — ответил Роби. — Но намерен выяснить.

— Это как-то связано с той убитой женщиной и ее ребенком?

— Ага, наверное.

— Впрочем, вы производите впечатление субъекта, у которого уйма врагов по уйме различных причин.

— Может, и так.

— Но вы все равно собираетесь мне помочь выяснить, кто убил моих маму и папу, верно?

— Сказал же, что да.

— Лады, — подвела она черту. — Можно я пойду спать?

— Ага.

— Можете остаться, если хотите. Меня это не коробит.

— Мне еще надо сегодня кое-что сделать.

— Понимаю.

— Выходя, включу сигнализацию.

— Спасибо.

Взяв телефон, Джули повернулась и зашагала по коридору. Послышался щелчок замка двери спальни. Включив сигнализацию, Роби запер за собой дверь и удалился.

Он был вне себя.

Им манипулируют. Это ясно.

Вот только неясно, кто именно.

ГЛАВА 35

Подкатив к бордюру, Роби смотрел, как Вэнс заканчивает свои дела с местными «фараонами» и некоторыми из своих подчиненных. «Скорые» были повсюду. Людей загружали в них, чтобы развезти по местным больницам для лечения ран.

Этим повезло. Они еще живы. Покойников оставили там, где они упали, чтобы расследовать их убийство. Единственным актом уважения к их частной жизни были белые простыни, укрывшие трупы. В остальных отношениях люди, всего час назад полные жизни и наслаждавшиеся бокалом пива, были не более чем фрагментами головоломки уголовного расследования.

Как только Вэнс покончила с последним копом, Роби надавил на клаксон. Она подошла к «бумеру» и оглядела его со всех сторон, пока Уилл опускал пассажирское окно.

— Если найду на машине хоть вмятинку, возьму вас за задницу, — провозгласила она, хотя выражение ее лица говорило, что это не всерьез.

— Хотите, чтобы я повел? — осведомился Роби. — Или желаете за руль?

Вместо ответа она уселась на пассажирское сиденье.

— Я велела эвакуировать вашу тачку в гараж ФБР. Это официальная улика.

— Чудесно; значит, я остался без машины.

— У СКРМО есть автопарк, позаимствуйте машину там.

— Да там небось сплошные «Форды Пинто». Я предпочитаю свой «Ауди».

— А кто сказал, что жизнь не сплошное разочарование?

— Каков окончательный подсчет? — негромко спросил Роби.

Вэнс испустила долгий вздох.

— Четверо убитых. Семеро раненых, трое из них в критическом состоянии, так что число убитых может вырасти.

— А черный внедорожник?

— Скрылся без пресловутого следа. — Откинувшись на спинку сиденья, Николь прикрыла глаза. — Что за столь уж важные дела у вас были?

— Нужно было проверить кое-что.

— Что? Или кого?

— Просто кое-что.

— Вам надо знать, а мне — нет?

Открыв глаза, Вэнс уставилась на него. Роби не ответил. Она опустила взгляд к коробочке под рулевой колонкой.

— Как я понимаю, вы нашли мое световое допоборудование решетки радиатора.

— Пришлось очень кстати.

— Кто же вы на самом деле?

— Уилл Роби. СКРМО. Как и сказано на бляхе и в удостоверении.

— Вы там управились весьма недурно. Я еще только нашаривала свое оружие, а вы уже опорожнили в стрелков весь магазин. Хладнокровие и собранность под свист пуль над головой.

Он промолчал, продолжая вести машину. На ясном

небе проглянули звезды. Роби на них не смотрел. Он смотрел вперед.

– Там, по сути, была зона военных действий, – не угомонилась Вэнс, – а вам хоть бы хны. Я в ФБР уже пятнадцать лет, прямо с порога колледжа. И за все это время побывала ровно в одной перестрелке. Насмотрелась на трупы постфактум. Навидалась всяких мерзавцев. Перелопатила груды бумаг. Просидела стулья судебной скамьи свидетелей до дыр...

Роби свернул налево. Он не представлял, куда едет. Просто вел машину.

– И куда же именно это странствие по аллее памяти ведет нас, агент Вэнс?

– Когда вы уехали, меня стошнило. Не удержалась. Просто блеванула в мусорный бак.

– В этом нет ничего такого. Дело было скверное.

– Вы видели то же, что и я. А вас не тошнило.

– Вы сказали, что мне хоть бы хны, – Уилл снова поглядел на Вэнс. – Но это лишь ваши домыслы. Залезть ко мне в голову вы не можете.

– Хотелось бы мне... Я практически уверена, что нашла бы это занимательным.

– Сомневаюсь.

– Вы сортировали раненых весьма эффективно. Где научились этому?

– Просто за годы поднабрался всяких фокусов.

Вэнс посмотрела на его руку.

– Проклятье, Роби, вы даже не очистили собственную рану... Вы же заработаете гангрену!

– Куда мы едем?

– Первая остановка – ВРУ, – сказала она, подразумевая Вашингтонское региональное управление.

– А потом?

– В больницу для вас.

– Нет.

— Роби!

— Нет.

— Ладно, мы можем доехать до вашего дома. Но я настаиваю, чтобы там вы почистили свою рану. Я могу прихватить кое-что из ВРУ. А потом направлюсь домой и перехвачу пару часиков сна... Где вы живете?

Он не отозвался, приняв вправо, потом еще раз вправо и направив машину к ВРУ.

— Так вы знаете дорогу до регионального управления?

— Нет, просто грамотно прикинул.

— Где вы живете? Или эта информация тоже засекречена?

— Мы можем расстаться у ВРУ. Оттуда я могу перехватить такси.

— У вас *есть* где жить? — поинтересовалась Вэнс.

— Найду.

— Бога ради, да что с вами такое?

— Я просто пытаюсь делать свое *дело*.

Акцент на последнем слове заставил ее явственно отреагировать.

— Ладно, — тихонько проронила она. — Ладно. Слушайте, после ВРУ мы можем поехать ко мне. Я живу в Вирджинии. Кондоминиум в Александрии. Можете пройти чистку там. И, если хотите, после этого добро пожаловать на диван.

— Я благодарен за предложение, но...

— Осторожно. Обычно я не так доброжелательна к людям. Не профукайте.

Роби глянул на нее. Вэнс ему блекло улыбнулась.

Он уже хотел было отказаться снова, но не стал. По трем причинам. Рука болела просто адски. И он устал. На самом деле устал. И на самом деле ему некуда податься.

— Ладно, — вымолвил Уилл. — Спасибо.

— Милости прошу.

Глава 36

Остановка у ВРУ тянулась дольше, чем думал Роби. Он сидел в кресле, пока Вэнс хлопотала, заполняя бумаги, докладывая руководству, выстукивая пальцами по экрану телефона, барабаня по клавиатуре компьютера и с каждой минутой выглядя все более и более усталой.

Роби сделал свое официальное заявление о происшествии, а потом просто наблюдал за последовавшей деятельностью, отчасти гадая, не бегают ли все попросту кругами почти безрезультатно.

— Я поведу, — сказал он, когда они направились в гараж, наконец-то покончив с делами.

— Вы что, никогда не устаете? — спросила Вэнс, зевнув.

— Я устал. По правде говоря, очень устал.

— По виду не скажешь.

— Я нахожу, что так дела идут лучше.

— Как так?

— Когда не показываешь, что чувствуешь на самом деле.

Она рассказала ему, как ехать, и Роби повел машину по мемориальной парковой дороге Джорджа Вашингтона на юг к Александрии.

Когда они подкатили к зданию кондоминиума, Уилл спросил:

— У вас вид на воды Потомака?

— Да. И памятники из окна мне тоже видно.

— Мило.

Они поднялись на лифте, и Николь отперла дверь своей квартиры — небольшой, но Роби она сразу же пришлась по душе. Чистые линии, не загромождена, и всё на своих местах, всё имеет назначение, ничего не выставлено напоказ. Наверное, под стать характеру владелицы.

«Ничего показного. Всё по делу».

— Напоминает корабельную каюту, — заметил он.

— Ну, мой отец был кадровым военным моряком. Яблоко от яблони недалеко падает. Вот только я изрядную часть жизни провела на суше. Располагайтесь.

Роби сел на длинный диван в гостиной, пока Вэнс распаковывала медикаменты, прихваченные из ВРУ. Сбросив свои туфли без каблуков, села рядом и приказала:

— Пиджак и рубашку долой.

Уилл смутился, но сделал, как велено, положив свой пистолет в кобуре на кофейный столик.

При виде его татуировок у нее брови полезли на лоб.

— Красная молния... а вот это что?

— Акулий зуб. Большой белой.

— И почему это?

— А почему нет?

Приглядевшись повнимательнее, она прямо глаза вытаращила при виде старых ран, замаскированных татуировками.

— А это...

— Ага, они самые, — коротко отрубил Роби, пресекая разговор.

После этого мягкого упрека она занялась медикаментами, а он уставился на собственные руки.

— Сколько вам, лет тридцать пять?

— Сорок. Только-только стукнуло.

— Вы ведь бывший спеназовец, верно? Рейнджеры, «Дельта», «котики». Все сложены примерно так же, только вы ростом повыше большинства этих парней.

Роби не ответил.

Очистив рану, Вэнс нанесла какие-то антибиотики, а потом забинтовала и надежно закрепила повязку пластырем.

— Я прихватила обезболивающее. Таблетку или укол?

— Ни того, ни другого.

— Да бросьте, Роби, со мной-то не надо разыгрывать из себя мачо.

— Это тут совершенно ни при чем.

— А что же тогда?

— Важно знать свою терпимость к боли. Таблетки и уколы ее маскируют. Это скверно. Я могу дать слабину и даже не понять того.

— Пожалуй... Я об этом даже не задумывалась. — Убрав медикаменты, Николь поглядела на Роби. — Можете надеть рубашку.

— Спасибо за перевязку. Искренне благодарен.

Он натянул рубашку, чуть поморщившись при этом.

— Приятно знать, — наблюдая за ним, заметила Вэнс.

— Что?

— Что вы человек.

— Я думал, это можно было понять хотя бы по тому, что в моих жилах течет кровь.

— Вам нужно что-нибудь еще? Поесть? Попить?

— Нет, я в порядке. — Он посмотрел вниз. — Это и есть тот самый диван?

— Да. Извините, спальня у меня только одна. Но, даже несмотря на ваш рост, длины дивана хватит с запасом.

— Я спал и в куда худших условиях, уж поверьте.

— Могу ли?

Он сложил пиджак на одном из подлокотников.

— Можете что?

— Верить вам.

— Вы же пригласили меня сюда.

— Это не то, что я имею в виду, и вам это известно.

Роби подошел к окну с видом на реку. На севере виднелось зарево огней округа Колумбия. Триумвират памятников Линкольну, Джефферсону и Вашингтону был прекрасно виден. А над всеми ними возносился колоссальный купол Капитолия.

Вэнс присоединилась к нему.

— Мне нравится вставать утром и видеть это, — проронила она. — Пожалуй, ради этого я и тружусь. За это и сражаюсь. Отстаиваю то, что олицетворяют эти здания.

— Хорошо иметь резон, — отозвался Роби.

— А у вас какой резон? — поинтересовалась она.

— Иной день знаю, иной день нет.

— А сегодня?

— Спокойной ночи, — ответил Уилл. — И спасибо, что пустили переночевать.

— Я понимаю, что мы только сегодня познакомились, но ощущение такое, словно я знаю вас много лет. Почему бы это?

Роби поглядел на нее. Судя по выражению лица Вэнс, вопрос отнюдь не праздный. Ей нужен ответ.

— Поиск убийцы сплачивает людей. А уж побывать вместе на волосок от смерти — и того более.

— Пожалуй, это верно, — согласилась спецагент, хотя в ее тоне сквозило разочарование таким ответом.

Принеся простыни, одеяло и подушку, она застелила диван, несмотря на протесты Роби, твердившего, что он и сам справится.

Перейдя к окну, Уилл снова поглядел на памятники. Вообще-то завлекаловка для туристов, и ничего более.

Но если вдуматься, может быть, и больше. Если делаешь что-то ради этого...

Обернувшись, он обнаружил Вэнс рядом с собой.

— А знаете, вы можете, — произнес он.

— Что могу?

— Верить мне.

Но посмотреть ей в глаза, когда эта ложь сорвалась с его губ, Роби не мог.

Глава 37

Встав назавтра утром, они по очереди приняли душ, а затем — по чашке кофе, апельсиновый сок и тосты со сливочным маслом. Пока Вэнс заканчивала одеваться у себя в спальне, Роби послал Джули СМС из одного слова.

Порядок?

И успел отсчитать десять секунд, прежде чем она эсэмэснула обратно. Всего десять.

Ее текст был так же лапидарен.

Порядок.

Вытянув раненую руку, он проверил повязку. Николь потрудилась на совесть, бинтуя ее, когда Роби вышел из душа.

Несколько минут спустя они с Вэнс устроились в ее «БМВ». По дороге в округ Колумбия ни он, ни она не перекинулись и словом. Дорожное движение – полный отстой, клаксоны надрывались, и Роби видел, что раз, а может, и два Вэнс испытывала отчаянное искушение пустить в ход свои шикарные синие огни за решеткой радиатора, а то и пушку.

– Роби, я была бы благодарна, если б вы не стали поминать, что ночевали у меня. Я не хочу, чтобы люди подумали что-нибудь не то. А кое-кто из субъектов, с которыми я работаю, способны сделать из мухи слона.

– Я не толкую с людьми даже о погоде, а уж тем паче о том, где ночевал.

– Спасибо.

– Да пожалуйста.

– Надеюсь, – она стрельнула в него глазами, – вы не думаете, что я пригласила вас на ночлег по какой-либо иной причине, кроме как предоставить вам место для сна?

– Даже в мыслях не было, агент Вэнс. На мой взгляд, вы на такую не похожи.

– На мой взгляд, вы тоже на такого не похожи.

– Мне нужны свежие колеса.

– Хотите, высажу вас у СКРМО?

– На улице М ближе к Семнадцатой есть автопрокат. Подкиньте меня туда.

– Что, СКРМО не может раскрутиться на свежие колеса для своих?

— У них сплошное дерьмо. Наверное, бэу из Бюро. Возьму свою.

— В ФБР так дела не делаются.

— У ФБР есть бюджет, позволяющий это. А у СКРМО — нет. Вы — восьмисотфунтовая горилла, а мы — худосочный шимпанзе.

Она доехала до проката на М. Роби вышел.

— Хотите встретиться со мной в «Доннеллиз»? — спросила она.

— Я туда доберусь, вот только не знаю, когда именно.

— Другие дела? — удивилась Николь.

— Есть о чем подумать, — ответил он. — В чем покопаться.

— Не желаете поделиться?

— Мама и ребенок убиты. Автобус взорван. Стрелок пытается уложить вас, меня или нас обоих. Я позвоню, когда поеду в «Доннеллиз».

Войдя в прокат, Роби попросил «Ауди». Этой марки у них не было, так что пришлось взять взамен «Вольво». Агент по прокату сказал ему, что «Вольво» — безопасные автомобили.

«Только не рядом со мной», — подумал Роби, доставая права и кредитную карту.

— Сколько вы собираетесь пользоваться автомобилем? — осведомился агент.

— Оставим дату открытой, — отозвался Уилл.

Тот побледнел.

— Вообще-то мы обязаны узнать у вас дату и место возврата.

— Лос-Анджелес, Калифорния, через две недели, — без промедления заявил Роби.

— Вы собираетесь *ехать* в Калифорнию? — изумился агент. — Знаете, самолетом намного быстрее.

— Ага, но далеко не так интересно.

Десять минут спустя он выехал из гаража проката на весьма безопасном серебристом двухдверном «Вольво».

Больше всего вчера вечером его напугало не свидание со смертью и не гибель окружающих. А Джули. Ощущение под ложечкой, когда он думал, что с ней что-то стряслось. Это пришлось ему не по нраву. Чтобы кто-то другой обладал подобной властью над ним. Он изрядную часть жизни посвятил как раз избавлению от подобных уз и уклонению от завязывания новых.

Уилл погнал быстрее — вероятно, толкая свой чудесный, безопасный «Вольво» за пределы зоны его комфорта.

Вот это было Роби по душе.

Зоны комфорта он недолюбливал — и свои, и чужие.

Телефон зажужжал, и Уилл бросил взгляд на экран. Синему нужно встретиться с ним снова. Сейчас же.

«Кто бы сомневался», — подумал Роби.

Глава 38

На сей раз никаких публичных мест. Никаких «Хей-Адамсов» с уймой свидетелей.

Особого выбора у Роби и не было. Или ты подчиняешься правилам, или выбываешь из игры.

Здание было втиснуто между двумя другими в районе округа Колумбия, куда туристы никогда не наведываются. И, несмотря на высокий уровень преступности в окрестностях, это заведение никто из уличного хулиганья ни разу не потревожил. Не стоит оно того, чтобы заполучить пулю в башку или двадцати лет жизни чалиться на федеральных нарах.

Роби пришлось расстаться с сотовым перед входом в безопасную комнату, но пистолет он не отдал. Когда охранник повторил требование, Роби велел ему переговорить с Синим. Решение простое: либо пистолет остается у него, либо Синий может встретиться с ним в «Макдоналдсе» через дорогу.

Роби вошел с пистолетом.

Синий сел напротив него в тесной комнатенке. Отличный костюм, однотонный галстук, аккуратная прическа. Он мог бы быть чьим-нибудь дедушкой. Уилл предположил, что он и есть чей-нибудь дедушка.

— Во-первых, Роби, мы не нашли вашего контролера. Во-вторых, в указанном вами переулке человека с винтовкой не обнаружили.

— Лады.

— Далее, — продолжал Синий. — По поводу покушения на вашу жизнь вчера вечером.

— Стрелок был в автомобиле, весьма смахивающем на тачку правительства США.

— Считаю это крайне маловероятным.

Роби нарочито постучал по столу.

— Вы не можете найти ни моего контролера, ни стрелка, которого я вырубил в переулке, но считаете пальбу по мне из федеральной тачки маловероятной?

— Что это за девчонка? — спросил Синий.

Уилл даже не моргнул, потому что его этому учили. Моргнул — значит, проиграл. Моргнуть — как сделать слабый бросок при тройной блокировке, потому что тебе не хватает полцентнера, чтобы дожидаться, когда откроется другой ресивер, потому что трехсотфунтовый линейный вот-вот втопчет тебя в траву[1].

Роби знал, что в этой кутерьме присутствие Джули может выплыть на свет. Очевидно, его наблюдательный пункт не вполне секретен или за ним следили.

— Гвоздь, на котором все держится, — выложил он. — Если с ней что-нибудь случится, мы окажемся в жопе. Так что если вы говорите мне, что мой контролер узнал о ней, лучше что-нибудь предпримите ради ее безопасности.

Начальник выпрямился, поправил галстук, а затем манжеты.

---

[1] Аналогия из американского футбола.

— Вы должны объяснить мне это, Роби. Что держится на этом гвозде?

— Много времени это не займет, потому что я пока понимаю не всё.

Потребовалось всего пару минут, чтобы описать убийство родителей Джули, ее попытку бегства на автобусе, попытку покушения на нее в автобусе и взрыв автобуса.

— И вы потеряли пистолет на месте событий? Тот самый, который у вас был в квартире Уинд?

— Я не потерял его. Взрыв автобуса отбросил меня на пятнадцать футов. Я пытался найти его до приезда копов, но не преуспел.

— Зато ФБР *нашло* его. И теперь считает, что между двумя этими делами есть связь.

— А связь *есть*? — спросил Роби.

— Вообще-то нам наверняка не известно. Мы хотели бы поговорить с девочкой.

— Нет. Только через меня. Никаких прямых контактов.

— Так мы дела не делаем. И я не уверен, что вы вполне сознаете, кто командует этим парадом, Роби.

Дедуля начал показывать норов. Это произвело впечатление на Уилла. Но не ахти какое.

— В ваших рядах «крот». Хоть мой контролер и скрылся, он мог действовать не один. На его месте я оставил бы кого-нибудь после себя. Стоит вам притащить девчонку сюда, «крот» пронюхает, и мы ее потеряем.

— Полагаю, мы сможем ее защитить.

— Вы полагали, что и Джейн Уинд можете защитить, не так ли? — указал Роби.

Синий снова поправил манжеты.

— Ладно, покамест статус-кво, — натянуто вымолвил он. — Но я жду от вас более полного отчета в ближайшее время и последующих контрольных донесений.

— Вы их получите, — уступил Роби. — И я хотел бы того же самого.

— Вам не приходится расшибаться в лепешку, чтобы наступать людям на мозоли?

— Я расшибаюсь в лепешку ради собственной безопасности и безопасности тех, кто мне вверен. И точно так же расшибаюсь в лепешку, чтобы по велению долга убрать людей, которых мне поручено устранить.

— Джейн Уинд вы не убили.

— Вы в самом деле хотите назвать это ошибкой с моей стороны?

— Расскажите мне о Вэнс.

— Хороший агент.

— Вы провели у нее ночь.

— Вариантов у меня было немного, а?

— Ваша квартира в безопасности.

— Ой ли?

— Могу подтвердить, что вашему контролеру эту информацию не предоставляли.

— Вы можете подтвердить это? — переспросил Уилл, про себя подумав: «Хрена лысого ты можешь».

— Роби, мы вложили в эту миссию активы. Хорошие активы. Мы не покинем вас на произвол судьбы. У нас есть все побудительные мотивы раскопать всё до донышка. Мы должны выяснить, что происходит. Стоящие за этим мотивы должны искупать риск попасться. Перевербовать одного из наших людей подобным образом почти невозможно. Отступные должны быть чудовищными. А если отступные чудовищные, значит, и мишень должна иметь не меньшую важность.

— Это самое разумное из того, что вы до сих пор сказали, — прокомментировал Роби.

— Я не питаю иллюзий, что наши отношения как таковые не натянуты, — заметил Синий. — Вы имеете веские причины испытывать скепсис, огорчение и недоверие. На вашем месте я реагировал бы точно так же.

— Вторая самая разумная вещь из того, что вы до сих пор сказали.

Синий подался вперед.

— Поглядим, смогу ли я дотянуть до трех из трех. — Он собрался с мыслями. — Имеется две возможные причины убийства агента Уинд и ее мужа. Это связано или с ней, или с ним.

— Вам известна работа Джейн Уинд. Может это иметь отношение к ней?

— Возможно. Решительно отрицать это не могу. Скажем так: меня больше интересует, что вы узнали о прошлом Рика Уинда.

— Бывший военный. Демобилизован по выслуге лет. Владелец ломбарда в скверном районе округа Колумбия. Висел вверх ногами с отрезанным языком.

— Вот последнее меня и беспокоит.

— Я уверен, что это беспокоило *его*.

— Вы же понимаете, о чем я.

Роби откинулся на спинку стула.

— Вэнс гадала, не связано ли это с мафией. Дескать, он был стукачом и ему символически отрезали язык.

— Вы с этим согласны?

— Нет. Я думаю так же, как, наверное, и вы.

— Ворам отрезают руки.

— А предателю — язык.

— Если это касается мира исламских террористов.

— Если, — повторил Уилл. — Но мужик был в отставке. Во что он мог впутаться?

— Террористические ячейки редко бросаются в глаза, Роби. Во всяком случае, результативные.

— Он служил на Ближнем Востоке? Не могли его завербовать и послать сюда как тикающую часовую мину?

— Часовую мину, которая решила отыграть обратно? Может, и да — он служил и в Ираке, и в Афганистане.

Роби подумал о некоторых миссиях, выполненных на Ближнем Востоке. Последняя в техническом смысле проходила не там. Халид бен Талал был в Марокко, когда Роби убил его. Но в той пустыне масса других желающих полного истребления Америки. Правду говоря, слишком много, чтобы легко сузить круг подозреваемых.

— Тогда почему бы мне не зайти с этого угла, пока вы будете разрабатывать с другой стороны?

— Но если вам вдруг что-нибудь придет в голову или вы, работая с Вэнс, выясните что-нибудь, имеющее отношение к агенту Уинд?

— Вы это получите.

— Тогда мы поняли друг друга.

Оба встали.

Глянув на собеседника, Роби спросил:

— Мое жилье и вправду безопасно? Потому что мне не помешало бы переодеться.

Синий сподобился на улыбку.

— Ступайте и переоденьтесь, Роби. Те вещи, что на вас, выглядят весьма потрепанными.

— Ну и я чувствую себя весьма потрепанным, — признался Уилл.

Глава 39

Поехав к дому, Роби припарковался, не доезжая квартала, и сделал заход с тыла. Поднялся на грузовом лифте, вышел, провел в коридоре основательную рекогносцировку, а затем двинулся вперед.

И буквально наткнулся на Энни Ламберт, выходившую из квартиры с велосипедом. На ней была черная юбка, розовый анорак, лосины, теннисные туфли и рюкзак на плече.

— Припозднились на работу? — подходя, поинтересовался Роби.

Она обернулась, поначалу испугавшись, но потом улыбнулась:

— Визит к врачу. Даже сотрудникам Белого дома приходится их совершать.

— Ничего серьезного?

— Нет, просто плановое посещение.

— Значит, это вы доводите страну до ручки? — Он улыбнулся.

— Оппозиция всегда ответит на это грандиозным «да». Но я считаю, что мы справляемся. Времена трудные. Масса проблем. А вы как? Справляетесь?

— Замечательно.

Если Энни и заметила повязку, топорщащуюся под пиджаком, или помятую одежду, то не упомянула об этом.

— Всё еще настроены как-нибудь выпить? — спросил Роби, сам изумившись собственному вопросу.

«На этой неделе я узнаю́ о себе массу нового», — подумал он.

— Разумеется. Как вам нынче вечером? Вы сказали, что лучше пораньше.

— А президент вас отпустит?

— Думаю, отпустит, — она расплылась в улыбке. — Скажем, часиков в восемь? В баре отеля «Даблъю» на крыше? Виды оттуда великолепные.

— Там и увидимся.

Она удалилась вместе со своим велосипедом, а Роби направился к своей квартире, сам не понимая, зачем это сделал. Но обещал — и будет там в восемь. Обычно во время работы отвлекающие факторы ему не по душе. Но вот этому он почему-то обрадовался.

У себя в квартире Уилл дотошно проверил ловушки для чужаков, хоть и складывалось впечатление, что его агентство без труда их обходит. Все выглядело как прежде. Они могли нашпиговать квартиру жучками, но делать отсюда какие бы то ни было звонки Роби и не намеревался. В каком-то смысле дома он в западне. Уилл переоделся в свежее и собрал небольшую сумку с вещами, которые могут понадобиться, если он не будет появляться здесь какое-то время.

Испытав острое желание проверить, как там Джули, настучал коротенькое сообщение, спрашивая, всё ли у нее в порядке.

СМС пришла через несколько секунд: *Зайдите*.

Роби задами пробрался до ее квартиры и поднялся на лифте. Высматривал признаки присутствия сил безопасности Синего, но не высмотрел ни малейшего следа. Может, оно и к лучшему, подумал он.

Может.

Джули отперла дверь лишь после того, как посмотрела на него через глазок. Потешил Уилла и звук выключения сигнализации.

Он закрыл и запер за собой дверь.

— Итак, вы толковали с велокралей, — констатировала девочка.

— Что?

— Мощная штуковина, — Джули указала на телескоп. — Отлично работает и днем и ночью.

— Ага; ну, так и предполагается. Но я не хочу, чтобы ты с его помощью подглядывала за людьми.

— Я просто оглядываю свой периметр, как вы мне и приказали вчера вечером.

— Лады. Пожалуй, я этого заслужил.

— Значит, ваша вторая квартира — через улицу?

— Ага.

— Нормальные люди предпочитают раскидывать свое жилье подальше. Знаете, Париж, Лондон, Гонконг...

— Я не нормальный.

— Ага, это я и сама поняла. Так что же вы узнали? Я смотрела телик. Смахивает на то, что вчера вечером там была настоящая линия фронта. Вам повезло, что вас не убили. Во всяком случае, я предполагаю, что подстрелили вас как раз там. Вы так и не сказали мне ни слова про свою руку.

— Без удачи никогда не обходится, — невразумительно ответил Роби.

— У них есть какие-нибудь ниточки?

— Со мной ими не делились.

— И как работа с ФБР?

— Работает.

— Она симпатичная.

— Кто?

— Агент Вэнс. Она была по телику, говорила с репортерами. Вас не упоминала.

— Это хорошо.

— Где вы переночевали? Я знаю, что не через дорогу, — Джули указала на телескоп.

— Спал, — отрезал он. — Больше ничего тебе знать не положено.

— Угу. Вы спали с ней, правда?

На сей раз Роби чуть не моргнул. Чуть. Девчонка начинает его донимать.

— С чего ты взяла?

Она пригляделась к нему попристальнее.

— Ой, да не знаю... Некая аура. Женщина всегда может определить.

— Что ж, ты заблуждаешься. А теперь мне пора идти.

— А когда будет пора идти *нам*, Роби?

Уилл воззрился на нее.

— Мы же напарники, помните уговор? Мы узнаем, кто убил моих родителей?

— Я помню. И работаю над этим.

— Знаю, что работаете. Но *я* тоже хочу работать над этим. Я дала вам список. Что вы успели с ним сделать?

— Собираюсь пройтись по нему.

— Хорошо, — Джули натянула свою толстовку. — Я готова идти.

— Не думаю, что это хорошая мысль.

— Я не думаю, что хорошая мысль, чтобы я отсиживала тут задницу, ничего не делая, кроме как таращась в телескоп. Так что я иду либо с вами, либо сама. Так или иначе, но я иду.

Роби со вздохом распахнул для нее дверь.

— Но вопросами позволь заниматься мне.

— Иначе я и не собиралась, — ответила Джули.

«Врунья», — подумал Уилл.

Глава 40

Они сидели в прокатной машине Роби, наблюдая за дуплексом ее родителей.

Поерзав, Джули поинтересовалась:

— И каким же образом это должно нас продвинуть?

— Мы смотрим, не объявится ли кто-нибудь любопытный. Я закладываю еще полчаса, и двигаемся дальше.

— Это переливание из пустого в порожнее, верно? Вы хотите, чтобы мне стало настолько скучно, что я протрубила бы отбой и отправилась сидеть обратно в квартиру, верно?

— Ты относишься с таким скепсисом всегда и ко всем?

— По большей части — ага. То есть хотите сказать, что вы не скептик?

— В разумных пределах.

— Какого черта это значит?

— Не бери в голову.

Роби поглядел из окна на бродячего кота, вприпрыжку несущегося по тротуару. Начал сеяться мелкий дождичек, и животное, прибавив ходу, скрылось в переулке.

— Долго твои родители здесь прожили?

— Года два. Дольше мы нигде не жили.

Он перевел взгляд на Джули.

— Тогда изложи мне краткую версию своей жизни.

— Да рассказывать-то особо нечего.

— Это может помочь в расследовании.

— Я просто вспомнила кое-что. Слова, которые мама сказала, когда там был мужик с пушкой.

— Какие?

— Когда мужик на меня нацелился, мама сказала: «Она ничего не знает».

Роби выпрямился на сиденье, крепче сжав руль.

— И как же ты забыла сказать мне об этом?

— Не знаю. Просто вернувшись сюда и увидев дом, я вдруг подумала об этом.

— Она сказала мужику, что ты ничего не знаешь, — произнес Роби. — То есть подразумевается, что твоя мама *знала* что-то. А прежде ты говорила, что он спрашивал твоего папу, что ему известно.

— Я вижу, куда вы клоните. Значит, кто-то думает, что я тоже это знаю, несмотря на мамины слова. Но если мужик, охотившийся за мной, погиб при взрыве...

— Не играет роли. Он наверняка поддерживал связь с теми, на кого работал.

— Может, он был одиночка?

— Не думаю.

— Почему?

— Не тот типаж. Я-то знаю. И потом, кто-то же убрал трупы твоих родителей и взорвал тот автобус. Явно не он. У него попросту не было времени.

— Зачем им взрывать автобус? Если они пытались убить меня, меня в нем не было.

— Но они могли этого не знать. Скажем, кто-то выстрелил зажигательным в бак на стороне, противоположной от двери. Окна автобуса были тонированы. Они могли и не знать, что мы вышли из автобуса. Просто перестраховывались, на случай если их человек на месте опростоволосится, что он и сделал.

— По-вашему, они по-прежнему считают нас мертвыми?

— Сомнительно. Помнишь типа с винтовкой в переулке? Этот бардак они тоже зачистили — а значит, знают, что он нас не укокошил.

Джули поглядела за окно.

— Во что могли вляпаться мои родители?

— Давай отследим их перемещения еще немного и поглядим, что всплывет.

— Куда вначале?

— В закусочную, где работала твоя мама. Указывай дорогу.

С Джули в роли штурмана Роби доехал до закусочной, до которой оказалось рукой подать, остановил «Вольво» у бордюра примерно кварталом дальше с противоположной стороны улицы от закусочной и заглушил двигатель.

— Тебя там знают, верно?

— Ага, само собой.

— Так что я не уверен, что тебе разумно там показываться.

— Так что ж мне, сидеть в машине одной-одинешенькой? Такого уговора не было.

— План постоянно модифицируется в зависимости от обстановки на местах.

Дотянувшись до заднего сиденья, Уилл пододвинул сумку, прихваченную из квартиры, и извлек бинокль.

— Вот план. Я зайду и задам несколько вопросов. Ты будешь на стрёме. Если кто-нибудь будет проявлять неумеренный интерес, сними его своей камерой.

— А как вы объясните, почему задаете вопросы в закусочной?

Снова потянувшись к сумке, Роби извлек два трансивера, наушник скрытого ношения и гарнитуру. Последнюю он отдал Джули.

— Ты — командный центр. Говори сюда, и я смогу тебя услышать, но больше никто, ясно? А ты сможешь четко слышать все и отсюда. Будешь снабжать меня информацией, когда сочтешь уместным. Лады?

— Лады, — Джули улыбнулась. — Круто!

Надев свой наушник, Роби включил трансивер и пристегнул его на спине к поясу, где его прикроет пиджак. Вылез из машины, а потом наклонился обратно.

— Если увидишь что-то не то или будут скверные предчувствия, просто скажи «ходу», и я буду здесь через пять секунд, лады?

— Лады.

Захлопнув дверцу, Уилл поглядел налево и направо, а затем направился к закусочной. Джули в бинокль наблюдала за каждым его шагом.

Глава 41

Опустившись на свободный табурет, Роби взял замусоленное меню из подставки на стойке. Перед Уиллом встала официантка в поношенной синей форменной одежде и не самом опрятном фартуке поверх. За правым ухом у нее торчал карандаш. Лет пятидесяти, широкобедрая, с седыми корнями, проглядывающими среди светло-русых волос.

— Что я могу вам подать? — спросила она.

— Чашку черного кофе для начала.

— Сейчас будет. Я как раз поставила свежую порцию.

В ухе Роби голос Джули сообщил: «Ее зовут Шерил Космann. Мамина подруга. Хороший человек».

Роби чуть заметно кивнул, показывая, что принял сведения.

Принеся чашку кофе, Шерил поставила ее на стойку.

— Похоже, вам не помешало бы нарастить мясца на кости. Наш мясной рулет весьма недурен. Нажористый, ребра торчать не будут. Видит бог, я его вволю накушалась. Не видала собственные ребра лет двадцать, — она хохотнула.

— Вы — Шерил Космann?

Ее смех захлебнулся.

— А вы кто будете?

Роби извлек бумажник, сперва сверкнув бляхой, а затем удостоверением.

Шерил оцепенела.

— Я в беде?

— А есть за что?

— Нет, если работать до усрачки за гроши — не преступление.

— Нет, вы не в беде, мисс Косманн.

— Да просто Шерил. Я понимаю, что у нас шикарное четырехзвездочное заведение, но стараемся вести дела без официоза.

— Давно вы здесь работаете?

— Слишком давно. Пришла сюда прямо после школы поработать одно лето — и вот я здесь все эти годы спустя. Стоит мне только об этом задуматься, и я расплачусь. Знаю, куда ушла моя жизнь. Прямиком в сортир.

Роби достал снимок Джули с родителями, который взял в дуплексе.

— Что вы можете мне сказать об этих людях?

Косманн посмотрела на фото.

— Вас интересуют Гетти? Почему? Они в беде?

— Опять же, у вас есть какие-то основания полагать, что они могли попасть в беду?

— Нет, они просто славные люди, вляпавшиеся в скверное дело, да так и не сыскавшие дорогу обратно. Их девчушка — это что-то, та еще штучка... Ну, я в хорошем смысле. Будь у нее хоть мизерный шансик в жизни, она вышла бы в люди. Прямо семь пядей во лбу. В школе учится только на отлично. Не бьет баклуши. Сколько раз она тут была с горой книжек... Я как-то пыталась помочь ей с задачкой по математике. Вот смеху-то было! Я с трудом складываю цифры. А Джули особенная. Обожаю эту девчонку.

— Но она в официальной опеке...

— Ну, и да, и нет. Сара, то бишь ейная мама, из кожи вон лезет, чтобы всякий раз заполучить ее обратно.

— А ее отец?

— Кёртис ее тоже любит, но этот мужик оторви да

бросъ. Пересолил с коксом, если хотите знать мое мнение. Через какое-то время мозгов почитай и не остается, верно? С такой уймой «белого» даже Эйнштейн стал бы полудурком.

— Когда вы видели кого-либо из них в последний раз?

Косманн скрестила руки на груди.

— Забавно, что вы спрашиваете... Сара должна была сегодня работать, но не явилась. Даже не позвонила. Это на нее не похоже... ну, если ничего не случилось.

— Скажем, загуляла? — подкинул Роби.

— Или Кёртис не мог встать с постели, и она за ним ухаживает. Думаю, завтра объявится.

«Нет, не объявится», — подумал Уилл.

В наушнике было слышно, как Джули шмыгнула носом.

— И владелец с этим мирится?

— Владелец — трижды утырок, напробовался наркоты на своем веку... Он понимает ихнего брата. Позволяет ей оступаться. Но когда она туточки, никто не вкалывает усердней.

— Значит, в последний раз она была здесь?..

— Позавчера. Вчера у нее был выходной. Смену закончила в шесть. Отпахала двенадцать часов кряду. Весь день на ногах дико выматывает. Кёртис пришел проводить ее домой.

— По пути со своей работы?

— Верно, со склада минутах в пяти отсюда. Он часто ее провожает. Считает окрестные улицы небезопасными, и порой так оно и есть. По-моему, это мило. Он правда ее любит, а она любит его. У них ничегошеньки-то и нет. Живут на помойке. Ни машины, ни сбережений, ни пенсии. Ну, хотя бы Джули у них есть... Это уже кое-что. Хотят для нее лучшего. Не хотят, чтобы она кончила, как они. Выложили всё до последнего пенни да еще сверх того, чтобы пристроить ее в программу для одаренных и талантливых в очень хорошую школу. Сара все время пашет тут сверхурочно, чтобы помочь платить за обучение. Мы с ней об этом порядком балаболим, когда работаем в одну смену. А Кёртис пашет сверхурочно на складе. Он был нариком, но умеет вкалывать, когда хочет. А ради своей девчушечки он уж расстарается.

Через наушник Роби слышал, что Джули дышит часто и тяжело. Опустив руку к трансиверу в кармане, он отключил его и осведомился:

— Вы часто видите Джули?

— Ага. Я ж сказала, она садится в кабинку или здесь за стойку и делает домашнее задание, пока мама заканчивает смену. А после втроем идут вместе домой.

— Когда она не в опеке?

— Верно. Понимаю. Смахивает на то, что она чаще в опеке, нежели нет.

— Вы видели кого-нибудь, шатающегося здесь в последние пару недель, кого вы не знаете?

Косманн нахмурилась:

— Послушайте, неужели что-то случилось с Сарой, Кёртисом или Джули?

— Я здесь просто для сбора информации.

— На вашем значке сказано «СКРМО».

Роби это удивило. Большинство людей не обращают на регалии никакого внимания.

— Вы знаете это агентство?

— У нас тут в завсегдатаях есть и ветераны. Один — бывший из СКРМО, так что я знаю эту эмблему. Но какое отношение это имеет к Гетти? Ни Кёртис, ни Сара не служили, то бишь насколько мне известно.

— Опять же, я просто собираю информацию. Кто-нибудь из них казался на взводе или в тревоге, когда вы видели их в последнее время?

— С ними что-то стряслось, так? — Казалось, Косманн вот-вот расплачется. Несколько посетителей за другими столиками начали бросать на них взгляды.

— Шерил, я здесь просто выполняю свою работу.

И если вы не хотите отвечать на мои вопросы, что ж, быть посему. Или можем перенести на другой раз.

— Нет-нет, всё в порядке. — Утерев глаза салфеткой, она взяла себя в руки. — Но, пожалуй, чуток кофе и мне не помешает, чтобы успокоить нервы.

Роби подождал, пока она нальет себе чашку кофе и вернется к стойке перед ним.

— На взводе или в тревоге? — напомнил Роби.

— Ну, теперь-то, как вы спросили, соображаю, что ага. Во всяком случае, Сара. Насчет Кёртиса не знаю. Он всегда дерганый, того и гляди, выскочит из собственной шкуры... Но это всё наркота играет.

— Вы не спрашивали Сару, что ее тревожит?

— Нет, ни разу. Думала, дело в Кёртисе, а может, из-за того, что опека опять отобрала Джули. Ни там, ни там я ничего поделать не могла.

— Она не упоминала никаких имен? Ей не было телефонных звонков, казавшихся из ряда вон?

— Нет.

— В ее последний день здесь не случалось ничего необычного?

— Нет, но в предыдущий вечер к ним сюда приходили поужинать друзья.

— Какие друзья?

— Да просто их приятели. Они заняли вон ту кабинку. Сара была не на смене, и ее кормят бесплатно, а остальным со скидкой. Когда денег у тебя в обрез, каждая малость на руку.

— Вы их знаете?

— Еще одна чета. Лео и Ида Брум.

Снова отхлебнув кофе, Роби записал это.

— Расскажите мне о них.

Тут пришли новые посетители, и Уиллу пришлось подождать, пока Шерил не усадит их в кабинке и не возьмет у них заказы на напитки. Как только она принесла напитки и приняла заказы на еду, то сразу вернулась к Роби. Он оглядел новоприбывших и не заметил ничего угрожающего. Пока Шерил исполняла свои обязанности, Роби снова включил трансивер — и тут же услышал голос Джули:

— Больше не выключайте. Я не стану плакать. Ладно?

Он легонько кивнул.

— Извините за это, — сказала Шерил.

— Нет проблем. Мы говорили о Брумах.

— Да тут, в общем-то, и говорить-то нечего. Им под пятьдесят, милая чета. По-моему, Ида работает в парикмахерской. А Лео что-то делает для города, не знаю толком, что именно. Не ведаю, как они познакомились. Может, вместе были на лечении. Кто знает? Я знаю только, что они время от времени приходили сюда отобедать с Сарой и Кёртисом.

— У вас есть их адрес или номер телефона?

— Нет.

В ухе голос Джули сообщил: «У меня есть».

— Шерил, — сказал Роби, — вы не заметили ничего необычного, пока они были тут вместе в тот вечер?

— Ну, я их обслуживала. Работала допоздна в вечернюю смену. И слышала обрывки разговоров. Ничего такого уж важного, но все они выглядели...

Уилл терпеливо ждал, пока она подыскивала слова.

— Ну, они выглядели, будто привидение увидели.

— А вы не спрашивали, что их беспокоит?

— Нет. Просто решила, что это или наркота, или Джули опять загнали в опеку, или что-то с Брумами... Слушайте, я официантка в захудалой забегаловке, понимаете? Если люди хотят поговорить, я слушаю, но в дела, которые меня не касаются, нос не сую. У меня и своих проблем не расхлебаешь. Если это значит, что я плохой человек, значит, я плохой человек.

— Вы не плохой человек, Шерил, — заверил Роби. Но тут ему в голову пришло кое-что еще: — У вас отпуск не на подходе?

Вопрос ее откровенно удивил.

— Осталась неделя неотгулянная.

— У вас есть родственники вне города?

— В Таллахасси.

— Я бы съездил повидаться с родными в Таллахасси.

Космann воззрилась на Уилла, пока смысл слов мало-помалу доходил до ее сознания.

— Вы думаете... по-вашему, я в...

— Просто возьмите отпуск, Шерил. Сейчас же.

Оставив двадцатку за кофе, Роби встал и удалился.

Глава 42

Забравшись обратно в машину, Роби вынул наушник и снял трансивер. Сунув их в отсек между передними сиденьями, поглядел на Джули, устремившую взгляд строго перед собой.

— Ты в порядке?

— Я в порядке. — Она посмотрела на закусочную. — Эта забегаловка для меня была почти домом, даже больше, чем настоящий дом. Уж явно побольше, чем любой из домов приемных семей.

— Это я понимаю, — отозвался Роби.

— Мне нравилось делать там домашнее задание. Мама приносила мне пирог и давала попить кофе. Я чувствовала себя совсем взрослой.

— Наверное, с ней было славно.

— Я любила смотреть, как она работает. У нее дело спорилось. Она прямо жонглировала всеми этими заказами. И никогда ничего не записывала. У нее была прекрасная память.

— Может, тебе мозги достались по наследству.

— Может, и так.

— В тот вечер, когда их убили, твои родители покинули закусочную около шести. Но дома они объявились намного позже, и уже с бандитом. Любопытно, где они были в промежутке?

— Не знаю.

— Ладно, а как насчет Брумов?

— Они живут на квартире на северо-востоке.

Роби тронул машину.

— Что ты можешь поведать мне о них?

Не успела Джули и рта раскрыть, как телефон Уилла зажжужал. Он приложил аппарат к уху.

— Роби.

— Где вас черти носят?! — Это была Вэнс.

— Делал кое-какие раскопки, как вам и говорил.

— Вы нужны здесь.

— Что случилось? — поинтересовался он.

— Во-первых, пресса прямо-таки берет меня за задницу. Во-вторых, тут военпол, совместная спецгруппа и нацбез разом пытаются учить меня, как вести расследование. А в-третьих, я просто в бешенстве.

— Ладно. Дайте мне час, и я подъеду.

— А пораньше никак?

— Никак.

Дав отбой, Роби принял влево, прокладывая дорогу к Юнион-стейшн. И вдруг подъехал к обочине, припарковался и расстегнул ремень безопасности.

— Что вы делаете? — спросила Джули.

— Подожди минутку.

Выйдя наружу, Уилл захлопнул за собой дверцу. И позвонил.

Ответил кабинет Синего, и Роби сразу же переключили прямо на самого.

Уилл пересказал ему услышанное от Вэнс.

— Может, подергаете за какие-нибудь ниточки в нацбезе, объединенной контртеррористической и ВП, чтобы не сидели у нее на шее? — завершил он. — Иначе дело может стремительно осложниться еще больше.

— Считайте, что сделано, — подтвердил Синий.

Сев обратно в машину, Роби завел двигатель.

— Совершенно секретные дела? — Джули недружелюбно зыркнула на него.

— Нет, просто справлялся о своих вещах в химчистке.

— Значит, вы с ней спали? — спросила Джули.

Роби смотрел строго вперед.

— Я уже сказал тебе. Нет! И вообще, не твое дело, с кем я сплю.

— В общем, она хочет секса с вами.

— Откуда ты взяла, черт побери? — Он бросил на девочку взгляд.

— Она сейчас устроила вам разнос. Я слыхала ее голос по телефону. Она бы так не расстраивалась, если б не запала на вас.

— Она из ФБР. Наверное, дает жару уйме мужиков, доставляющих ей неприятности.

— Может, но тут другое. Я-то вижу. Это женские дела. Мужикам не понять.

— Тебе четырнадцать. Рановато тебе знать про женские дела.

— Уилл, в каком столетии мы живем? Пять девочек в моей старой школе беременны. И ни одна из них не старше меня.

— Пожалуй, я просто старомоден.

— Порой и мне хочется быть старомодной. Но только не в том мире, где я живу.

— Итак, Брумы? — снова напомнил Роби.

— Мои родители были знакомы с ними много лет. Как и сказала Шерил, Ида работает в парикмахерской. Я ходила туда с мамой. Ида стригла меня бесплатно, а мама стряпала для нее. Моя мама хорошо готовит. — Она осеклась. — Хорошо *готовила.*

— А ее муж? — поспешно вставил Роби в надежде отвлечь ее. — Шерил сказала, что он работает на город.

— На его счет не уверена, — ответила Джули.

— Что-нибудь необычное в них есть?

— Мне они казались вполне нормальными, но я знала их не настолько хорошо.

— Значит, наверное, придется просто спросить у них. — «Если они еще живы», — уточнил он про себя. — Как они познакомились с твоими родителями?

— По-моему, мистер Брум был папиным другом. Что именно их связывало, толком не знаю.

— Думаешь, это может иметь какое-то отношение к случившемуся с твоими родителями?

— Не думаю. В смысле, Ида работает в парикмахерской, и они едят в убогих забегаловках. Как-то это не тянет на международных шпионов или типа того.

— Так не разберешь.

— Шутите?

— Шпионы обычно на шпионов не похожи. В том-то и суть.

— А вы похожи.

— Это хорошо, потому что я не шпион.

— Это вы так говорите.

Несколько секунд они ехали в молчании.

— Так вы спите с ней? — снова спросила Джули.

— Какого черта ты привязалась?

— Я просто любознательна по природе.

— Ага, это я уяснил. Но даже если б я с ней спал, тебе все равно не сказал бы.

— Почему?

— Это называется джентльменство.

— Вот теперь вы и вправду похожи на старого.

— По сравнению с тобой я просто древний, — откликнулся Роби.

Глава 43

Многоквартирный дом был построен в шестидесятых, но прошел обновление. Роби определил это по новому навесу крыльца, отчищенным кирпичам и свежей краске по цоколю. Они с Джули увидели из машины, как человек открыл дверь, прикоснувшись пластиковой ключкартой к электронному считывателю у входа. Дверь со щелчком открылась, и он вошел. Дверь с таким же щелчком закрылась у него за спиной.

Джули бросила взгляд на Роби:

– И что теперь?

– Ты знаешь номер квартиры?

– Нет, просто проходила мимо с мамой как-то раз. Она сказала, что Брумы живут здесь. У них в квартире я ни разу не была.

– Ладно. Дай секундочку.

Выбравшись из машины, Уилл перебежал через улицу, пока не подъехали машины со светофора. Посмотрел на переговорное устройство, вмонтированное в стену рядом с дверью, и нажал на кнопку.

– Да? – раздался голос.

– Я здесь, чтобы повидаться с Лео и Идой Брум.

– Подождите.

Двадцать секунд спустя голос раздался снова:

– Звонил в их квартиру. Не отвечают.

– Вы уверены, что звонили в нужную квартиру? Номер триста пять?

– Нет, четыреста десять.

– А, ладно, спасибо.

Роби огляделся: нет ли поблизости камеры наблюдения. Никаких признаков.

К нему подошла престарелая пара. Женщина, укутанная шарфом, опиралась на трость, в свободной руке неся пластиковый магазинный пакет. Мужчина семенил рядом с помощью ходунков с теннисными мячиками на передних опорах.

Роби увидел, как женщина извлекла ключ-карту.

– Вам нужна помощь, мэм? – спросил Роби.

– Нет, мы и сами чудесно справляемся, – она поглядела с подозрением.

– Ладно, – Роби отступил, ожидая, когда она откроет дверь картой.

Остановившись, старушка воззрилась на него.

— Могу я вам помочь, молодой человек?

Уилл хотел было что-то сказать, но тут услышал голос:

— Пап, я же просила меня подождать!

Обернувшись, Роби увидел бегущую к нему Джули с рюкзаком, болтающимся на одном плече. Поглядев на пожилую чету, она улыбнулась.

— Привет, я Джули. Вы живете в этом доме? Мы с папой подумываем переехать сюда. Пришли посмотреть квартирку. Мама должна была встретить нас здесь. — Она повернулась к Роби: — Но позвонила, что опаздывает. А ключ-карта, которую дал агент по аренде, у нее. Надо просто обождать снаружи. — Она снова повернулась к чете: — У меня впервые будет своя собственная ванная комната. Ты обещал, ведь правда, пап?

— Для моей малышки — всё на свете, — Роби кивнул.

— Славно иметь в доме молодую кровь, — мужчина улыбнулся. — Я чувствую себя старым.

— Ты и *есть* старый, — отозвалась женщина. — Очень старый. — Она ласково улыбнулась Джули. — Откуда вы переезжаете, ласточка?

— Из Джерси, — без запинки ответила Джули. — Я слышала, тут теплее.

— А из какой части Джерси? — поинтересовалась та. — Мы ведь тоже оттуда.

— Уэйн, — сообщила Джули. — Там чудесно, но папу переводят.

— Уэйн очень славный, — сказала женщина.

— Мама сказала, будет минут через сорок пять, — Джули поглядела на Роби. — Застряла в пробке.

— Туточки все торчат в пробках, — прокряхтел старик. — Дьявол, да в этом городе и пешеход может в пробке застрять.

— Пойдемте, мы вас впустим, — позвала женщина. — Что вам тут без толку болтаться.

Роби подхватил пакет женщины с покупками, и они

поднялись на лифте на шестой этаж, где и покинули стариков. Угостив Джули печеньем из сумки, женщина ущипнула ее за щеку.

— Ты — вылитая моя правнучка. Надеюсь, будем часто видеться, когда вы сюда переедете.

Съехав на лифте до четвертого этажа, Роби и Джули вышли.

— Отлично сработала, — одобрил Уилл. — Однако они могли тебя подловить, оказавшись тоже из Джерси.

— Я была в Уэйне. Первое правило: не говори, что ты оттуда, где ни разу не бывала.

— Хорошее правило.

Они отыскали квартиру 410 в конце коридора. Ни одной двери напротив. Роби оглядел коридор на предмет камер наблюдения, но ни единой не нашел. Трижды постучал в 410-ю, но ответа так и не дождался.

— Повернись лицом к коридору, — велел он Джули.

— Вы собираетесь пустить в ход отмычку?

— Просто отвернись.

Роби потребовалось добрых пять секунд. Замок был не ригельный. Хватило одной металлической загогулинки, вторая не понадобилась.

Они зашли, и Уилл закрыл за собой дверь.

— Значит, мы теперь преступники, — заметила Джули.

— Возможно.

В квартире пахло жареным. Обстановка скудная, комнат немного, и нигде ни души. Они стояли посреди гостиной. Роби озирался.

— Чуточку чересчур чисто, тебе не кажется? — спросил он.

— Может, они чистюли.

— Здесь прибирались, — он тряхнул головой.

— То есть?.. — поглядела на него Джули.

— Не знаю, случилось ли с Брумами что-нибудь, Джули. Может, они в порядке. Но кто-то тут всё отдраил, и он был мастером своего дела.

— А нам не надо поискать отпечатки или вроде того? — Джули огляделась по сторонам.

— Пустая трата времени. Нам надо выяснить, чем занимался Лео Брум.

— Можем пойти в парикмахерскую и поспрашивать.

— У меня есть идея получше. *Ты* можешь пойти в парикмахерскую и поспрашивать. Не хочу, чтобы кто-нибудь догадался, чем мы тут занимаемся. Ребенок вызывает меньше подозрений.

— Я не ребенок. Я практически достаточно взрослая, чтобы водить машину.

— Но с тобой будут откровенничать. И ты это знаешь, верно?

— Ага. Я бывала там множество раз.

Покинув здание, они уехали на «Вольво».

— Вы думаете, Брумы мертвы, правда? — спросила Джули.

— Исходя из того, что стряслось с твоими родителями, и состояния квартиры Брумов, — ага, по-моему, они могут быть мертвы. Но опять же, если Ида Брум окажется в парикмахерской, это докажет, что я ошибаюсь.

— Надеюсь, вы ошибаетесь, Уилл.

— Я тоже.

Глава 44

Роби остался ждать в машине, а Джули вошла в парикмахерскую. Там было полно клиентуры, и ее взгляд заметался, отмечая, кто из стилисток работает сегодня.

Иды Брум в их числе не было.

Она направилась к стойке регистрации, чувствуя, как запахи средств ухода за волосами и парфюмерии наполняют ее легкие. А еще воздух был напоен неустанным гомоном — это стилистки и посетительницы обсуждали последние сплетни.

— Джули, верно? — спросила молодая женщина студенческого возраста за стойкой. На ней были черные слаксы и топик с глубоким декольте, демонстрирующим татушку цветка над левой грудью. Само собой, прическа у нее была очень понтовая.

— Угу. Ида сегодня на месте? Надеюсь подровнять челку.

Мысленно Джули молилась, чтобы Ида оказалась в глубине зала, а может, вышла не перекур в переулок позади салона, но приемщица покачала головой.

— Должна была выйти к десяти, но так и не показалась. Я звонила к ней домой, но там не отвечают. Вообще-то она нас порядком кинула. У нее на сегодня записано семь стрижек и два перманента. Ее клиентки отнюдь не обрадовались, когда я позвонила им с отменой.

— Что бы могло случиться?

— Может, что-нибудь непредвиденное...

— Не исключено, — медленно проронила Джули.

— Может, мне удастся зазвать Марию заняться твоей челкой... У нее есть окно после дамы, с которой она сейчас работает.

— Было бы здорово!

Мария — латиноамериканка лет двадцати пяти с короткими темными волосами, четкими линиями обрамляющими угловатое лицо, — встретила Джули белозубой улыбкой.

— Полюбуйся-ка на себя, девочка! Тебе надо подстричь челку, правильно?

— Откуда вы знаете?

— Я профессионал, ясно?

Стилистка по соседству хихикнула, обрабатывая ножницами редеющие волосы молодого мужчины.

— Что, занятий сегодня нет? — поинтересовалась Мария.

— Учительская конференция.

— Как твоя мама?

Джули даже не моргнула. Она была готова к этому вопросу.

— Замечательно.

Девочка устроилась в кресле, и Мария, накинув на нее черный пеньюар, застегнула его вокруг шеи Джули.

— Знаешь, — проговорила она, — ты выглядела бы очень мило с прической типа Зоуи Дешанель. С очками та-а-ак шикарно!

— У меня отличное зрение, — возразила Джули.

— Не в том суть. Это стиль.

— Вы не видели Иду в последнее время? Девушка при входе сказала, что она сегодня не пришла.

— Знаю. Сама удивляюсь. Она никогда не прогуливает, а сегодня у нее расписано под завязку. Босс рвет и мечет. Экономика до сих пор в жопе, и каждый доллар на счету.

— Похоже, сегодня дела кипят.

— Ага, но так бывает не каждый день.

— *Apreciar todo lo bueno que viene su manera*[1], — сказала Джули.

Рассмеявшись, Мария пристукнула Джули ножницами по голове.

— Ты же знаешь, что я по-испански ни бум-бум.

— Интересно, где же Ида? — спросила Джули.

— Без понятия. Вчера она вела себя как-то странно.

— Странно типа ха-ха или диковато?

— Определенно диковато. Напортачила с перманентом одной дамы, а потом обкромсала клиентку на два дюйма, когда та хотела только на дюйм. То-то был скандал! Ты же знаешь, как мы, женщины, относимся к волосам. Это как религия. Это — и туфли.

— А вы не спросили ее, что не так?

— Ага, да она толком ничего и не сказала. Только что это из-за Лео.

---

[1] Цени все хорошее, что встречается на твоем пути *(исп.)*.

— Ее мужа? Он что, лишился работы или типа того?

— Сомневаюсь. Он работает на правительство. Такие работу не теряют.

— Вот уж не знаю... Сейчас много госслужащих сокращают.

— Ну, в общем, не думаю, что Лео турнули.

— А чем он занимается?

— Да чем-то для правительства, я ж сказала.

— Ага, но чем? И для какого правительства? Округа Колумбия? Федерального?

— Эй, не слишком ли ты сегодня любопытна?

— Просто любознательна, как все подростки.

— Как же, как же... Моей младшей сестренке семнадцать, и ей насрать на все и на всех, кроме собственной персоны.

— Я лишь ребенок. Как правило, мы внимательнее.

— Ну, толком не знаю, где Лео работает... Но Ида както раз сказывала, что работа у него важная не по-детски. Где-то прямо на Капитолийском холме.

— Значит, наверное, он работает на федеральное правительство.

— Наверное.

— Значит, Иды и вчера не было?

— Не-а, но это нормуль. У нее был выходной. А вот сегодня история совсем другая.

Всё это время Мария занималась делом и теперь сказала:

— Ладно, мы закончили, и видок у нас будь здоров! Но насчет очков ты подумай, лады?

Джули с восторгом полюбовалась своей прической в зеркале.

— Спасибо, Мария.

Та сняла с нее пеньюар, и Джули достала наличные, но Мария лишь отмахнулась:

— Да нет, это за мой счет.

— Но вам же должны платить.

— Скажу я тебе чего: можешь начать учить меня испанскому, когда будешь заходить. А то матушка меня прям поедом ест, чтоб я его учила.

— По рукам, — Джули улыбнулась.

Глава 45

В ожидании Джули Роби не сидел в «Вольво» сиднем все это время. Он прохаживался. И наблюдал, зная, что где-то там есть глаза. И просто хотел найти их прежде, чем они найдут его.

И ему было о чем подумать.

Он ведет сразу два дела.

Джейн Уинд убита вместе с маленьким сыном. Она работала в Министерстве обороны. Ездила в Ирак, Афганистан и, вероятно, в другие горячие точки. Контролер Роби переметнулся на другую сторону и приказал Уиллу убить ее. Теперь контролер числится в нетях, а Роби расследует убийства, произошедшие у него на глазах. Николь Вэнс проницательна, и приходится проявлять особую осмотрительность, чтобы не проговориться при ней. Рика Уинда нашли с отрезанным языком, висящим вниз головой у себя в ломбарде. Тут тоже никаких зацепок.

А затем на него свалилась Джули Гетти. Родители убиты, а место преступления зачищено. Убийца на автобусе, чтобы доделать дело. Автобус взрывается. Пистолет Роби найден на месте событий, что заставляет федералов считать, будто оба дела взаимосвязаны. А субъект, напавший на них в переулке, исчез. Квартиру Брумов тоже выскоблили, и Роби неизвестно, где они сейчас. Да и живы ли вообще.

Бросив взгляд на парикмахерский салон, Уилл сквозь витрину увидел, что Джули уже направляется к выходу. Будь он игроком, сделал бы ставку, что Иды Брум там не оказалось.

Встретил Джули у машины, и оба забрались внутрь.

— Рассказывай, — бросил он.

Джули за пару минут ввела его в курс дела.

— Итак, мы по-прежнему не знаем, чем занимается Лео, — резюмировал Роби.

— А вы не можете выяснить это через какую-нибудь правительственную базу данных?

— Возможно. Проверю.

— Скорее всего, Брумы мертвы, — вымолвила Джули.

— А может, скрываются, — возразил Роби. — Это наилучший исход.

— Если у мистера Брума какая-то важная работа в правительстве — как по-вашему, не из-за него ли заварилась вся эта каша?

— Это определенно возможно.

— Но почему оказались замешаны мои родители?

— Они дружили. Встречались, чтобы вместе пообедать. Он мог проговориться о чем-нибудь.

— Прекрасно... — голос ее дрогнул. — Моих родителей могли убить, потому что они поели мясной рулет в компании этого типа?

— Случаются и более странные вещи.

— И что теперь?

— Я тебя высажу. Мне надо ехать.

— Верно. Повидаться со специальным суперагентом Вэнс.

— Просто спецагентом Вэнс.

— Но она же супер, ведь так?

— Ты не угомонишься, так ведь?

— Значит ли это, что я возвращаюсь в квартиру умирать от скуки?

— А тебе разве не надо делать домашнее задание?

— Перейти от расследования убийства к матану, ух ты!

— Тебе всего четырнадцать, а ты уже занимаешься матанализом?

— Д и Т, Уилл, я же сказала. И вообще-то я не очень люблю математику. Хотя хороша в ней.

— Образование — ключ к успеху.

— Вы говорите, как чей-то дедушка.

— А ты не согласна?

— Мне бы день прожить — и ладно.

— Недурная философия.

— Родители моих одноклассников распланировали для них всю жизнь. Лучшие колледжи. Лучшие образовательные программы. Уолл-стрит, медицинская школа, адвокатские фирмы. Следующий Стив Джобс, следующий Уоррен Баффетт... Аж тошно.

— В том, чтобы вырваться вперед, нет ничего дурного.

— В смысле, ничего дурного в том, чтобы загрести как можно больше денег за счет всех остальных? На планете свыше семи миллиардов человек, и слишком многие из них живут в нищете. Придумать алгоритм, чтобы сделать состояние на Уолл-стрит, попутно обрушив экономику, что в свою очередь посеет еще больше нищеты, меня как-то не греет.

— Тогда сделай что-нибудь еще. Такое, чтобы помочь людям.

— В смысле, как вы? — Она искоса взглянула на него.

Роби отвел взгляд.

«Нет, не как я», — подумал он.

Глава 46

Высадив Джули, Роби маневрировал в уличном движении, пока не добрался до «Доннеллиз» минут двадцать пять спустя. Трупы увезли, но улица была забита полицейскими машинами, фургонами судмедэкспертов и седанами Бюро. Прямо посередке тротуара примостился мобильный командный пункт ФБР — наверное, прикативший вчера ночью.

По ту сторону деревянных заградительных барьеров толпилась армия репортеров. Фургоны телевизионщиков с мачтами связи, возносящимися до небес, выстроились вдоль улицы за спинами роящихся журналистов. Козырнув документами, Роби миновал барьеры, пропуская мимо ушей вопросы, выкрикиваемые репортерами с горящими сроками сдачи и нескончаемыми новостными циклами.

Вэнс встретила его перед заведением. Вид у нее был озабоченный и помятый. Оглянувшись на хаос Первой поправки[1], напролом прущей на право правительства разобраться в убийстве нескольких своих граждан, Роби не мог поставить ей это в укор.

— Всё под контролем? — поинтересовался он.

— Не провоцируйте, застрелю.

Уилл последовал за ней в «Доннеллиз», где федеральные технари и агенты ФБР в темно-синих штормовках не покладая рук трудились на месте преступления. Повсюду виднелись маркеры улик, обозначающие положения жертв. Цветные куски пластика с номерами казались чудовищно неуместными, чтобы символизировать смерть или ранение человеческого существа.

— Какие новости? — спросил Роби.

— Вчера ночью еще две жертвы умерли в больнице, — угрюмо сообщила Николь. — Итого убитых шестеро. И есть шансы новых потерь.

— Вы сказали, вас достают нацбез и военпол?

— Вообще-то это заставило их угомониться. Свернули свои палатки и разошлись по домам.

— Рад слышать.

— Часом, не вы к этому руку приложили? — Вэнс пристально взглянула на него.

---

[1] Первая поправка к Конституции США запрещает Конгрессу США посягать, в частности, на свободу слова и свободу прессы.

— Я таким влиянием не обладаю, — Роби поднял обе руки. — Уж если ФБР не в силах сдвинуть гору, так где уж это осилить малютке СКРМО...

— Верно. — Однако сказанное ее явно не убедило.

— Есть зацепки?

— Черный внедорожник найден брошенным примерно в миле отсюда. На нем пулевые вмятины. Вы были правы, он тяжело бронирован.

— Кто владелец?

— Правительство США.

«Значит, я был прав, — подумал Роби. — А Синий ошибался». Но от этого ему было ничуть не легче. На самом деле только тяжелее.

— Какое подразделение?

— Секретная служба.

Роби тупо уставился на нее.

— Машина пропала из одного из их автопарков.

— Как? Там же круглосуточное наблюдение!

— Сейчас мы это как раз раскручиваем.

— Скверно, если кто-то затесался в их ряды... Они защищают президента.

— Спасибо, Роби, я и не знала, — огрызнулась Вэнс.

— А что говорит секретная служба? — осведомился Уилл, не обратив внимания на ее тон.

— Там озабочены. И закручивают гайки еще туже.

— Еще что-нибудь?

— Гильзы по всей улице. Надеюсь, мы найдем автомат, от которого они.

— Никто ничего не видел? Каких-нибудь лиц?

— Опрашиваем окрестных жителей днем и ночью. Покамест ничего.

— А точно мишенями были мы? А не кто-нибудь еще в ресторане или на улице?

— На сей счет мы не уверены. Снимаем профили всех жертв и всех лиц, находившихся в ресторане вчера вечером. Может, повезет, и кто-то из них даст мотив для бойни таких масштабов.

— А если мишенью были *мы*? — не унимался Роби, про себя уточнив: «Если мишенью был *я*».

— К чему терять время, убирая нас? — Вэнс тряхнула головой. — Только потому, что мы расследуем взрыв автобуса или убийство Джейн Уинд? Если нас убьют, наше место займут другие следователи, и дело пойдет дальше. И, как вы сказали раньше, убийство федералов навлекает уйму лишних неприятностей. Просто не понимаю.

— А новости о Рике Уинде?

— Сегодня проводят вскрытие. Я просила поторопиться с результатами.

— Автобус?

— Один лишь разбор тел — вернее, частей тел — отнимет уйму времени. Мы перевозим остов в хранилище улик ФБР. Прочешем его частым гребнем, попробуем выяснить, что вызвало взрыв. Привлекли на помощью АТО[1]. Эти ребята лучшие в своем деле. Обычно они способны найти источник детонации. Но на это уйдет время.

Покашляв, Роби наконец задал вопрос, терзавший его нутро уже слишком долго:

— Камеры наблюдения в том районе есть? Они могли бы показать случившееся. Позволить срезать угол.

— Кое-какие есть. Как раз сейчас собираем записи. Уж не знаю, что они покажут, но могут дать какую-то отправную точку.

— И куда же вы их собираете?

— В мобильный командный пункт управления на улице. Соберем все ближе к концу дня или самое позднее вечером. Просто хотели собрать их как можно тщательней, чтобы ничего не пропустить. Насколько я знаю,

---

[1] АТО (ATF) — федеральное агентство Министерства юстиции США по алкоголю, табаку, огнестрельному оружию и взрывчатым веществам.

одна из банкомата, другая на углу здания, но ее линия обзора могла быть перекрыта. И мне сообщили, что есть и другие.

Роби кивнул, раздумывая, как бы это сформулировать.

— Я понимаю, что технически не прикреплен к делу об автобусе, но раз уж оба дела вроде как взаимосвязаны, не будете против, если я тоже по ним пройдусь?

Вэнс задумалась над этим на несколько секунд. Затем произнесла:

— Свежая пара глаз никогда не повредит.

Она принялась подписывать какие-то документы, принесенные техником, а Роби поглядел через окно на передвижной командный центр.

«А если я красуюсь в одном из этих видео? Или Джули?»

— О чем это таком вы задумались?

Обернувшись, Уилл встретил устремленный на него взгляд Вэнс.

— Итак, чем могу помочь? — спросил он, пропустив вопрос мимо ушей.

— Обмозговать все это. И можем сейчас заняться парой зацепок.

— А именно?

— Для начала — работа Уинд в СКРМО. Разумеется, кому, как не вам, ею заняться? И ее муж. Не было ли в его прошлом чего-то такого, что привело к его смерти?

— Судя по состоянию трупа, его убили первым.

— А это наводит на мысль, что причина связана с Риком Уиндом, — заключила Вэнс. — Еще что-нибудь о нем известно?

— Во время службы он побывал и в Ираке, и в Афганистане, — доложил Роби.

— Как и любой человек с погонами за последние десять лет.

— Демобилизовался с незапятнанным личным делом,

почетная отставка. Его жена, уже в рамках своей компетенции в СКРМО, также посещала Ирак и Афганистан.

— Одновременно с мужем?

— Нет, уже впоследствии.

— Вы сказали, Уинд уволился из войск с почетом, но не могло ли там быть что-нибудь еще? Сколько он пробыл на Ближнем Востоке? Не получал ранений, не попадал в плен? И не пересмотрел ли убеждения?

— Вы хотите знать, не перешел ли он на ту сторону? Стал врагом отечества?

— Ага, хочу.

— На это я ответить не могу.

— Не можете или не хотите?

— Я не знаю ответ.

— Ему отрезали язык.

— Я там был, агент Вэнс.

— Вчера ночью я проделала кое-какие изыскания на компьютере.

— Это может быть опасно.

— А заодно послала мейлы ряду наших экспертов по Ближнему Востоку. Исламские фундаменталисты иногда отрезают языки людям, которых считают предателями.

— Ага, такое за ними водится.

— Здесь может быть тот самый случай.

— Нам надо знать куда больше, прежде чем мы сможем утверждать нечто подобное.

— Отрезанные языки, взорванный автобус... Это начинает попахивать международным терроризмом, Роби.

— Но автобус-то зачем?

— Массовые жертвы. Повергает страну в мандраж.

— Возможно.

— Рик Уинд был как-то замешан. Он поджал хвост. О нем позаботились. А потом убили его жену, поскольку боялись, что он ей проговорился.

— Его бывшую жену. И она работает в СКРМО. Если б он ей проговорился, она нам доложила бы. И я могу заверить вас, что она этого не делала.

— Может, ей не выпала такая возможность.

— Может, и не выпала.

— Вполне рабочая гипотеза.

— Пожалуй, — Роби почесал щеку.

— Как-то без убежденности вы это сказали...

— Потому что не убежден.

Глава 47

Через час, подробно пройдясь по массовому расстрелу, Роби вышел на улицу. Сегодня потеплело, и по мере того, как солнце взбиралось по небосклону вверх, становилось все теплее. В такой погожий день в округе Колумбия сразу ясно, что вёдро надолго не задержится. Не в эту пору года. Столица — будто мишень на карте погоды. Системы с севера, юга и запада регулярно пересекают Аппалачи и накрывают регион, и их столкновение может породить ненастье.

Но сегодня день хороший — в смысле погоды. Больше ничего хорошего в нем нет.

Роби поглядел на один из нумерованных маркеров на тротуаре. «Ага, кроме погоды, ничего хорошего».

Он раздумывал над тем, что поведала Вэнс.

Огневой точкой послужил внедорожник секретной службы.

Его недосчитались.

Но из секретной службы вещи вот так запросто не пропадают.

Роби сотрудничал с этим агентством много лет назад, чтобы разгрести бардак в стране, куда не хочет больше ни ногой. Агентство невелико по сравнению с такими левиафанами, как ФБР и нацбез. Но его работники —

превосходные, лояльные и фактически единственные федеральные агенты, систематически тренирующиеся заслонять своего подопечного от пули собственной грудью.

Поглядев налево, Уилл увидел мобильный командный пункт ФБР.

Подойдя, постучал костяшками в дверь. Козырнул документами перед агентом, открывшим на стук. Сослался на Вэнс, и его впустили. Фургон оказался битком набит высокотехнологическими примочками и следственным оборудованием. Внутри находились еще четверо. Роби мысленно разделил их на спецагентов и техподдержку. Двое технарей молотили по клавишам компьютеров, и данные исправно проплывали по множеству компьютерных экранов, выстроенных на длинном столе.

— Вэнс сказала, что вы собираете отснятый материал с камер наблюдения у места взрыва автобуса, — сказал Роби. — Что-нибудь уже загрузили?

Агент, впустивший его в командный пункт, кивнул:

— Погодите секундочку.

И написал что-то на своем телефоне. Уилл в точности знал, что именно.

«Получает добро от Вэнс на показ роликов мне».

Ничего другого он и не ожидал. Дураков в ФБР не держат.

Раздался сигнал входящей эсэмэски. Бросив взгляд на экран, агент сказал:

— Сюда, агент Роби, — повел его в угол и указал на пустой экран. — Здесь то, что мы пока получили.

Нажал на несколько клавиш, и файл загрузился на экран.

Сев в вертящееся кресло, Роби в ожидании скрестил руки на груди.

— Вы его еще не смотрели? — поинтересовался он.

— Для меня это тоже будет в первый раз.

Уилл ощутил, как его сердце забилось чаще.

«Это может оказаться откровением для всех», — пронеслось у него в голове.

Дверь открылась, и на пороге показалась Вэнс. Закрыв за собой, она подошла к ним.

— Я успела на сеанс?

— Да, мэм, — уважительно ответил агент.

Она села рядом с Роби, почти соприкасаясь с ним коленями, и сосредоточилась на ожившем экране.

Показался автобус. Проехал пару сотен ярдов. Уилл с облегчением увидел, что камера снимала не с той стороны, где у автобуса дверь. Несколько секунд спустя тот взорвался.

Роби снова напрягся. После уничтожения автобуса для камеры открылся беспрепятственный обзор улицы, где пикселизованные фигурки Роби и Джули покатились и в конце концов остановились. Через несколько секунд оба поднимутся, и тогда...

Экран почернел.

Роби поглядел на агента, управляющего процессом.

— Что произошло?

— Должно быть, ударная волна накрыла камеру. Такое бывает. Камеры банков на подобные вещи не рассчитаны.

Агент постучал по клавишам и в конце концов подозвал технаря. Тот нажал еще ряд клавишных последовательностей, но и пять минут спустя они по-прежнему ничего не увидели.

Роби просмотрел еще два видеоролика, очень похожих на первые два. Противоположная сторона автобуса, и камеры после взрыва отключились.

— А нет ли камер у автобусной станции, показывающих посадку пассажиров? — осведомился Уилл. Сколько он ни шарил в памяти, но таких камер припомнить не мог.

— Мы пока ни одной не нашли, — ответила Вэнс. — Но еще не вечер. И мы пытаемся отыскать побольше отснятого материала. Особенно с другой стороны улицы. К тому же сотовые есть у всех, а большинство сотовых оборудованы камерами с функцией видеосъемки, так что мы разыскиваем тех, кто той ночью был там и мог видеть, сфотографировать или снять на видео что-нибудь после. Хотя сейчас эти материалы уже крутили бы во всех новостях и на «Ютубе». Я собираюсь отрядить людей поискать другие камеры наблюдения вдоль автобусного маршрута после обеда, когда мы наведем порядок на этом месте преступления.

«Откуда следует, что я должен найти их первым», — отметил про себя Роби.

Глава 48

Уилл стоял рядом с местом, которое для него было эпицентром.

Останки автобуса разбирали буквально по винтикам дюжина криминалистов, а рядом дожидался грузовик ФБР для улик, чтобы увезти эти предметы в лабораторию. Как и у «Доннеллиз», дорожные заграждения были выставлены повсюду, чтобы сдерживать репортеров, жаждущих все видеть и знать сию же минуту.

Роби поглядел налево и направо, вверх и вниз. Вэнс права: ничего в глаза не бросается. Видео из банка через улицу уже в базе данных, но, к счастью, взрыв ее вырубил. Уилл посмотрел наверх. Камера наблюдения футах в десяти от земли на углу одного из перекрестков. Направлена вниз и тоже сняла автобус. Будь она направлена чуть иначе, могла бы запечатлеть, как он ретируется вместе с Джули.

Тут как в футболе: всё решают дюймы. Некоторые вещи контролю просто не поддаются. Остается уповать на везение.

«Но сколько же я еще могу рассчитывать на везение?»

Его внимание обратилось к проблемной части улицы, где находились они с Джули. Он тронулся шагом. Учитывая возможный угол охвата улицы объективом, прикинул параллелепипед пространства, внушающего опасения, и докинул по десять процентов с каждого конца, просто для подстраховки. И принялся методично обследовать территорию.

Быстро засек камеру на стене футах в двадцати левее места гибели автобуса. Нацелена вроде бы прямо на точку взрыва. Посмотрел, что за предприятие там расположено.

Контора поручителя под залог. Разумеется. В подобном районе у владельца, наверное, отбоя нет от клиентуры. Уилл заглянул через зеркальное стекло витрины за проржавевшей решеткой, исчертившей ее ромбами крест-накрест.

Табличка справа от двери гласила: «Звоните в звонок».

Роби позвонил.

Из белой коробочки на двери раздался голос:

— Ага?

— Федеральный агент. Надо поговорить.

— Так говорите.

— Лицом к лицу.

Послышались приближающиеся шаги. Через окошко на него поглядел невысокий широкий мужчина, у которого в усах над верхней губой было больше волос, чем на голове.

— Покажите значок.

Роби прижал бляху к стеклу.

— СКРМО?

— Часть минобороны. Военное ведомство.

— А я-то тут при чем?

— Откройте дверь.

Тот с натугой открыл тяжелую дверь. На нем были черные брюки и белая рубашка с рукавами, закатанными до локтей. Над его мокасинами виднелась розовая кожа.

Войдя, Роби закрыл за собой дверь.

— Так чего же вы хотите? — снова спросил тот.

— Насчет автобуса, что взорвался через улицу.

— А что насчет него?

— У вас есть камера наблюдения.

— Верно, и что?

— ФБР уже наведывалось к вам по ее поводу?

— Нет.

— Я намерен конфисковать пленку, DVD или что вы там используете для хранения изображения, регистрируемого камерой.

— То бишь ничего.

— Что?

— Эта камера уже год как не пашет. Как по-вашему, с какой стати мне пришлось подойти к окну, чтобы поглядеть, кто у двери, умник?

— Так зачем она висит?

— Как обманка, зачем же еще? Район тут не самый безопасный.

— Мне все равно нужно убедиться лично.

— Почему?

— Умники любят прикрывать тылы.

Впрочем, выяснилось, что владелец говорил правду. Очевидно, система была сломана давным-давно, и, осмотрев камеру, Роби обнаружил, что кабель, идущий от нее в здание, даже не подключен.

Выйдя, Уилл продолжил обход. И почти добрался до конца мысленно обозначенного сектора, когда увидел бомжа, в ночь взрыва автобуса плясавшего вокруг, выкрикивая, что хочет зефирок, чтобы поджарить их на костре из металла и человеческой плоти. Похоже, его самого и его бездомных коллег выдворили с места преступления, и они сгрудились по ту сторону полицейских заграждений. Их было трое; каждый держал свой мешок для мусора, набитый наверняка всем их мирским достоянием.

Судя по виду, бомж живет на улицах уже давно — одежда и тело заросли грязью, длинные ногти с черной каймой, гнилые зубы. Роби заметил, что репортеры держатся от троицы на пушечный выстрел. Интересно, пришло ли в голову хоть одному из журналистов, что обитатели улиц могли в ту ночь видеть что-нибудь? А даже если б и пришло, сомнительно, чтобы репортеры добились особого успеха в извлечении из них сколько-нибудь полезной информации.

А затем Роби задался вопросом, пыталось ли опросить их ФБР. Люди Вэнс могли даже не догадываться, что бездомные были здесь в ту ночь. Не знать, что те могут обладать ценными сведениями. А заодно — информацией, губительной для него.

Уилл выбрался за полицейское ограждение, и тотчас же его накрыло лавиной репортеров. Не глядя ни на кого из них, даже не пытаясь ответить на выкрикиваемые вопросы, Роби отталкивал от лица микрофоны и блокноты, продолжая протискиваться сквозь толпу, пока не добрался до троих бродяг.

— Голодны? — спросил он у них.

Любитель зефирок с очумелым взором, словно разум покинул его давным-давно, кивнул и хохотнул:

— Завсегда голодны!

«Ну, хотя бы понимает по-человечески», — утешился Роби. Смерил взглядом двоих других. Одна из них оказалась женщиной — малорослой, закопченной, почерневшей от уличной гари. Ее мусорный мешок пузырился одеялами и каким-то выброшенным хламом, нашедшим у нее вторую жизнь. Ей могло быть и двадцать, и пятьдесят — под такими наслоениями грязи и не разберешь.

— Вы голодны?

Бомжиха просто смотрела на Роби. В отличие от Зефирчика, она по-английски, очевидно, не понимала.

Уилл отвел их подальше от моря репортеров и только тогда поглядел на третью особу. Та выглядела более многообещающе. Лет сорока, и годы бродяжничества еще не въелись в нее, оставив свой отпечаток. Во взгляде читались и ум, и страх. Роби пришло в голову, что она могла принадлежать к рабочему или среднему классу, но недавний экономический кризис вычеркнул ее и из того, и другого.

— Могу я предложить вам чего-нибудь поесть?

Она попятилась на шаг, сжимая свою брезентовую сумку, украшенную монограммой. Вот и еще намек на ее прошлое. Давние бродяги подобными сумками не владеют. Те или сгнили за годы, или украдены.

Она покачала головой. Роби понял ее тревогу. И следующим делом решил подтвердить свои подозрения на ее счет.

Достав бляху, он поднял ее на обозрение.

— Я — федеральный агент.

Женщина подошла ближе с видом явного облегчения на лице. Ухмылка Зефирчика померкла. Вторая женщина просто стояла, где стояла, взирая на реальность, явно выходящую за рамки ее понимания.

Роби получил свой ответ. Недавние бездомные еще уважают власти. Правду говоря, они алчут закона и порядка, с которыми недавно расстались ради анархии, поджидающей их на мостовой. А люди, живущие на улицах давно, годами выслушивающие приказы проваливать, уносить свои задницы, убирать свое дерьмо, катиться отсюда к чертям, потому что здесь им не рады, пиетета к представителям власти не питают. Значков они боятся и ненавидят их.

— Вон там есть кафе, — сказал Роби Зефирчику. — Я схожу туда за едой и принесу. Для нее тоже, — добавил он, указав на женщину, таращившуюся в пустоту. — Дождетесь моего возвращения?

Зефирчик медленно кивнул, глядя на него с подозрением. Выудив из кармана десятидолларовую банкноту, Роби вручил ее тому в качестве залога.

— Хотите кофе, сэндвич?

— Ага, — буркнул Зефирчик.

— А она? — Роби указал на вторую женщину.

— Ага, — снова буркнул тот.

Уилл повернулся к третьей бездомной.

— Не прогуляетесь со мной до кафе? И не подождете, пока я возьму им еду?

— Я в беде? — спросила она. Вот теперь у нее в голосе прозвучали интонации давней бродяжки.

— Нет, ничуть. Вы были здесь в ночь взрыва автобуса?

— Я, — хлопнул себя в грудь Зефирчик.

Роби чуть было не ляпнул: «Знаю», но вовремя прикусил язык. На самом деле Зефирчик уже начал внушать ему опасения. Изъясняется он как вполне здравомыслящий.

«А если он вспомнит, что видел меня?»

— Другие агенты с вами не разговаривали? — спросил Роби, глядя на всех троих.

Зефирчик отвел взгляд, заслышав звук сирены. Оскалил зубы, будто вот-вот зарычит. И вдруг стал подвывать сиренам.

— Мы все там были, — сообщила вторая женщина. — Но когда это случилось, мы ушли. Полиция вряд ли догадывается, что мы что-то видели.

— Как вас зовут? — Роби сосредоточил внимание на ней.

— Диана.

— А фамилия?

Ее черты снова исказились страхом.

— Диана, — негромко произнес Роби, — вас не ждут никакие неприятности, клянусь. Мы просто пытаемся узнать, кто взорвал автобус, и я хотел бы задать вам несколько вопросов, вот и всё.

— Моя фамилия Джордисон.

— А горячая жрачка? — Зефирчик ухватил его за руку.

— На подходе.

Роби проводил Джордисон до кафе. Когда они вошли, человек за стойкой хотел было шугануть бродяжку прочь, но Уилл сверкнул бляхой.

— Она останется.

Тот сдал на попятный, и Роби усадил Джордисон за столик в глубине зала.

— Заказывайте что хотите.

Он вручил ей меню из стопки на соседнем столике, а сам подошел к стойке:

— Мне нужна еда навынос. — И разместил заказ.

Пока готовили еду, Роби сел напротив Джордисон. Молодая официантка подошла взять у них заказы.

— Только кофе, — сказал Уилл и поглядел на Джордисон.

Та зарделась с видом полнейшей растерянности. Когда же она заказывала что-нибудь в ресторане в последний раз? Этот нехитрый для большинства людей процесс просто на диво стремительно становится сложным, когда ночуешь в переулках, парках или на вентиляционных решетках, а хлеб насущный добываешь из мусорных баков.

— Американский завтрак включает практически всё — яичницу, тост, бекон, кашу, кофе и сок, — Роби указал пункт меню. — Подойдет? Яичницу как? Болтунью? Сок апельсиновый?

Судя по виду, ей не помешала бы хорошая доза витамина С и белков.

Кротко кивнув, Джордисон вернула меню официантке, но та была как-то не склонна его принять.

— Моя *подруга* возьмет американский завтрак, — посмотрел на нее Роби. — И не могли бы вы принести кофе и сок сейчас же? Спасибо.

Официантка отправилась передавать заказ и вернулась с кофе и соком. Роби пил черный кофе, а Джордисон набухала в свой сливок и сахара. Уилл заметил, что изрядную часть пакетиков с сахаром она сунула в карман. Оглянувшись, он увидел, что владелец подает ему знаки, демонстрируя руку с двумя пакетами и подставку с двумя стаканами кофе.

— Пойду отнесу еду двоим оставшимся и сразу вернусь, ладно? — сказал Роби.

Джордисон кивнула, но встречаться взглядом с ним избегала.

Оплатив чек, Уилл прихватил пакеты и направился на улицу.

Глава 49

Когда Роби вернулся к Зефирчику и другой женщине, репортер, уже подмеченный им раньше, кружил вокруг парочки, как акула вокруг переживших кораблекрушение.

— Разыгрываете из себя доброго самаритянина? — спросил он у Роби, разглядывая пакеты и напитки.

— Ваши налоговые доллары за работой, — ответил Уилл, после чего отдал один пакет и кофе Зефирчику, а второй — женщине. Та, схватив еду и кофе, сграбастала свои пластиковые мешки и рванула по улице прочь. Роби отпустил ее, считая, что она вряд ли сможет поведать ему хоть что-нибудь.

Зефирчик стоял на прежнем месте, прихлебывая кофе.

— Не могли бы вы ответить на пару вопросов, э-э, агент... — начал было репортер.

На это Роби, подхватив Зефирчика под руку, зашагал прочь.

— Я так понимаю, это значит «без комментариев»? — крикнул репортер вслед.

Дошагав до следующего перекрестка, Уилл распорядился:

— Расскажите мне, что видели в ночь взрыва автобуса.

Зефирчик, открыв пакет, жадно впился в сэндвич с беконом, яйцом и сыром. Затем запихнул в рот целую горсть картофельных оладий и энергично зачавкал.

— Попридержи коней, приятель, — призвал Роби. — А то подавишься.

Проглотив, тот хлебнул кофе и развел руками.

— Чего надо-то?

— Всё, что вы видели или слышали.

Зефирчик снова откусил кусок сэндвича, уже поменьше.

— Бабах, — сообщил он. — Огонь. Охренеть!

И снова отхлебнул кофе.

— А поподробнее нельзя? — медленно выговорил Уилл. — Вы не видели никого рядом с автобусом? Скажем, сходивших или садившихся?

Зефирчик затолкал в рот еще горсть оладий и зачавкал.

— Бабах, — снова отрапортовал он. — Огонь. Охренеть! — И захохотал. — Жарются!

Роби решил, что его первое впечатление о состоянии ума Зефирчика было правильным. Он не в своем уме.

— Вы никого не видели? — равнодушно поинтересовался он.

— Жарются, — бродяга засмеялся и прикончил свой сэндвич за один укус.

— И вам удачи, — бросил Уилл.

Зефирчик глотнул горячего кофе.

Покинув его, Роби быстрым шагом направился обратно в кафе.

Джордисон получила свою еду и неспешно поглощала ее. В ее манерах не было и намека на энергичное безрассудство Зефирчика. Уилл понадеялся, что это добрый знак, сулящий, что она сможет поведать нечто полезное — или хотя бы внятное.

Он сел напротив нее.

— Спасибо за это, — негромко проронила Джордисон.

— Не за что.

Несколько секунд Роби наблюдал, как она ест, а потом спросил:

– Давно вы там?

– Десять месяцев, – ответила она, утирая губы бумажной салфеткой.

– Я здесь не затем, чтобы донимать вас вопросами об этом. Это не мое дело.

– У меня были дом, работа и муж.

– Сожалею.

– Я тоже. Просто удивительно, насколько быстро все полетело к чертям... Ни работы, ни дома, ни мужа. Ничего, кроме счетов, оплатить которые я не в состоянии. В смысле, доводится слышать, что такое случается, но ввек не подумаешь, что это случится с тобой.

Роби промолчал.

– Насколько знаю, он тоже, наверное, бездомный, – продолжала Джордисон. – То есть мой бывший. Ну, это я зову его своим бывшим. Он даже не удосужился подать на развод. Просто собрал манатки и смылся. А нанять адвоката, чтобы сделать это, мне было не по средствам. – Помолчав, она добавила: – Я ведь окончила колледж. Получила диплом.

– Последние несколько лет времена действительно трудные, – заметил Роби.

– Трудилась не покладая рук, поступала только правильно. Американская мечта. Как же...

Роби боялся, что она может расплакаться.

Женщина поспешно отхлебнула кофе.

– Что вы хотите знать?

– Про ночь, когда взорвался автобус. Что вы можете мне сообщить?

Она кивнула:

– Последние пару недель я спала за строительным мусорным контейнером. По ночам еще не слишком холодно. Прошлая зима была просто жуть. Я думала, до весны не дотяну. Январь был моим первым месяцем на улице.

– Тяжко.

— Я думала, что-нибудь или кто-нибудь подвернется. Половина моих друзей — как я. Вторая половина и знать меня не хочет.

— А родные?

— Ни души из тех, кто был бы в состоянии помочь. Теперь я сама по себе.

— А где работали прежде?

— Административная поддержка для строительной компании. По ходу, худшее из возможных рабочих мест в этой экономике. Я была всего лишь дорогостоящим предметом мебели, не приносящим прибыли. Попала под каток одной из первых, хоть и проработала там двенадцать лет. Ни выходного пособия, ни медицинской страховки, ничегошеньки. Жалованье прекратилось, а счета — как бы не так. А потом вышел срок и пособию по безработице. Я барахталась, чтобы удержать дом, целый год. Потом заболел муж. Болезнь высосала те жалкие сбережения, что у нас были, и оставила целую тонну счетов. Потом ему стало лучше, и он упорхнул. Сказал, искать, где глубже. Можете вы поверить в это дерьмо? А как же брачные клятвы насчет «в радости и в печали»?.. — Она с пристыженным видом взглянула на Роби. — Понимаю, вам вовсе незачем это выслушивать.

— Я способен понять, как вам нужно сбросить камень с груди.

— Спасибо, я уже порядком разрядилась. — Джордисон доела завтрак и отодвинула тарелку.

Потребовалось пару минут, чтобы она собралась с мыслями.

— Я увидела автобус, подъезжающий по улице. Он был ужасно шумный, так что разбудил меня. На бетоне не очень-то комфортно. И это не... ну, не безопасно. Я напугалась.

— Понимаю.

— А потом автобус остановился прямо посреди улицы. Помню, я села и прислонилась к контейнеру, гадая, с чего это он вдруг остановился. Я бывала у той автостанции, шарила по мусорным бакам. Это не городской автобус. Он ходит в Нью-Йорк. Отъезжает в одно и то же время каждую ночь. Я его уже видела прежде. Порой мечтала оказаться на нем...

«Но только не в ту ночь», — подумал Роби.

— С какой стороны улицы вы были? Лицом к автобусной двери или с другой стороны?

— Дверь была с другой стороны.

— Ладно, продолжайте.

— Ну, он просто взорвался. Перепугал меня до чертиков. Я увидела, как все разлетается во все стороны. Сиденья, части тел, шины. Это было ужасно. Мне показалось, что я в гуще боевых действий.

— Вы видели что-нибудь такое, что могло вызвать взрыв?

— Я просто подумала, что это бомба в автобусе. А вы хотите сказать, что нет?

— Мы пытаемся выяснить это, — отозвался Роби. — Но если вы видели что-нибудь, что-либо врезавшееся в автобус, это может быть важно. Скажем, выстрел в бензобак? Может, вы видели или слышали что-то такое?

Джордисон медленно покачала головой:

— Я знаю, что выстрела не слышала.

— Вы никого не видели? — Роби смотрел прямо на нее, но скрывал сковавшее его напряжение.

— После того как автобус взорвался, я видела двоих людей на другой стороне улицы. До этого их загораживал автобус. Но потом автобуса не стало. Мужчина и вроде бы девушка, наверное, подросток.

Роби откинулся на спинку стула, но продолжал смотреть на нее.

— Можете их описать?

«Уж лучше пусть это всплывет сейчас», — пронеслось в голове.

— Девушка была невысокая, в куртке с капюшоном, так что лица ее я не видела.

— Что они делали?

— Вставали. Ну, мужик вставал. Должно быть, взрыв сбил обоих с ног. Может, заставил потерять сознание. Наверное, я была достаточно далеко, да вдобавок контейнер сработал как барьер... А они, наверное, были ближе. По ту сторону от припаркованных машин.

— Что произошло дальше?

— Мужик очнулся первый, после чего помог девушке подняться. Они несколько секунд поговорили, а потом мужик начал заглядывать за и под припаркованные машины. Тогда-то старик и начал выплясывать вокруг и орать про зефирки. А потом мужик с девушкой ушли.

— Не знаете, откуда они появились?

— Нет.

— А как выглядел мужик?

— Вообще-то он был почти вылитый вы, — она нарочито уставилась на него.

— Наверное, я похож на многих, — Роби улыбнулся. — Нельзя ли чуточку подробнее?

— У меня прекрасное зрение. Как раз прошла глазную хирургию перед тем, как жизнь пошла под откос.

— Но между вами и мужчиной были огонь и дым. И темнота.

— Это правда. На опознании я не смогла бы выбрать его из остальных, если вы об этом. Но на самом деле пожар обратил ночь в день.

— Примерно мой рост, телосложение, возраст?

— Ага.

— И вы уверены, что не видели, как что-нибудь попало в автобус, прежде чем тот взорвался?

— Ну, к тому времени я совсем оклемалась от сна. Но не видела и не слышала ничего такого, что могло бы вызвать взрыв автобуса.

— Спасибо, Диана. Если мне понадобится снова связаться с вами, вы будете где-нибудь здесь поблизости?

— Да вообще-то мне больше и податься-то некуда, — она потупила взор.

Роби вручил ей визитную карточку.

— Посмотрю, что смогу сделать, чтобы забрать вас с улиц.

Джордисон посмотрела на визитку, и голос у нее задрожал:

— Что бы вы ни сделали, мистер, я буду вам искренне признательна. Было время, когда я благотворительность не принимала. Думала, сама справлюсь... Те дни давно миновали.

— Понимаю.

Роби приехал обратно к «Доннеллиз» и уже выходил из машины, когда его углядела Вэнс.

— У нас есть прорыв в деле, — поспешив к нему, сообщила она.

— Что?

— Парни из АТО нашли источник детонации.

— Где? — резко спросил Роби.

— В колесной нише автобуса, слева. С датчиком движения. Автобус трогается, таймер запускается. А несколько минут спустя — бабах!

Роби уставился на нее. В голове вихрем закружились мысли.

Субъект, преследовавший Джули, ни за что не сел бы в автобус, который сам же только что снарядил для взрыва.

Остается только одно объяснение:

«Мишенью был я».

Глава 50

Роби потратил час, вместе с Вэнс разбирая заключения АТО, после чего улизнул, чтобы позвонить Синему.

— Ее зовут Диана Джордисон. — Дал описание внешности. — Она будет слоняться в районе взрыва автобуса. Была очень предупредительна и, по-моему, может принести еще больше пользы по пути. Но ее нужно забрать с улиц. А то очень рискованно.

Синий сказал, что позаботится об этом, и Роби оставалось лишь поверить ему на слово. Во всяком случае, пока. Проверить это он наметил позже. К исходу дня Уилл больше не мог верить на слово никому.

— А еще я хочу, чтобы вы раскрутили всё, что найдете, по Лео Бруму. Работает где-то на Капитолийском холме.

— А он-то как сюда вписывается? — полюбопытствовал Синий.

— Я не знаю, вписывается ли вообще. Но должен прикрыть и это направление.

— Рапорт, Роби. И я хочу получить его побыстрее.

И Синий дал отбой.

«А я вообще много чего хочу, — подумал Роби. — Хочу вырваться из этого кошмара».

Час спустя он уже был у себя в квартире. Принял душ и переоделся. Сунул пистолет в поясную кобуру, расположенную в районе крестца, и сел в «Вольво», после чего послал эсэмэску Джули и получил ответ несколько секунд спустя, подтверждающий, что у нее все благополучно. Тогда Роби послал еще одно сообщение, о том, что наведается к ней позже и, скорее всего, переночует в той квартире вместе с ней.

Проехав через город, он въехал в крытую парковку за углом «Олд Эббит Гриль» — вашингтонской достопримечательности, примостившейся лицом к восточной стороне здания Казначейства, расположенного рядом с Белым домом, — и втиснулся на свободное место у въезда.

Сюда Роби прибыл на восьмичасовое питейное свидание с Энни Ламберт. Войдя в отель «Даблъю», он на лифте поднялся на крышу в бар под открытым небом, на самом деле крытый. Отсюда можно наслаждаться видом на Белый дом вплоть до самого Арлингтонского кладбища в Вирджинии.

День был будний, так что свободные столики имелись, но все же человек двадцать нянчили в ладонях бокалы с напитками, угощались закусками и делали заказы по меню бара. Роби огляделся по сторонам, однако Ламберт не увидел. Посмотрел на часы. До срока еще пара минут.

Занял столик у перил и посмотрел на городской пейзаж. Здания здесь впечатляющие. Любой так сочтет. Ну, разве что за исключением тех, кто из кожи вон лезет, чтобы их взорвать. Подошел официант, и Роби заказал имбирный эль. Потягивая напиток, он не сводил глаз с дверей бара. После пятого их оборота посмотрел на часы. Пятнадцать после срока. Может, Ламберт оказалась динамой? Может, хотела ему позвонить, но он не дал ей свой номер, а сам не взял ее... Может, служебные обязанности допоздна задержали ее в Белом доме, порушив ее планы...

Он уже собрался было встать, когда Энни вошла, взглядом отыскала его и бросилась через зал.

— Я так сожалею, — сказала она, перекидывая пальто через спинку стула, и села, поставив сумочку рядом с собой. На каблуках, отметил Роби. Наверное, кроссовки в сумке. Ее распущенные волосы ниспадали до плеч, образуя выгодный фон для ее длинной шеи.

— Шли пешком?

— Откуда вы знаете? — Она охнула.

— На велосипеде вы с каблуками не поехали бы и слишком запыхались для короткой прогулки от лифта.

— Хорошая дедукция. — Ламберт рассмеялась. — Ага, велик я оставила на работе — и бегом. Увязла в работе как раз с пяти до восьми. Надо было сделать. И я сделала.

— Тогда это заслуживает вознаграждения.

Роби взмахом подозвал официанта, и Энни заказала водку с тоником. Официант принес коктейль вкупе с вазочкой с орехами и претцелями и поставил ее между ними.

Раскусив орешек, Уилл пригубил свой напиток. Ламберт, потягивая коктейль, загребла горсть закусочного ассорти и мигом всё проглотила.

— Проголодались?

— Некогда было пообедать, — объяснила она. — А вообще-то на самом деле позавтракать.

— Не хотите заказать чего-нибудь из меню?

Она заказала чизбургер и картошку фри, а Роби предпочел блинчики с начинкой.

— Моя диета не самая здоровая на свете, — прокомментировала Ламберт. — Своего рода профессиональный риск.

Устроившись в кресле поудобнее, Уилл настроился завести непринужденную беседу. Ему хотелось выпить с Ламберт. Но теперь, находясь здесь вместе с ней, он счел это сущим умопомешательством, учитывая всё, что на него сейчас обрушилось.

— Я не могу быть нормальной, как бы мне ни хотелось.

— Это я могу понять. Вы много разъезжаете по роду работы? — Он постарался придать голосу интонации пристальной заинтересованности в ответе.

— Нет. Официально я недостаточно высоко в табели о рангах, чтобы кому-нибудь пришло в голову взять меня на первый борт или хотя бы в один из вспомогательных самолетов. Но я усердно тружусь, зарабатывая себе имя, и, может статься, однажды... кто знает, правда ведь?

— Правда. Значит, вы обожаете политику?

— Я обожаю *политичность*, — ответила Энни. — На самом деле я не влезаю в политические кампании и избирательную чепуху. Моя специальность — энергия, и я составляю правительственные доклады и информационные бюллетени и помогаю писать речи для администрации по этой сфере.

— Значит, получили образование по энергетике?

— Бакалавриат по инженерному искусству. Степень доктора по биохимии с акцентом на возобновляемые ресурсы энергии. А ископаемое топливо у нас на исходе.

Не говоря уж о чудовищном ущербе от изменения климата.

Роби ухмыльнулся.

– Что? – не поняла Энни.

– Вот теперь вы заговорили как политик.

– Наверное, в этом месте пропитываешься его духом, – она рассмеялась.

– Пожалуй.

Принесли еду, и Ламберт с энтузиазмом вгрызлась в свой бургер, заедая его картофелем фри, щедро сдобренным кетчупом.

Полив один из блинчиков кисло-сладким соусом, Роби отрезал кусочек.

– Так как насчет вас? – спросила Ламберт. – Вы говорили, что занимаетесь инвестициями и работаете сами на себя.

– Вообще-то в данный момент я стараюсь делать как можно меньше.

– Вы не производите такого впечатления. Вы кажетесь слишком деятельным, чтобы сидеть сложа руки.

– Я не сижу сложа руки. Я порядком попутешествовал, сделал кое-какую интересную работу, заработал достаточно, чтобы взять отпуск, и именно это сейчас и делаю. Как можно меньше. Но в какой-то момент это кончится. Вы правы, я слишком деятелен.

– Впрочем, звучит замечательно. Просто наслаждаться жизнью.

– Бывает. А бывает жутко скучно.

– Я бы не прочь как-нибудь попробовать.

– Надеюсь, сможете.

– А как вас занесло в округ Колумбия? – поинтересовалась Ламберт. – Или вы здешний?

– Немного же я встречал людей родом из округа Колумбия... Я со Среднего Запада. А вы?

– Коннектикут. Мои родители из Англии. На самом деле я приемная. Единственный ребенок.

— У вас ни намека на акцент.

— В Англии я жила только до пяти лет. Теперь мой единственный акцент из Новой Англии, да и тот, в общем-то, несильный. А у вас есть братья или сестры?

— Нет, я один. И был бы не против сестер или братьев.

— Но у детей права голоса в таких вопросах нет.

— Похоже, вам хотелось того же. — Услышав сирену, Роби бросил взгляд через плечо.

— Впечатление такое, что мы беседуем просто для галочки, не правда ли? — Ламберт подавленно поглядела на него.

До Уилла дошло не сразу. А когда наконец дошло, он уставился на собеседницу:

— Что?

— Слушайте, я знаю, что вы хотели выбираться почаще, и было славно выпить на пару. Но мне кажется, вы не совсем здесь. Если понимаете, о чем я. — Она откусила от палочки картофеля, потупилась и продолжала: — В смысле, я сдвинута на политике. Я никогда не буду зарабатывать больших денег. Я всю жизнь буду гнуть спину за письменным столом, готовя тщательно проработанные документы, которые никто никогда не прочтет. А если и прочтет, то исковеркает так, как я и помыслить не могу. Вы же зарабатываете много денег; наверное, повидали мир... Должно быть, я кажусь вам довольно скучной. — Она импульсивно схватила очередную палочку, но есть не стала, а просто уставилась на нее, словно не могла понять, что это такое.

Роби, ссутулившись, подался вперед, выходя из своей защитной скорлупы во многих смыслах. Затем взял палочку картофеля из ее руки и раскусил пополам.

— Я хотел выпить с вами. Если б не хотел, не стал бы. А если вел себя, словно отбываю повинность, — прошу прощения. Совершенно искренне. Я вовсе не считаю вас скучной.

— Вам понравился фри? — Она улыбнулась.

— Ага. Хотите мой блинчик?

— Я уж думала, вы никогда не предложите.

Как только они отведали пищу из тарелок друг друга, Ламберт сказала:

— Вы, наверное, обычно не едите жирное. Конечно, я видела вашу тренировку. Вы и бегаете тоже?

— Только когда гонятся.

Она засмеялась:

— У меня, наверное, очень высокий метаболизм. Ем всякое дерьмо и не набрала ни унции.

— Многие хотели бы обзавестись вашими проблемами.

— Знаю. Некоторые из женщин, с которыми я работаю, говорят то же самое. Не хотите откусить? — Она приподняла бургер. — Очень вкусный.

Отведав немного, Роби утер рот салфеткой. Закончив жевать, сказал:

— Наверное, работать в Белом доме — значит засиживаться допоздна, малоподвижный образ жизни, перекус на бегу и безумный график...

— Вы, часом, там не работали? А то резюме довольно точное.

— Сомневаюсь, что я подхожу для Белого дома. Лучшие и блистательнейшие, знаете ли.

— Добрых полстраны вашего мнения в этом вопросе не разделяет.

Улыбнувшись, Роби посмотрел, как Энни уписывает свой картофель фри, и окинул взглядом город.

— Хоть я там и работаю, все равно по-прежнему диковато видеть снайперов на крыше Белого дома, — проследив направление его взгляда, заметила Ламберт.

— Контрснайперов, — автоматически поправил Уилл и тут же в раскаянии прикусил язык. Улыбнулся. — Частенько смотрю «NCIS»[1]. Там и подцепил это словцо.

---

[1] «NCIS» — криминальный сериал о выдуманном агентстве, что-то вроде российских «ФЭС» и «ОСА».

— Я записываю его на «цифру», — откликнулась Ламберт. — Отличный сериал.

Они снова погрузились в молчание. Наконец Роби нарушил его:

— Извините, собеседник из меня аховый. Это совершенно ненамеренно. Просто приходит и уходит.

— Да и я тоже, так что, может быть, мы очень совместимы.

— Быть может, — согласился Роби. Но теперь поймал себя на том, что действительно хочет поговорить. Снова оглядел панораму от Арлингтонского кладбища на вирджинской стороне и до вершины холма.

— Когда Союз конфисковал дом Роберта Э. Ли, обратив его в военный погост, ему объявили, что генерал сможет вернуть себе дом, уплатив налоги. Уловка в том, что Ли должен был уплатить их лично. Понятное дело, предложение Линкольна он так и не принял.

— Я о таком не слыхала.

— Не знаю, правда это или нет, но байка хорошая.

— И вы только что опровергли самого себя. Вы *хороший* собеседник.

— Пожалуй, порой на меня нисходит.

— Вам по душе инвестиционный бизнес?

— Был раньше. Но через какое-то время просто зарабатывать деньги как-то приедается. Жизнь этим не исчерпывается, знаете ли.

— Жизнь никогда не исчерпывается деньгами, Уилл, — сказала Ламберт. — Деньги в конечном итоге только средство. Должна быть и цель.

— Для многих они и есть цель.

— И у многих превратные приоритеты. Особенно в этом городе.

— Снова политик, — отметил Роби, заставив ее залиться румянцем. — Хотите, буду распорядителем вашей кампании?

— Ага. Я могу выступить под флагом заботы о других больше, чем о себе. У власть предержащих пролетит просто на ура.

— Да ну их в задницу! Несите свое послание людям.

Он смотрел, как Ламберт доедает свою трапезу.

— Итак, что же на самом деле занимает для вас второе место после Белого дома?

Она пожала плечами:

— Почти все распланировали свои жизни лет на сорок вперед. Они в точности знают, чего хотят и как этого добиться. По ходу, амбициозные трудоголики.

— Амбициозные кто-то там, — отозвался Роби. А сам подумал о сходном ответе Джули в разговоре о ее будущем.

— А когда работаешь в Белом доме, то на самом деле посвящаешь свою жизнь другому, президенту, которому служишь, — добавила Ламберт. — Ты всем существом связан с успехом другого человека.

— Должно быть, тяжко жить подобным образом.

— Откровенно говоря, я даже не помышляла, что дойду до таких высот.

— Должно быть, действовали как надо. Лига плюща?[1] Связи?

— Виновна по обеим статьям. Мои родители весьма состоятельны и политически активны, так что я знаю, что они нажали на какие-то рычаги, чтобы пропихнуть меня сюда.

— По-моему, чтобы пробраться в большой белый дом, нужно полагаться прежде всего на себя, потому что на этом уровне рычаги есть у всех соискателей.

— Спасибо на добром слове. Нечасто такое приходится слышать. — Прижав салфетку к губам, она пристально разглядывала Роби. — А что же следующее для вас?

---

[1] Лига плюща — ассоциация восьми старейших и престижнейших университетов США.

— Может, смена курса... Я занимался одним и тем же слишком долго.

— Перемены к лучшему.

— Возможно. Или мы сможем потолковать об этом как-нибудь в другой раз.

— Вы приглашаете меня на свидание? — Она просияла.

— Я не пропустил какой-нибудь промежуточный этап? Нельзя же перескакивать от выпивки к свиданию...

— В моем уставе это в порядке вещей, — быстро отреагировала она.

Позже, когда принесли счет, Роби взял его вопреки протестам Ламберт.

— Сквитаемся, — сказал он. Этот комментарий заставил ее улыбнуться.

Уилл проводил ее до Белого дома. Ламберт объяснила, что ей надо доделать пару вещей и забрать велик. И по пути взяла его под руку.

Подойдя к воротам, она протянула Роби карточку.

— Вся моя существенная информация здесь, включая и мой внутренний в Белом доме.

— Спасибо, — он взял карточку.

— А с вами я могу как-то связаться?

Роби дал ей номер своего сотового, который Энни тут же забила в свой телефон. А потом подалась вперед и чмокнула его в щеку.

— Спасибо за чудесный вечер, Уилл. И давайте проработаем эту тему «свидания» вместе.

— Заметано, — кивнул Роби.

Несколько секунд спустя она уже поспешила через ворота Белого дома.

Уилл зашагал прочь, пытаясь дистанцироваться от этой встречи, но все равно чувствуя тепло ее губ на своем лице.

Вот уж действительно странные денечки...

Глава 51

Роби стоял перед станцией, от которой отъехал обреченный автобус, вновь мысленно перебирая события той ночи, одно за другим. Он не смог убить Джейн Уинд, и резервный стрелок доделал работу за него. Роби выполнил свой план бегства и пришел на эту станцию, чтобы сесть на рейс из города. Никому не сказал. Не оставил ни малейшего следа.

«Но забронировал автобусный билет на этот день и на этот автобус, воспользовавшись псевдонимом, о существовании которого должен был знать только я. Однако кто-то еще знал. И ничтоже сумняшеся убил всех этих людей, лишь бы добраться до меня».

Уилл огляделся. Заминировать колесную арку здесь не сумел бы никто. Он подкатил к станции, и люди сели. Как только дверь закрылась за последним пассажиром, автобус тронулся. Но вокруг станции были и другие люди. Следом отбывал другой автобус, чтобы отвезти людей на юг в Майами. Бомбиста увидели бы. Нет, взрывчатку на автобус поставили не здесь...

Роби прошел к зданию станции. Поглядел через зеркальное стекло, чтобы проверить, не сидит ли за стойкой женщина, продавшая ему билет. Другая. В отсутствии камер наблюдения и внутри, и снаружи здания он убедился заранее. Должно быть, у компании нет денег на такую ерунду.

Роби зашел внутрь. Станция обветшавшая, под стать автобусам компании. Подойдя к стойке, он встал в очередь за крупной женщиной с младенцем, прильнувшим к ее груди. Второй ребенок был в автомобильной переноске, и женщина покачивала ее взад и вперед. Это зрелище мигом напомнило Роби о Джейн Уинд и ее двух детях.

Наконец дойдя до стойки, он увидел молодую женщину, глянувшую на него со скучающим видом. Без малого одиннадцать, и ей, вероятно, уже не терпится уйти.

– Могу я вам помочь? – промямлила она.

Уилл продемонстрировал документы.

– Я расследую подрыв одного из ваших автобусов.

Женщина выпрямилась на стуле и прониклась вниманием.

– Хорошо.

– Мне нужно, чтобы вы рассказали, откуда выезжают автобусы, прежде чем прибыть сюда и взять пассажиров.

– Наш ремонтно-технический центр в двух кварталах отсюда. Водитель отмечается там, получает график маршрута, а затем автобус проходит проверку на безопасность. Заодно заправляется, моется и все такое.

– Дайте мне точный адрес.

Записав адрес, она отдала листок Роби.

– Спасибо, – кивнул тот. – Во сколько вы заканчиваете?

Женщина приподняла брови, словно подумав, что он за ней приударяет, и отнюдь не обрадовавшись этому.

– В полночь, – настороженно произнесла она. – И у меня есть парень.

– Не сомневаюсь. Вы посещаете учебное заведение?

– Католический университет.

Роби окинул взглядом гнетущий интерьер шлакоблочной постройки.

– Учитесь прилежно, – сказал он. – И никогда не глядите назад.

Затем забрался в свой «Вольво» и поехал на два квартала к югу.

Ворота ремонтно-технического центра были закрыты и заперты на замок. В конце концов Роби удалось привлечь внимание охранника, делавшего обход. Тот отнесся к нему с подозрением, рассеявшимся, когда Роби козырнул бляхой. Охранник отпер ворота.

— Агенты ФБР уже здесь побывали, — сообщил страж. — И представители НКБП[1] тоже — проверяли, не был ли автобус не в порядке.

— Был?

— Кабы я знал!.. Чем еще могу вам помочь?

— Растолкуйте мне, как готовят автобусы к рейсу.

— Да я-то не особо в курсе. Мне платят лишь за то, чтобы я ходил вокруг на всякий пожарный случай. А в этих окрестностях таких случаев хоть отбавляй.

— А кто в курсе? Этот человек здесь?

— Вон там есть два кадра, — охранник указал на старое кирпичное здание. — Работают до двух часов ночи.

— Имена?

— Честер и Уилли.

— Давно они здесь трудятся?

— Да я сам здесь только с месяц. Они уже были здесь. Не знаю, с каких времен.

— Спасибо.

Распахнув дверь, Роби оглядел гулкое пространство с высокими потолками, рядами трубчатых ламп дневного света, пятью припаркованными автобусами, инструментальными ящиками на колесиках, генераторами и переносками в решетчатых плафонах. Все пропитывал запах машинного масла, консистентной смазки и топлива.

— Есть кто живой? — окликнул он.

Из-за передка автобуса, вытирая руки грязной ветошью, вышел высокий, худой чернокожий в рабочем комбинезоне.

— Чем могу служить?

Роби показал документы.

— Нужно задать несколько вопросов.

— «Фараоны» уже наведывались.

---

[1] Национальный комитет безопасности перевозок.

— А я просто еще один наведавшийся «фараон», — ответил Роби. — Вы Честер или Уилли? Охранник снаружи мне сказал, — добавил он, перехватив подозрительный взгляд механика.

— Уилли. Честер под автобусом, снимает трансмиссию.

— Тогда пробегитесь со мной по процедуре прохождения автобусов.

— Они прибывают часов за шесть до отправления по графику. Мы прогоняем их здесь. Есть контрольный список обслуживания. Проверка двигателя, охлаждающей жидкости, глубины протекторов, тормозов, гидравлической жидкости, уборка и мойка автобуса изнутри от всей дряни, что люди оставляют после себя... Потом ведем его за здание в мойку. Мойка снаружи. Потом заправляем его у колонки возле передних ворот. Потом он стоит, пока водитель не проверит и не уведет к станции.

— Ладно.

— Слушайте, я показывал чувакам журнал обслуживания. В том автобусе не было ничё такого, чтобы он взорвался. Знаю, видок у нас аховый, но к работе мы тут подходим всерьез. Должна найтись какая-нибудь бомба.

— Вы можете показать, где автобус отстаивается?

— Слышь, чел, мне надо перелопатить на трех автобусах гору дерьма.

— Буду искренне благодарен, — Роби указал в сторону двери.

Уилли со вздохом повел его наружу и вокруг здания. И указал на место у забора.

— Их паркуют прямо туточки, до поры когда покажется водитель.

— И сколько автобусов стояло тут в ту ночь, когда один взорвался?

— Два. Бок о бок. Один до Нью-Йорка, а второй на юга́, до Майами.

— Ладно, пусть кто-то хочет сунуть бомбу в определенный автобус. Как он узнает, где какой?

— Вы просите меня думать, как какой-то маньяк?

— А снаружи автобуса никаких признаков, которые могут подсказать?

— А, само собой. Номер на автобусе спереди. Сто двенадцатый идет в Нью-Йорк. Девяносто седьмой рейс следует до Майами.

— Значит, тот, кто подсунул бомбу, — подытожил Роби, — смог бы понять, где какой автобус, если б располагал графиком или посмотрел в онлайне?

— Надо думать, так.

— Или если б работал здесь.

Уилли попятился.

— Слышь, чел, я без понятия, как кто-то сунул бомбу в один из наших автобусов, если это так. И чертовски уверен, что не помогал в этом. Я знал двоих из подорвавшихся. Один был мне другом, а другая — мамина знакомая. Ездила в Нью-Йорк что ни месяц навещать внучку. Садилась в автобус в окаянном халате. Я думал, это смешно... Больше-то уж мне не смешно. Когда мама узнала, ее едва сердечный приступ не хватил.

Роби подумал о поездке в автобусе, о старушке в халате, поднявшей визг.

— Значит, сто двенадцатый идет в Нью-Йорк. — Он смерил взглядом ограду. Перебраться не так уж трудно. Должно быть, минер перескочил через забор, когда охранник был в другом конце территории. Поставил бомбу и скрылся. Не больше минуты.

Он поглядел на Уилли.

— В ту ночь — сколько сто двенадцатый автобус стоял тут, прежде чем подоспел водитель?

Уилли задумался.

— Да работы с ним было немного. Из последнего рейса вернулся рано. Честер прошелся по контрольному списку, пропылесосил внутрях. Я провел мойку снаружи, заправил и припарковал. Часа два-три.

Роби кивнул:

— Никого подозрительного вокруг не видели?

— Да я почти не выхожу, всё время работаю с автобусами. Охранник мог что-нибудь видеть, да и то навряд ли.

— Почему это?

— Да он чаще жрет у себя в караулке, чем разгуливает, улавливаете, о чем я? Потому-то и жирный такой.

— Ладно.

— Можно теперь вернуться к работе?

— Спасибо за информацию.

Покинув его, Уилли зашел обратно в здание.

Роби стоял в темноте, пялясь на то место, где стоял 112-й. Подрывник заминировал автобус. Роби сел в автобус. Роби сошел с автобуса. Автобус взорвался. В переулок отправили стрелка доделать работу. Кому-то он отчаянно понадобился.

И тут до него дошло кое-что еще. «Впрочем, может, и не так уж отчаянно...»

— Занимаетесь частным сыском на досуге?

Обернувшись, Уилл посмотрел сквозь забор из рабицы. С той стороны на него воззрилась Николь Вэнс.

Глава 52

Он вышел через открытые ворота.

— Где вы были все это время? — поинтересовалась Вэнс.

— Давайте вернемся к «Доннеллиз», — заявил Роби.

— Зачем?

— Хочу проверить то, что должен был сделать уже давно.

Пятнадцать минут спустя Уилл стоял на том же месте, где был в тот вечер, когда MP-5 попытался оборвать его жизнь. Посмотрел туда, где стоял внедорожник, потом на свое укрытие позади мусорных баков, а затем через плечо на расколотое зеркальное стекло фасада. Прошелся взад-вперед, мысленным взором запечатлевая схему выстрелов нападавших.

— Общее число убитых и раненых на данный момент? — осведомился он у Вэнс, наблюдавшей за его действиями.

— Шестеро убитых, пятеро раненых. Один еще в больнице, но, похоже, выкарабкается.

— Но не мы, — проронил Роби.

— Что?

— Мы не мертвы.

— Несколько самоочевидное умозаключение, — сухо заметила Вэнс.

— Одиннадцать ранений, шесть из них смертельные, да притом стрелок нас даже не задел? Мы были ближайшей мишенью, прямо как на ладони. Нас прикрывали лишь алюминиевые бачки для мусора; очередь из тридцати выстрелов — и ледяное ложе в морге округа Колумбия гарантировано.

— Вы утверждаете, что стрелок промахнулся мимо нас намеренно?

Оглянувшись, Роби встретил ошеломленный взгляд Вэнс.

— Как такое может быть? — спросила она.

— А как может быть, чтобы стрелок промазал по нам, стреляя практически в упор из оружия, сконструированного для массового уничтожения в ближнем бою? Должно было быть не меньше восьми трупов, включая меня и вас. Поглядите-ка на расположение выстрелов. Он стрелял *вокруг* нас.

— Тогда ради чего они убили всех этих людей? Ради предупреждения? Это как-то связано с делом Уинд? Взрывом автобуса?

Уилл ей не ответил. Его мысли неслись чехардой, увлекая его в направлении, которое ему прежде даже не мерещилось.

— Роби?

Он обернулся.

— Пожалуй, если взглянуть на дело подобным образом, — медленно проговорила Вэнс, — то сказанное вами не лишено смысла. Пожалуй, мы должны быть мертвы. Тогда это имеет отношение к Уиндам, или к автобусу, или и к тем, и к другому.

— Нет, ничуть.

— Но, Роби...

Он снова отвернулся от нее, чтобы приглядеться к месту на улице, откуда внедорожник предпринял свое нападение.

«Кто-то пометил меня. Кто-то играет со мной, пытаясь заморочить. Кто-то поблизости пытается допечь меня, заставить свихнуться».

— Роби, у вас есть враги? — спросила Вэнс.

— Что-то никто не приходит на ум, — рассеянно отозвался он, про себя подумав: «Не считая пары сотен».

— Вы что-то от меня умалчиваете? — не унималась Вэнс.

Оборвав раздумья, он потер затылок.

— Вы мне всё сказали?

— Что?

— Вы мне всё сказали? — повернувшись к ней лицом, требовательно вопросил Роби.

— Пожалуй, нет.

— Тогда вот вам и ответ.

— Но вы сказали, что я могу вам верить.

— Вы можете, но у вас свое агентство, а у меня свое. Я подразумеваю, что вы говорите мне всё, что можете, а я делаю то же самое. Мне надо рапортовать начальству, и вам тоже. Всё в пределах. Но это не значит, что мы не можем работать вместе, чтобы сделать дело.

Потупив взор, Вэнс носком туфли подпихнула сигаретный окурок.

– Значит, вы обнаружили в цехе техобслуживания автобусов нечто такое, что *можете* мне поведать?

– Что автобус долго был на стоянке – достаточно долго, чтобы кто-то подложил в него бомбу.

– То есть подрывник знал, что мишень будет в автобусе.

– У нас есть список пассажиров?

– Лишь частичный. Только на тех, кто платил кредитными картами. Платившие налом нам неизвестны, если только кто-нибудь из членов семьи или друг не сообщит, что это лицо находилось в автобусе.

– И сколько человек было в автобусе?

– Тридцать шесть плюс водитель. Мы проверяем прошлое всех известных лиц из автобуса. Это двадцать девять человек. Остаются восемь неустановленных личностей. Вероятно, пришли той ночью пешком и заплатили за билеты наличными.

«Включая Джули и ликвидатора», – отметил про себя Роби.

– Можно посмотреть список?

Достав свой телефон, Вэнс нажала несколько кнопок и выставила экран на обозрение Роби. Тот пробежал взглядом по списку. Джули в нем не было. Как, к счастью, и Джеральда Диксона, откуда следовало, что для покупки билета Джули его кредитную карту не использовала. Но больше ни одно имя в списке ему ничего не говорило, не считая псевдонима, под которым Роби забронировал билет для себя.

Ладно, мишенью был он, а не Джули. Но, с другой стороны, к чему реально стараться убить его в автобусе, а затем намеренно мазать по нему, когда он был в зоне поражения MP-5?

«План изменился, вот почему. Им нужна была моя смерть. Теперь я им нужен живой. Но зачем?»

— Роби?

Оторвав взгляд от экрана, он увидел, что Вэнс смотрит на него.

— Я не узнаю в списке никого, — опять соврал ей Уилл. Нагромождение лжи растет прямо на глазах.

— Значит, мишень нам по-прежнему неизвестна.

Роби не хотел лгать ей снова настолько скоро и потому сказал:

— Есть что-нибудь новое на Рика Уинда?

— Судмедэксперт провел вскрытие. Причиной смерти стало удушение.

— Как?

— Главной подсказкой стали петехиальные кровотечения. Поначалу он даже не знал, как это осуществили. Не подушкой на лице, ничего подобного.

— А зачем скрывать способ убийства? — сделав долгий вдох, спросил Роби.

— Так труднее установить, кто его осуществил.

— Может, и да, а может, и нет.

— Но в конце концов он выяснил способ убийства.

— И почему же нельзя было сказать об этом сразу же? — Уилл поглядел на Вэнс.

— Люблю мелодраматичность.

— Так как же его убили, Вэнс? — не вытерпел Роби.

— Вогнали отрезанный язык ему в горло, как затычку. Использовали его собственный отрезанный язык, чтобы убить его, — не менее резко ответила она.

— Спасибо, — лаконично бросил он.

— Слушайте, если убийства Джейн Уинд и ее мужа и взрыв автобуса связаны, должны быть какие-то общие знаменатели.

— Взаимосвязанными вы считаете их только из-за пистолета. Пистолета, которым не воспользовались для убийства Джейн Уинд и ее сына. Я уже говорил: тот, кто был в той квартире, мог просто вышвырнуть его после бегства из квартиры. Он мог не иметь к взрыву автобуса никакого отношения.

— А мог и иметь.

— Вы правда верите в это или только хотите внести в свое резюме арест террориста и приговор убийце?

— Мое резюме прекрасно обойдется и без этого дела, — огрызнулась Вэнс.

— Я только говорил, что не надо искусственно сужать поле зрения. Если дела не связаны, пытаться их состыковать неразумно. Вы строите предположения и принимаете решения, исходя из этих предположений, которых в противном случае не приняли бы. И попутно загоняете круглые колышки в квадратные лунки. Ответ вы получите, но ответ неправильный. И весьма сомнительно, что у вас будет второй шанс исправить его.

— Ладно, — она сплела руки на груди, — а что сделали бы вы?

— Работал бы над обоими делами, но параллельно. И не сливал бы потоки, пока не получил бы непоколебимые доказательства взаимосвязи. А это что-то более солидное, нежели пистолет рядом с местом событий.

— Ладно, это действительно не лишено смысла.

Роби бросил взгляд на часы.

— Собираюсь перехватить пару часов сна. Если что-нибудь всплывет, можете меня разбудить.

— Теперь у вас есть где переночевать? Если нет, добро пожаловать завалиться ко мне.

— Вы уверены? — Роби уставился на нее.

— А почему нет?

— Вы боялись, что вас с дерьмом съедят, хотя я и спал на диване.

— Вы не болтаете. Я не болтаю. И даже если это откроется, всё сугубо профессионально, так что пошли бы они в задницу. В общем, сделайте одолжение.

— У меня есть жилье. Если ситуация изменится, я дам вам знать. Спасибо.

Роби направился к машине. Предложение он отверг не без причины.

При его роде деятельности одолжения не даются даром почти никогда.

А еще он хотел проведать Джули.

Глава 53

Роби отпер дверь и выключил сигнализацию. Потом закрыл и запер дверь и снова активировал систему.

— Джули?

Двинулся по коридору, положив ладонь на рукоятку оружия.

— Джули?

Миновал три комнаты, прежде чем добрался до ее спальни. Чуть приоткрыл дверь. Она спала в постели. Для пущей уверенности Роби дождался, когда ее грудь ровно поднимется и опадет три раза. Затем закрыл дверь и пошел по коридору в свою спальню.

Сел на кровать, но раздеваться не стал, чувствуя и холод, и жар одновременно. Его телефон зазвонил. Первым делом Роби подумал, что это Вэнс, но звонила не она.

А Синий.

— У вас есть что-то для меня? — спросил он, ответив на звонок.

— Лео Брум — федерал. Работает как пресс-атташе по общественным связям.

— На какое агентство? Минобороны?

— Нет. Минсельхоз.

— Министерство сельского хозяйства?! — воскликнул Роби. — Шутите!

— Нет, не шучу.

— Что еще у него в биографии?

— Как раз сейчас шлют вам по электронке. Почитайте. И посмотрите, что вас зацепит.

— Должно же там что-то быть, — заметил Роби.

— Так найдите.

Ящик входящей электронной почты Уилла динькнул. Он нажал нужные клавиши и вызвал историю профессиональной жизни Лео Брума. Внимательно прочел. Потом перечитал, расставляя по порядку определенные элементы, казавшиеся наиболее многообещающими.

— Ты чего встала? — спросил он, не поднимая головы.

Джули с сонными видом стояла на пороге в тренировочных брюках и футболке с длинными рукавами.

— Как вы вообще поняли, что я тут стою? Я же не издала ни звука.

— Каждый издает звуки независимо от того, что делает.

— По-моему, у вас глаза на затылке, Уилл.

— Вообще-то хотелось бы иметь...

Она села в кресло напротив него.

— Нашли что-нибудь?

— Да. Но по большей части логики — нет.

— А вы расскажите ту часть, где логика есть.

— По-моему, мишенью для бомбы был я, а не ты.

— Это утешает. Значит, меня убить пытался только один человек?

— Лео Брум работает в Министерстве сельского хозяйства.

— А шпионы там работают?

— Сомнительно. Хоть субсидии на кукурузу и прибыльны, но не настолько, чтобы злоумышленники так уж били копытом.

— Так какая же связь?

— Может, никакой. А с другой стороны, может, и есть. — Роби продемонстрировал экран телефона. — Притом Брум был и в войсках. Первая война в Заливе.

— И что?

— Помнишь убитых женщину и ребенка? Ее бывший муж тоже найден убитым. Он тоже был в войсках. Может, они с Брумом знали друг друга.

— И если да, то что они могли знать такого, чтобы заслужить смерть? И как это связано с убийством моих родителей?

— Не знаю. Я еще работаю над возможными гипотезами.

— И вы сказали, что автобус взорвали, потому что хотели убить вас. За что?

— За вещи, говорить о которых с тобой я не могу.

Джули просто сидела, глядя на него. Роби не догадывался, каким будет следующий вопрос, но сомневался, что сможет ответить на него правдиво. Окинув взглядом тесные пределы комнаты, на долгий миг он ощутил острый приступ клаустрофобии.

— Как по-вашему, что сделали с телами моих родителей?

Вопрос оказался для Роби полнейшей неожиданностью, но был он вполне законным. Уилл пригляделся к Джули, пытаясь прочесть в вопросе более глубокий подтекст, которого, возможно, и не было. В конце концов, она еще ребенок, несмотря на уличные университеты, несмотря на свои мозги. Она горюет по родителям. Она хочет знать, где они. Это он ухватил.

— Вероятно, в таком месте, где их никогда не найдут, — сказал Роби. — Помни их такими, какими знала. Не думай о том, где они теперь, ладно? Ничего хорошего тебе это не даст.

— Легко сказать...

— Да, сказать легко, но, по-моему, сказать надо.

Роби ожидал, что она не выдержит и заплачет. Дети должны так поступать — во всяком случае, ему так говорили. Сам он ребенком никогда не плакал. Но его детство не напоминало нормальное даже отдаленно.

Однако Джули не сорвалась. Даже носом не шмыгнула. Не заплакала. Просто поглядела на него. Выражение ее лица было ледяным.

— Я хочу убить того, кто это сделал.

— Субъект, совершивший это, был в том автобусе. Он обратился в золу. Хватит терзаться из-за него. С ним покончено.

— Я говорю не о нем, и вы это знаете.

— Убить человека не так просто, как кажется.

— А мне будет просто.

— Убивая человека, теряешь с ним часть себя.

— Смахивает на цитату из какого-то дурацкого кино.

— Может, и смахивает, но именно это и чувствуешь.

— Вы много об этом знаете?

— А ты как думаешь? — сухо отозвался он.

Она отвела взгляд, нервно потирая ладони.

— Может, этот мужик Уинд сказал что-то Брумам, а те сказали что-то моим родителям?

— Да, может. По правде говоря, это самая многообещающая линия расследования.

— И вы исполняете эту роль с суперагентом Вэнс?

Роби отделался молчанием.

— Значит, вы не работаете с ней над этим?

— Я работаю с ней над *частью* этого.

— Лады, усекла.

— Правда? — переспросил Роби.

— Я тоже хочу быть частью этого.

— Ты и есть. Ты помогаешь мне.

— Но я хочу помогать больше.

— Ты имеешь в виду, что хочешь найти ответственных за злодеяние и убить их?

— А вы бы не хотели?

— Быть может. Но тебе надо хорошенько подумать.

— Вы мне поможете убить их? Я знаю, вы можете.

— Тебе надо вернуться в постель, — негромко проронил Роби.

— Пацанка путается под ногами, верно? Вот вы что думаете, так? Сунули меня в этот ящик?

— Я не собираюсь участвовать в засовывании тебя в ящик, а уж тем паче в гроб.

Эта реплика заставила Джули просто-таки одеревенеть.

— Ты должна уяснить, — медленно проговорил он, — что это не игра, Джули. Это не кино, не телесериал и не игра для «Плейстейшн». Ты хочешь их убить. Чудесно, это я усёк. Это естественно. Но ты не убийца. Ты ненавидишь их, однако, когда дойдет до дела, убить их не сможешь. Однако имей в виду одно.

— Что же? — с перехваченным горлом спросила Джули.

— Что они хотят твоей смерти. И когда у них будет шанс, они-то не станут колебаться ни секунды. Ты станешь трупом. И кнопки сброса не будет.

— А если я скажу, что мне плевать?

— Я сказал бы, что ты юна и считаешь себя бессмертной.

— Я знаю, что однажды умру. Вопрос только, когда и как.

— И ответ должен гласить: спустя восемь десятков лет от сегодняшнего дня и мирно во сне.

— Жизнь устроена не так. Во всяком случае, моя.

— Нелепо так думать.

— Поглядите-ка, кто заговорил!.. Сам-то далеко не образчик осмотрительности.

— Это мой выбор.

— К тому я и веду. Это выбор. *Мой* выбор.

Встав, Джули ушла к себе в комнату.

А Уилл так и сидел, глядя на то место, где она была.

Глава 54

Было два часа ночи. Роби проспал ровно час, а затем его глаза распахнулись. По долгому опыту он знал, что попросту лежать бесполезно. Встав, он прошлепал босиком в гостиную напротив своей квартиры и подошел к окну. Округ Колумбия уснул — по крайней мере, обычные граждане. Однако тут есть целый обширный мир, который не спит никогда. Это чрезвычайно квалифицированные, чрезвычайно мотивированные люди, пребывающие на высоте положения в ночные часы, чтобы уберечь своих сограждан от беды.

Роби знал это, потому что волею судьбы оказался одним из них. Так было не всегда. Он врастал в эту работу годами. Но это вовсе не значит, что она ему по душе.

Уилл приложил глаз к телескопу. В фокусе оказалось здание через улицу. Он подвел пятно обзора к своему этажу. Все окна погашены, кроме одного.

Энни Ламберт на ногах. Роби проследил, как она идет из спальни в кухню. На ней были черные тайтсы и футболка, доходившая ей до середины бедер. Майка «Нью-Ингленд пэтриотс», отметил он про себя. Команда не очень популярная в округе Колумбия, из всех команд Национальной футбольной лиги обожающем, понятное дело, «Вашингтон редскинз». Но она из Коннектикута, да к тому же в уединении собственного дома...

Тó еще уединение, с легким угрызением совести подумал Роби. Но продолжил наблюдение.

Вытянув книгу с полки у стены, Ламберт села и открыла ее. И, читая, поглощала йогурт ложка за ложкой.

Сегодня бессонница донимает не его одного.

Он снова ощутил смущение, что подглядывает за ней. Твердил себе, что имеет профессиональные основания, но это была неправда.

Достал полученную от нее визитную карточку и, не давая себе времени передумать, набрал номер ее мобильного. Увидел в телескоп, как она протянула руку и подхватила телефон со стола.

– Алло?

– Это Уилл.

Увидел, как она села прямее и отставила йогурт.

– Эй, как дела?

– Не мог уснуть. Надеюсь, не разбудил.

— Я не спала. Просто сидела, объедаясь йогуртом.

— Быстрый метаболизм? Чизбургер уже усвоился?

— Что-то типа того.

Помолчав, Роби заглянул в телескоп. Энни накручивала прядь волос на палец, подобрав ноги под себя. Он ощутил, как ладони его взмокли, а в горле пересохло, словно он опять в старших классах собрался заговорить с девушкой, на которую запал.

— Знаете, — сказал он, — с крыши нашего здания открывается чудный вид. Вы когда-нибудь там бывали?

— Я не знала, что туда можно попасть. Разве там не заперто или вроде того?

— Замок — не проблема, если есть ключ.

— У вас есть ключ? — спросила Ламберт голосом, зазвеневшим девичьей радостью оттого, что ей поведали классный секретик.

— А если я встречу вас на лестничной площадке через десять минут?

— Правда? Вы серьезно?

— Я не звоню людям в два часа ночи, если настроен на шуточный лад.

— Быть посему.

Ламберт дала отбой, и Роби изумленно узрел, как она подскочила и устремилась по коридору бегом — очевидно, переодеваться.

Ровно через девять минут он стоял у входа на лестничную площадку, когда Энни поспешно выскочила к нему. Она переоделась в юбку по колено, блузку и сандалии. А заодно прихватила свитер, потому что на улице было зябко.

— На дежурство прибыла, сэр! — отрапортовала Ламберт.

— Ну так сделаем это, — отозвался Роби.

И повел ее вверх по лестнице. Дойдя до запертой двери на крышу, извлек свой набор отмычек, и вскоре дверь распахнулась.

— Это не ключ, — заметила Энни, восхищенно улыбнувшись его умению. — Вы просто подобрали отмычку.

— Отмычка — тот же ключ, но кличут по-другому. Более поэтично мне и не высказаться.

Она последовала за ним по короткой лесенке, через тамбур и вторую дверь. Плоская кровля была загерметизирована асфальтом, излучавшим легкое тепло.

Роби выудил из-под пиджака бутылку вина.

— Надеюсь, вы любите красное.

— Я обожаю красное. Мы что, по очереди будем хлебать из горлá?

Роби извлек из кармана два пластиковых бокала. Откупорив бутылку, налил вина.

Стоя у края крыши, они поставили локти и бокалы на парапет высотой по грудь.

— Чудесно, — признала Ламберт. — Я как-то никогда не задумывалась, что отсюда может открываться какой-то вид. Просто смотрела из окна и наблюдала здание напротив.

Роби ощутил укор совести, подумав о своем «гнезде» в том здании с видом на ее квартиру.

— Вид есть из каждого дома, — с запинкой выговорил он. — Просто некоторые лучше других.

— Эй, да это поэзия! — Ламберт подтолкнула его локтем.

Овеваемые ласковым ветерком, они потягивали вино и болтали. Беседа была совершенно невинной, но все же помогла принести Роби толику облегчения и умиротворения. У него нет времени на подобные фортели — и это одна из причин, почему так важно было *сделать* это.

— Я еще ни разу не вытворяла подобного, — призналась Ламберт.

— Я уже поднимался сюда, только без компании.

— Значит, я удостоена чести, — заключила Энни. Снова окинула взором окрестности. — Похоже, здесь хорошее местечко для размышлений.

— Могу показать, как открыть замок, — предложил Роби.

— Вообще-то это могло бы пригодиться, — она улыбнулась. — Я вечно забываю ключи.

Минуло еще минут тридцать, и Уилл сказал:

— Что ж, пожалуй, пора трубить отбой. — Поглядел на часы. — А вы можете отправляться в душ и собираться на работу. Мне кажется, в сне вы почти не нуждаетесь.

— Кто бы говорил!

Роби проводил ее до двери квартиры.

— Мне очень понравилось, — обернувшись, промолвила Энни.

— Как и мне.

— Я мало вижусь с людьми с тех пор, как поселилась тут.

— Наладится. Просто нужно время.

— В смысле, я очень рада, что встретила тебя. — Она поцеловала его в губы, задержав пальцы у него на груди. — Доброй ночи.

Ламберт зашла к себе, а Роби все стоял, даже толком не зная, что чувствует. Что ж, быть может, он просто не чувствовал такого уже очень давно...

Наконец повернулся и зашагал прочь. Такого замешательства и неуверенности в себе Уилл не испытывал еще ни разу в жизни.

Глава 55

В другое здание Роби вернулся через несколько минут. Отчасти ему хотелось последить за Ламберт через телескоп, увидеть ее реакцию сегодня ночью. Хотя ее поцелуй, наверное, поведал все, что ему нужно знать. Уилл представил, как она принимает душ и собирается на работу. А может, тоже будет думать о нем сегодня, делая какую-нибудь важную для страны работу...

И после этого мысли Роби снова сфокусировались на том, что ждет его впереди. Пора ему тоже вернуться к работе.

Он заглянул к Джули и нашел ее крепко спящей.

Принял душ, оделся и вышел, включив сигнализацию.

Роби ехал по пустынным улицам. Это были не бесцельные блуждания. Надо было посетить разные места, подумать о многом.

Разминулся с машиной военной полиции, мчавшейся в противоположном направлении, посверкивая в темноте синим пунктиром огней. Кто-то в беде. Или погиб.

Первой остановкой Роби стал дом Джули.

Поставив машину в квартале от дома, Уилл подобрался к нему сзади. Минуту спустя он уже был в дуплексе. Двинулся по темному интерьеру, освещая себе путь миниатюрным фонариком. Он знал, на что хочет взглянуть.

Убийство двух человек здесь заставило Джули податься в бега. Трупы убрали, а место простерилизовали. Но до какой именно степени, Роби и пришел сегодня выяснять. В какой-то момент исчезновение Гетти повлечет появление полицейских. Они придут сюда и найдут пустой дом. Сопоставят, что Джули была или хотя бы должна была быть в опеке. Попытаются найти ее. Не сумеют. Придут к выводу, что Гетти скрылись все вместе по какой-то причине — скорее всего, чтобы сбежать от скопившихся долгов или дилеров, требующих уплаты за наркотики, которые Гетти, как известно, употребляли.

Полиция уделит этому какое-то время, но немного. Без улик насильственной кончины Гетти следствие положат в долгий ящик. Полицейский департамент большого города не может позволить себе роскошь тратить время и ресурсы на дела вроде этого.

Наклонившись, Роби вгляделся в отметинку на стене. На его взгляд, кровь, но полиция может ее даже не заметить. А если и заметит, то не станет отправлять на анализ. Это потребует бумажной работы, времени технических служб и работы лаборатории. И чего ради?

Но Роби этот крохотный мазок кое-что поведал.

«Капля брызнувшей крови. Они захватили всё, кроме этого места. Место не скрыто от глаз. Прямо на виду. Им следовало зачистить его или покрасить, как в другой части».

Роби выпрямился. Эта отметина – послание.

Гетти мертвы. В этом он не усомнился ни на миг.

Но кому адресовано это послание?

Им известно, что Джули знает о смерти родителей. Убийство разыгралось у нее на глазах.

Для кого-то из друзей Гетти? Того, кто мог бы обратиться в полицию, но не станет, если будет знать, что те убиты?

Это натяжка, решил Роби. Друг мог вообще не углядеть эту отметину, а если б и углядел, то не понял бы, что это такое.

«Зато я ее углядел бы. И понял бы, что это».

Он обыскал остальную часть дома, закончив в спальне Джули. Посветил своим крохотным фонариком по сторонам. Увидел в углу лежащего на боку плюшевого медвежонка. Прихватил его и положил в принесенный рюкзачок. Рядом с кроватью стояло фото Джули с родителями. Его Роби тоже спрятал в рюкзак.

При следующей встрече с Джули он отдаст их ей.

Следующей остановкой был дом Рика Уинда. Не место работы, где кто-то отрезал ему язык, а после запихнул ему же в глотку. Уилл направлялся в дом Рика Уинда в Мэриленде.

Но попасть туда ему было не суждено. Во всяком случае, сегодня.

Зажужжал телефон.

Звонил Синий.

– Мы нашли вашего контролера. Можете приехать поглядеть, что от него осталось.

Глава 56

Смрада не было. Сгоревший труп почти не пахнет. Мягкие ткани и телесные газы – спаренный движок криминалистического зловония – сгорели дотла. Обугленные останки praванивают, но не так уж скверно. Такой запах можно учуять в любом гамбургерном фастфуде или на пожарище.

Роби поглядел на массу почерневших костей, а потом, поверх них, – на стоявшего в двух футах Синего. Белая рубашка накрахмалена до хруста, кончик галстука указывает точнехонько на шесть часов. От лица веет гелем Кила от мешков под глазами. Еще пять утра, а у него вид – хоть сейчас давать презентацию для рейтинга «Форчун 500».

Синий сверху вниз взирал на черную шелуху, оставшуюся от человека. Человека, приказавшего Роби убить женщину и ребенка.

– Я понимаю, чувствовать сожаление по этому поводу трудновато, – сказал Синий, будто прочитав мысли Роби.

– Вообще-то сожаление в уравнение не входит, не так ли? – отозвался Роби. – Что нам известно?

– Его имя, должность и послужной список. Неизвестно недавнее местопребывание, причина измены и кто его убил.

Они стояли посреди парка в округе Фэрфакс, Вирджиния. Слева от Роби виднелся ромб бейсбольного поля Малой лиги. Справа – теннисные корты.

– Как я понимаю, его поджарили и оставили здесь совсем недавно, – высказался Роби.

– Поскольку никто из родителей не сообщил, что видел эту груду праха во время посещения детского бейсбольного матча вчера вечером, можно принять это предположение, – ответил Синий.

— Как его нашли?

— Мы получили анонимный телефонный звонок с исчерпывающей информацией.

— Вы уверены, что это он? Вы ведь не можете взять ДНК у обугленных костей, так ведь?

Синий указал на левый мизинец трупа — вернее, на место, где раньше был мизинец.

— Они весьма любезно покрыли этот палец огнезащитным составом. Мы удалили палец и провели сопоставление — и отпечатков, и ДНК. Это он.

— Телефонный звоночек, мизинчик-гостинчик... Они любезны не по-детски.

— И я так подумал.

— Вы сказали, не знаете, почему он стал перебежчиком?

— Мы проверяем все очевидные причины: секретные банковские счета, угрозы членам семьи, смену политических воззрений... Пока ничего определенного. Возможно, правду мы так и не узнаем.

— Прячут концы в воду, — заметил Роби. — Казалось бы, этому типу следовало понимать, что шансы на выживание у него практически нулевые.

— Всем предателям следовало бы это осознавать, но они все равно это делают... У вас возникли какие-нибудь идеи по поводу Лео Брума?

— Пока нет.

— По-моему, пора вам отчитаться, — Синий указал на внедорожник, припаркованный у бордюра.

— Да мне и рассказать-то почти нечего.

— Я на ногах. Там есть свежий кофе. Что бы вы ни поведали, это будет уже больше, чем я знаю на данный момент.

— А вы когда-нибудь задумывались о пенсии или каком-нибудь ином способе заработать на жизнь? — по пути к автомобилю поинтересовался Роби.

— Каждый день.

— И всё-таки до сих пор здесь...

Синий распахнул дверцу внедорожника.

— Я до сих пор здесь. Как и *вы*.

«Как и я», — подумал Роби.

Он опустился на заднее сиденье. Между Роби и Синим оставалось свободное пространство. Тот закрыл дверцу и указал на подставку с двумя чашками кофе между ними.

— Оба черные. Не люблю портить совершенно безупречный кофе сливками или сахаром.

— Тот же случай.

Кивнув, Роби взял чашку со своей стороны и поднес к губам. Синий поступил точно так же со своим кофе.

— Лео Брум? — осведомился он.

Уилл мог поведать ему все — да, пожалуй, и должен был, — но питал природную нерасположенность выкладывать все кому бы то ни было. А еще точнее, был не склонен говорить что бы то ни было кому бы то ни было.

— Мой контролер превратился в шашлык... — начал Роби.

— Я бы тоже никому не доверял, — перебил Синий, снова прочитав мысли собеседника. — Я не могу заставить вас рассказать, что вам известно.

И дал этому утверждению повиснуть в воздухе.

— А как же методы интенсивного допроса?

— Я в них не верю.

— Сейчас это официальная позиция агентства?

— Моя личная.

Роби несколько секунд поразмыслил.

— Девчонка была в автобусе. Ее зовут Джули Гетти. Мужик там пытался ее убить. Я его уложил. Мы сошли, а автобус взорвался. При взрыве я потерял пистолет. Мы отделались от стрелка в переулке, и она остановилась в моей второй квартире.

— А Лео Брум?

— Он — друг родителей Джули, Кёртиса и Сары. Которые, кстати, мертвы. Тип из автобуса убил их. Они что-то знали. Нужно проверить их прошлое. Тот, кто их убил, считал, что Джули знает то же, что знали ее родители. Она назвала мне имена их друзей. Брумы были в этом списке. Я съездил к ним на квартиру. Их нет. А помещение зачищено.

— Значит, они либо в бегах, либо тоже мертвы, — прокомментировал Синий.

— Смахивает на то.

— Брум из минсельхоза. Эпицентром шпионажа эту контору не назовешь.

— Зато он был в войсках, на Первой в Заливе, — ответил Роби.

— Это открывает некоторые возможности.

Уилл подался на сиденье вперед, отчего кожа сиденья слегка заскрипела. Снаружи следствие продолжалось. Техники пытались найти хоть какие-то следы тех, кто мог взять человеческое существо и превратить его в жаркое. Роби не возлагал на их успех ни малейших надежд. Убийцы, ведущие тебя к трупу под ручку, обычно следов не оставляют.

Он отхлебнул еще кофе, чтобы согреть горло и смазать его для дальнейшего разговора. Обычно разговоры ему не по душе. Ни о чём. Но сегодня он сделает исключение из этого правила. Ему нужна помощь.

— Есть еще кое-что, — начал Роби.

— Я почему-то так и предполагал, — ответил Синий.

— Поначалу я думал, что мишенью в автобусе была Джули. Теперь считаю, что это был я.

— Почему?

— Прежде всего причина в хронометраже. Бомбу в этот автобус установили за несколько часов до его отправления. Джули решила сесть на этот автобус спонтанно, когда бомба уже давно была заложена. Я же забронировал место под псевдонимом, ставшим известным тем, кому его знать не следовало. О том, что Джули будет в автобусе, они знать не могли. Зато знали, что буду я. К тому же бомбу установили, когда я к квартире Уинд еще и близко не подошел.

— Но кому надо вас убивать? Что вам известно такое, что могло бы им повредить?

— Этого я вычислить не могу, — Роби покачал головой. — Во всяком случае, пока.

— Вы должны быть мертвы, знаете ли, — вставил Синий.

— Вы имеете в виду, от взрыва бомбы?

— Нет, от перестрелки у «Доннеллиз».

— Знаю. Они позволили мне остаться в живых.

— Значит, сначала они хотели вашей смерти, но теперь хотят, чтобы вы жили?

— Изменение планов.

— Но почему? Вы им зачем-то нужны?

То, как Синий это произнес, заставило Роби посмотреть прямо на него.

— Думаете, я тоже переметнулся?

Синий устремил взгляд туда, где рабочие светильники криминалистов заливали светом останки, некогда бывшие человеком.

— Ну, если б и переметнулись, то определенно знали бы, что у вас нет будущего.

Глава 57

Роби поехал на север, в округ Принс-Джорджес, Мэриленд. Принс-Джорджес населен в основном представителями рабочего и среднего класса, включающими копов, пожарных и госслужащих промежуточного звена. Его более влиятельный сосед — округ Монтгомери — с лихвой отхватил свою долю адвокатов, банкиров и гендиректоров, живущих в громадных домищах на относительно крохотных клочках земли.

Рик Уинд жил на тесной улочке в округе, где люди ставят свои легковушки и грузовички у бордюра, а гаражи набивают вещами, вместить которые их крохотные домишки не в силах.

Полицейские тут присутствовали, однако никакой маркировочной ленты, отмечающей место преступления, не натягивали — в силу того простого факта, что здесь никакого преступления и не совершали.

Синий организовал звонок сюда загодя, и офицер на посту сразу же пропустил Роби, как только тот показал документы.

Поскольку здесь вообще-то могли иметься какие-то пригодные улики, перед входом в дом Уилл надел латексные перчатки и бахилы. Прошел через парадную дверь и закрыл ее за собой. Включил свет и огляделся. Очевидно, ломбардный бизнес Уинда шел ни шатко ни валко. Мебель в доме старая и потрепанная, ковровые покрытия запятнаны и истерты. Стены давным-давно пора перекрасить. В ноздри ударил запах фритюра. Уинда здесь нет уже давненько, жарить что бы то ни было некому, так что Роби заключил, что дом пропитался ароматами до самой сердцевины и никогда не избавится от них до самого сноса.

У одной из стен стоял стеллаж с несколькими книжками — в основном военными триллерами — и рядом фотографий в рамочках. Беря их одну за другой, Роби увидел Рика и Джейн Уинд и пару их сыновей, в живых из которых остался лишь один.

Семья на снимках выглядела счастливой, и Роби, на минутку дав мыслям волю, задумался, что же могло подтолкнуть супружество к распаду. Поставив последнее фото на место, он двинулся дальше. Дела сердечные вне сферы его компетенции.

Мало-помалу Уилл продвигался с первого этажа на второй. И не нашел ровным счетом ничего.

Обыскал подвал, и снова тупик. Ему попадались лишь сырость, плесень и коробки, набитые хламом.

Покинув дом, он зашел через боковую дверь в гараж на одну машину. По-видимому, полицейские тщательно всё обыскали и здесь, и в доме, но могли искать совсем не то, что требовалось.

«Если б я сам хотя бы знал, что ищу!»

Полчаса спустя Роби уселся в шезлонг посреди гаража и огляделся по сторонам. На него смотрели ручная газонокосилка, картонные коробки, электроинструмент, верстак, мотокоса, удобрения, разрозненный спортинвентарь и армейская каска, очевидно, оставшаяся у Уинда на память о службе в войсках.

На каске висели армейские жетоны Уинда. Встав, Роби взял их, прочел информацию, оказавшуюся не слишком-то полезной для него, и положил каску на место.

Напрасная поездка. Ну, хотя бы можно вычеркнуть ее из своего списка.

Посмотрел на часы — уже девятый час — и позвонил Вэнс.

— Есть время выпить кофе? — спросил он. — Я куплю.

— А чего ради вам вдруг захотелось?

— С чего вы взяли, что мне это нужно ради чего-то?

— Я наконец-то вас раскусила. Для вас миссия прежде всего.

«Быть может, она действительно меня раскусила».

— Ладно, — вслух сказал Уилл, — как насчет протокола вскрытия Рика Уинда?

— Зачем он вам?

— Это фрагмент расследования.

В трубке послышался вздох:

— Где и когда?

Роби назвал место встречи, выбрав его поближе к ней, но не слишком далеко для себя. И поехал обратно на юг через мост Вудро Уилсона, где угодил в плотное движение часа пик, но более-менее успешно проманеврировал через него. Когда же наконец прибыл в кафе на Кинг-стрит в Старом городе Александрии, Вэнс уже ждала его.

Сев за столик, Роби заметил, что она заказала для него кофе.

— Я знаю, какой вы любите, — пояснила Николь, накладывая сахар в свою чашку, без нужды добавив: — С той поры, как вы у меня переночевали.

— Спасибо. У вас есть протокол?

Вытащив папку из сумочки, она подвинула ее через столик к Роби. Папка была набита фотографиями тела Уинда под всеми возможными углами и детальным анализом его физического состояния и причины смерти. Уилл принялся изучать страницы, потягивая кофе.

— Вид у вас такой, словно вы были на ногах всю ночь, — заметила Вэнс.

— Не всю ночь. Только изрядную часть.

— Не нуждаетесь в сне?

— Отхватил добрых три часа, как и всякий другой.

Фыркнув, она пригубила кофе.

— Нашли что-нибудь интересное?

— Уинд был не в форме. Больное сердце и скверные почки, а в протоколе говорится, что печень и легкие тоже на подозрении.

— Он воевал на Ближнем Востоке. Знаете, какую дрянь там пускали в ход? Может учинить всякое...

— Правда?

— Мой старший брат участвовал в Первой войне в Заливе. Умер в сорок шесть. Его мозг выглядел как швейцарский сыр.

— Синдром войны в Заливе?

— Угу. Никогда не получает особого освещения в новостях. Слишком много оборонных долларов вбухано в кампанию. Правда никогда не выплывет.

— Сожалею о вашем брате. — Роби отложил папку.

— Ну что, нашли что-нибудь полезное? — поинтересовалась Вэнс.

— Любопытную татуировку у него на левом предплечье. — Выудив фото руки, он продемонстрировал его Николь.

— Знаю. Гадала, что это такое, — отозвалась она.

— Можете больше не гадать. Это спартанский воин в боевой стойке гоплита.

— Кого?

— Вы хоть раз смотрели фильм «Триста спартанцев»?

— Нет.

— В нем показано сражение между греками и персами. Персидская армия была куда больше, но греки воспользовались тесным ущельем, чтобы удерживать превосходящие силы. Предатель провел персов в обход. Спартанский царь отослал громадную часть греческой армии прочь, а сам остался дать бой персам с небольшим отрядом спартанцев. Это и есть триста воинов, показанных в фильме. Они использовали фалангу — гоплитское боевое построение. Сплоченные ряды в несколько шеренг глубиной с поднятыми щитами и выставленными копьями. Их перебили всех до единого, но у персов на это ушло много времени. К тому времени греческая армия ускользнула.

— Любопытный урок истории.

— Иметь подобную татуировку для Уинда вполне логично. Он из пехотинцев. Вы не против, если я придержу эту папку?

— Валяйте. У меня есть копии. Что-нибудь еще?

— Вообще-то нет.

Ее телефон просигналил.

— Вэнс.

Она выслушала, и Роби увидел, как глаза ее широко распахнулись.

Дав отбой, Николь поглядела на него.

— По-моему, мы только что дождались прорыва, в котором так нуждались.

— Правда? — Роби отхлебнул кофе, непринужденно глядя на нее.

— Только что объявилась свидетельница взрыва автобуса. Очевидно, она все видела.

— Замечательно, — произнес Уилл. — Просто замечательно.

Глава 58

— Хотите со мной? — спросила Вэнс, вставая из-за столика кафе.

— У меня назначена встреча в СКРМО, которую я обязан посетить. Где вы собираетесь допрашивать эту женщину? Во ВРУ?

— Да.

— Я могу подоспеть к вам попозже. Как ее зовут? Что она там делала? И почему объявилась только теперь?

«Неужели бездомная Диана Джордисон проскользнула сквозь пальцы у людей Синего и явилась в ФБР? Если так, она может сообщить Вэнс о встрече со мной».

— Ее зовут Мишель Коэн. Пока не располагаю информацией, но скоро буду. Звякните мне, как будете выезжать.

Они расстались у дверей. Роби поспешил к своему автомобилю и тут же тронулся. Затем, выудив телефон, позвонил Синему и ввел его в курс дела.

— На вашем месте я бы держался от этой свидетельницы на расстоянии, — лаконично прокомментировал тот.

— Думаю, это направление я и сам прикрыл. Но выясните о ней, что сможете. Джордисон у вас?

— Она в полном благополучии и довольно хорошо питается. Помылась и получила новую одежду. Наша помощь распространяется на поиски для нее пристойного трудоустройства?

— Да, распространяется, предпочтительно где-нибудь не здесь. И позаботьтесь, чтобы ей организовали солидный привесок в жалованье по сравнению с тем, что было.

Дав отбой, Роби прибавил газу, только что сообразив, что ему нужно срочно поговорить с Джули. А делать это по телефону он не хотел.

Когда Уилл открыл дверь, она уже поджидала его.

— Не представляю, долго ли еще смогу здесь сидеть сложа руки.

Он закрыл и запер за собой дверь. Сел напротив нее. Джули облачилась в джинсы, свитер, лаймово-зеленые теннисные туфли «Конверс» — и надела на лицо выражение негодования.

— Я жонглирую уймой мячей, — ответил он. — Прямо из кожи вон лезу.

— Я не хочу быть одним из мячиков, которыми вы жонглируете, — огрызнулась она.

— У меня есть к тебе вопрос. От твоего ответа зависит, насколько все осложнится.

— И какой же?

— Почему автобус? А конкретнее, почему именно этот автобус в ту ночь?

— Не понимаю.

— Это простой вопрос, Джули. Ты могла покинуть город массой путей. Почему же выбрала именно этот?

Если ответ окажется таким, как он предполагает, все осложнится не в пример прежнему. У него начинало пульсировать в голове при одной лишь мысли о такой возможности.

— Мама прислала мне весточку.

— Как? Ты же сказала, что мобильника у тебя нет.

— Она прислала записку в школу. Она часто так делала. Письмо кладут в твой почтовый ящик и посылают «мыло» твоему наставнику, что учащемуся прислали записку. Я пошла в канцелярию и взяла.

— Когда она ее прислала?

— Наверное, в тот день, когда я смылась от Диксонов. Доставлено лично.

— Это в канцелярии сказали, что твоя мама принесла ее сама?

— Нет, я просто предположила.

— И что там говорилось?

— Чтобы я вечером пришла домой. Что мои мама и папа собираются поменять жизнь. Начать с чистого листа.

— Похоже, они решили переехать.

— На этот счет я не была уверена, но понимала, что такое возможно. Главное, как только я получила записку, то сразу захотела сделать ноги из дома Диксонов. И тем же вечером забросила их фотки в агентство по опеке.

— Но как насчет автобуса?

— Это тоже было в записке. Мама сказала: если их не будет дома, чтобы я шла на автовокзал «Аутта Таун» и села на рейс сто двенадцать до Нью-Йорка. А они завтра утром встретят меня на автостанции управления порта. И вложили наличные в конверт, где была записка.

— Ты узнала мамин почерк?

— Записка была напечатана.

— Она часто присылала тебе напечатанные записки?

— Иногда. Пользовалась компьютером в закусочной. Там есть принтер.

— А почему просто не прийти в школу и не поговорить с тобой напрямую?

— Ей не разрешали. Я была в опеке. Ей не разрешали видеться со мной. Но она могла оставлять записки в канцелярии.

Роби откинулся на спинку кресла.

— Думаете, мама не писала эту записку? — Джули впилась в него взглядом.

— Думаю, весьма высоки шансы, что не писала.

— А зачем кому-то еще передавать мне эту информацию? И наличные?

— Затем, что кому-то требовалось усадить тебя в этот автобус. И слишком уж большое совпадение, что стоило тебе войти в дом, как к твоим родителям является субъект с пистолетом и начинает стрелять. И сама подумай, Джули: ты всерьез полагаешь, что человек, убивший твоих родителей, дал бы тебе улизнуть?

— Вы хотите сказать, все это подстава? И мне дали убежать? Чтобы я села в тот автобус?

— Да. Мы всё гадали, где были твои родители со времени, когда твоя мама ушла с работы, и до времени их прихода в дом. Думаю, их похитили и держали под замком, пока не увидели что ты проскользнула в дом.

— Но автобус заминировали. Если они собирались убить меня, почему не сделать это прямо дома?

— Не думаю, что таймер бомбы с датчиком движения был включен. По-моему, план состоял в том, что, если мы сойдем с автобуса, ее взорвут дистанционно. А если б не сошли, бомбу не трогали бы. Мы сошли бы в Нью-Йорке. Но этого не произошло бы.

— Почему?

— Человеку, убившему твоих родителей, приказали сесть в автобус и убить тебя. Очевидно, он не знал о бомбе, иначе ни за что не сел бы в него. Лояльность — одно, а жажда смерти — совсем другое. Они рассчитывали на тот факт, что я вмешаюсь, когда этот тип набросится на тебя. Тогда наиболее вероятным результатом будет, что мы оба сойдем с автобуса.

«Особенно если знали, от чего я бегу», — отметил Роби про себя.

— Вы говорите «мы», словно мы выступаем в паре.

— Думаю, именно так и случилось. Мы должны были объединиться.

— Но почему? Разве они не хотели нашей смерти?

— Очевидно, нет.

— Я могла пойти в полицию из-за родителей. А вы расследуете дело. Зачем им могло такое понадобиться?

— Они могли правильно предположить, что в полицию ты не пойдешь. И, может статься, они *хотели,* чтобы я повел расследование.

— Это бессмыслица.

— Если я прав, для кого-то это имеет смысл.

— Но разве они не боялись, что родители что-то мне сказали? Если из-за этого они убили этих других людей, то почему не меня?

— Ты уже ответила на этот вопрос. Ты была в опеке, вне досягаемости для родителей. Без мобильника. И когда твоя мама сказала субъекту, что ты ничего не знаешь, по-моему, они знали, что это правда.

Роби расстегнул молнию рюкзака, достал плюшевого мишку и фото, взятое из ее дома, и протянул Джули.

— Зачем вы туда ходили? — спросила она, глядя на эти предметы.

— Чтобы посмотреть, не прозевал ли я что-нибудь.

— И?..

— Ага. Они хотели, чтобы я заметил кровь. Хотели, чтобы я знал, что твои родители мертвы.

— Это и я могла вам сказать.

— Не в этом суть. Сверх того им хотелось, чтобы я знал, что мной играют.

— А как же мужик в переулке с винтовкой? Если они хотели, чтобы мы улизнули, зачем посылать его за нами? Автобус уже взорвался.

— Поначалу я думал, что это изменение планов с их стороны. Дескать, они хотели моей смерти, а потом расхотели. Но теперь я думаю, что они с самого начала планировали позволить мне уйти. Но знали, что, если это будет слишком легко, я проникнусь подозрениями.

— Легко?!

— У меня более высокие стандарты, чем у большинства, — во всяком случае, когда речь о выживании. Они должны были послать за мной еще кого-нибудь. Вероятно, это был снайпер из квартиры Уинд.

— Но если они хотели, чтобы в живых остались и вы, и я, это означает, что мы им зачем-то нужны... — медленно проговорила Джули.

— Именно так я и думал.

— Но зачем?

— Никто не прикладывает такой уймы усилий, не убивает такого множества людей без чертовски важной причины.

— И мы увязли в самой ее середке.

— Нет, мы увязли прямо *перед* ней, — возразил Роби.

Глава 59

Роби двинулся в путь вместе с Джули. Заставил ее собрать в рюкзак почти все вещи, толком ничего ей не объяснив.

Маневрируя на «Вольво» в уличном потоке, время от времени он поглядывал на нее. Перехватив его взгляд не раз и не два, Джули поинтересовалась:

— Что вы всё на меня смотрите?

«*Почему* я смотрю на нее? — задумался Роби. Ответ был под рукой, хоть и нежеланный. — Я несу ответственность не только за себя, и это доводит меня до безумия».

Его телефон зажужжал. Звонила Вэнс.

— Роби, вам нужно подъехать.

— Что там?

— Свидетельница Мишель Коэн видела, как с автобуса, прежде чем тот взорвался, сошли мужчина и девочка-подросток. А еще она сказала, что пистолет мужчины отлетел и угодил под машину. Это и есть пистолет, который мы нашли, связывающий дело с убийством Уинд. Значит, связь определенно есть. Я была права.

— Где же она была во время всех этих событий? И почему объявилась только теперь?

— Она замужем и выходила из отеля в том районе, проведя время с мужчиной, ее мужем не являющимся.

— Ладно, — медленно произнес Роби.

— Один из наших техников составил цифровое изображение по ее описанию мужчины и девочки. Скоро будет готово.

— Она не видела, куда они пошли?

— Они потеряли сознание на несколько секунд. Но потом скрылись в переулке.

— А ваша свидетельница просто пошла домой к муженьку?

— Коэн была напугана и дезориентирована. Придя домой и обдумав случившееся, решила все-таки явиться.

— Что известно о ее прошлом?

— А разве это имеет значение?

— Надо убедиться в том, что она говорит правду.

— Зачем ей лгать на такую тему?

— Не знаю. Но люди врут. Все время.

— Просто приезжайте. Я хочу, чтобы вы услышали ее историю, и у вас могут найтись к ней вопросы, которые мне в голову не пришли.

— Буду при первой же возможности.

— Роби!

Однако он уже дал отбой и сунул телефон в карман. Тот снова зажужжал, но Уилл его игнорировал, понимая, что это перезванивает Вэнс. А его ответ не изменится.

— Проблемы? — спросила Джули.

— И не одна.

— Непреодолимые?

— Увидим.

Девочка взяла папку, лежавшую между ними.

— Что это?

— Тебе вряд ли захочется на это смотреть.

— Почему? Это секретно?

— Вообще-то нет. Но это протокол посмертного вскрытия одного мужика.

— Какого мужика?

— А тебе-то что? — Роби глянул на нее.

— Это связано с тем, что произошло с моими родителями?

— Сомнительно.

— Но вы не уверены?

— Сейчас я не уверен ровным счетом ни в чем.

Открыв папку, она посмотрела на глянцевые снимки.

— Фу! Это отвратительно.

— А чего же ты ждала? Мужик — покойник.

Руки Джули задрожали.

— Только без рвоты в машине, — Роби сбросил ход. — Сейчас приторможу.

— Не в этом дело, Уилл.

— А в чем же тогда?

Она подняла фото из папки с крупным изображением правой руки Рика Уинда.

Роби хотел было пуститься в объяснение о татуировке, но Джули его опередила.

— Это спартанский воин-гоплит в боевой стойке, — дрожащим голосом проронила она.

— А ты откуда знаешь? — Уилл изумленно взглянул на нее.

— У папы была точно такая же татушка.

Глава 60

Роби остановил машину у бордюра, перевел коробку «Вольво» в парковочное положение и развернулся на сиденье, чтобы посмотреть на Джули.

— Ты уверена, что у папы была такая же татуировка?

Она приподняла глянцевый снимок.

— Поглядите на нее, Уилл. Как вы думаете, сколько таких татушек я видела за свою жизнь?

Взяв у нее фото, Роби внимательно его рассмотрел.

— Ладно. Его звали Рик Уинд. Ничего в памяти не брезжит?

— Нет.

— Уверена?

— Ага, уверена.

Роби снова поглядел на фото. Каковы шансы?

— Твой папа служил в армии?

— Вряд ли.

— Но наверняка не знаешь.

— Он ни разу не говорил, что был в войсках. У него никаких медалей или всяких таких штук.

— Но есть татуировка. Ты не спрашивала, откуда она у него?

— Конечно, спрашивала. Она ведь вправду необычная. Сказал, что увлекался древнегреческой историей и мифологией, вот и обзавелся. И объяснил мне, что это такое.

— Когда твой папа начал употреблять наркотики?

— Сколько себя помню, — Джули пожала плечами.

— Тебе четырнадцать. Сколько было ему?

— Как-то раз я видела его водительские права. Ему было сорок пять.

— Значит, когда ты появилась на свете, было тридцать один или около того. А до того — уйма времени, чтобы заниматься чем-то другим. Сколько они с твоей мамой были женаты?

— Толком не знаю. Они ни разу об этом не говорили.

— А годовщины не справляли?

— Нет. Только дни рождения. Вообще-то только мой.

— Но хоть были женаты?

— Обручальные кольца носили. Подписывались «мистер» и «миссис». Больше ничего не знаю.

— Никаких свадебных фоток не видела? Ни разу не говорила ни с какими другими родственниками?

— Нет и нет. У них не было никакой родни. Во всяком случае, они мне о ней не рассказывали. Оба из Калифорнии — во всяком случае, так они говорили.

— А когда же перебрались в округ Колумбия?

Джули не ответила, устремив взгляд за окно.

— В чем дело? — спросил Роби.

— Ваши вопросы заставили меня понять, что ни хрена-то я о родителях и не знала.

— Многие дети знают о родителях не так уж много.

— Не врите, чтобы мне стало легче.

— Я не вру, — ровным тоном вымолвил Роби. — Я своих родителей даже не знал.

— Значит, вы приемный? — Джули поглядела на него.

— Я этого не говорил.

— Но вы сказали...

— Значит, ты не в курсе, служил твой папа в войсках или нет? Мне надо знать это наверняка.

— Зачем?

— Если он служил и имеет такую же татуировку, как Рик Уинд, это может означать, что они служили вместе. Многие однополчане делают сходные наколки. Если мы сумеем отследить ее, перед нами может забрезжить смысл происходящего.

— Вы можете выяснить, служил ли мой папа в армии? — спросила Джули.

— Это не проблема. В Пентагоне очень дотошно хранят личные дела всех военнослужащих.

Выудив телефон, Роби нажал клавишу быстрого набора и вскоре уже говорил с Синим. Выложил просьбу и дал отбой.

— Скоро узнаем, — сообщил он Джули.

— А почему вы спросили, когда папа подсел на наркоту?

— Без причины.

— Чушь. Вы ничего не делаете без причины.

— Ладно, он мог начать употреблять наркотики в армии.

— Почему? Разве все солдаты ширяются?

— Конечно нет, но некоторые — да. Начинают на

службе, после увольнения не бросают. А если он служил за границей, раздобыть их могло быть проще.

— Значит, всё это из-за наркотиков?

— Я этого не сказал.

— От вас проку не добьешься, — в сердцах буркнула девочка.

— Тебе известно, как познакомились твои родители?

— На вечеринке. В Сан-Франциско. И — нет, не думаю, что это была кислотная вечеринка, — с горечью добавила она.

Роби снова завел машину и продолжил движение. Телефон зазвонил снова. Он бросил взгляд на экран. Вэнс.

Джули тоже это увидела.

— Смахивает на то, что суперагент Вэнс просто горит желанием вас увидеть.

— Что ж, суперагенту Вэнс просто придется обождать, — ответил Уилл.

— Свидетельница взрыва автобуса?

Роби бросил на нее вопросительный взгляд.

— У суперагента Вэнс громкий голос, — растолковала Джули. — Подслушать проще простого.

— Ага, врубился.

— Свидетельница нас видела?

— Похоже на то.

— Не припоминаю, чтобы я кого-то видела поблизости в ту ночь.

— Я тоже.

— Думаете, эта особа врет?

— Возможно.

— Но если она вас увидит? Большая проблема...

— Это уж точно, — подтвердил Роби.

— И как вы собираетесь это обойти?

— Обойду.

Джули отвела взгляд, пристроив подбородок на верх рюкзачка.

— Если мой папа был в войсках, почему же он об этом не рассказывал?

— Многие не любят распространяться об армейской службе.

— На спор: герои любят.

— Нет. Практика показывает, что чем больше человек совершил, тем больше помалкивает. А пустозвоны делали в штаны.

— Вы ведь не просто так это говорите?

— На подобную тему я врать не стал бы. Нет повода.

— Чтобы мне было легче.

— А тебе было бы легче, если б я тебе соврал?

— Наверное, нет.

Бросив на нее взгляд, Роби увидел, что девочка пристально смотрит на него.

— Как твой матан? По-моему, у тебя уже «хвосты»...

— Я воспользовалась телефоном, что вы мне дали, чтобы выйти в Сеть и получить задания. Учителя постят их каждый день. Загрузила нужные файлы и эсэмэснула двоим учителям по поводу имевшихся у меня вопросов. И «намылила» в канцелярию школы, что у меня ОРЗ, что меня несколько дней не будет, но я буду присылать домашние задания «мылом» и таким образом буду держаться в струе.

— Ты все это сделала в Сети по телефону?

— Конечно. Пара пустяков. У меня есть ноут, но нет интернет-доступа. Он денег стоит.

— Когда я учился, мы еще пользовались ластиками и стационарными телефонами...

Пару миль они проехали в молчании.

— Если папа был в войсках, как по-вашему, он может быть героем или типа того? — тихонько спросила Джули.

На сей раз Роби не стал на нее смотреть, угадав желанный ей ответ по задумчивой интонации.

— Быть может, — проронил он.

ГЛАВА 61

— Уилл, куда мы едем? — спросила Джули.

Они пересекли Мемориальный мост и въехали в Северную Вирджинию. День выдался погожий и ясный. Солнце заливало окрестности потоками яркого света.

— Ты передислоцируешься.

— Почему?

— Сидеть слишком долго на одном месте — идея неудачная в любом случае.

Роби поглядел в зеркало заднего вида, как делал это каждые шестьдесят секунд.

«Увязаться за мной никто и ни за что не мог. А если б и мог, проку им от этого никакого».

Проехав еще несколько миль, Уилл свернул и подъехал к воротам. К машине подошел человек в мундире, вооруженный MP-5 на кожаном ремне. У него за спиной виднелся второй, вооруженный сходным образом, прикрывающий своего напарника.

Опустив стекло, Роби показал документы.

— Я звонил заранее, — сообщил он охраннику. — Я в списке.

Тот проверил это заявление, воспользовавшись своим сотовым.

Пока они ждали, подошли еще двое вооруженных людей. Один заглянул в салон автомобиля. Потом обыскали багажник и осмотрели днище. Проверили содержимое рюкзака Джули и прошлись по «Вольво» прибором, улавливающим импульсы сквозь металл и кожу. Тот подтвердил, что в машине только два бьющихся сердца.

Ворота поднялись, и Роби тронулся вперед. Проехав по прямой подъездной дорожке, вписался на свободное парковочное место. Отстегнул ремень безопасности, но Джули не двинулась с места.

— Пошли, — позвал Роби.

— Куда? Что это за место?

— Безопасное. Для тебя. Ничего другого тебе знать не надо.

— Это типа ЦРУ?

— Ты видела доску, где это говорится?

— Но ведь у них и не должно быть доски, так? В смысле, это ж секрет.

— Если доски нет, как бы шпионы его нашли?

— Это не смешно, — буркнула Джули.

— Нет, это не ЦРУ. В Лэнгли я тебя не привез бы. Вообще-то я не мог бы привезти тебя в Лэнгли, не вляпавшись в уйму неприятностей. Это место на пару ступеней пониже, но безопасное.

— Значит, вы собираетесь просто бросить меня здесь?

— Пошли, — повторил он. — Мы должны это сделать, Джули.

Она последовала за Роби через стоянку, и им дистанционно открыли стеклянные двери двухэтажного здания. В вестибюле их встретил вооруженный охранник, сопроводивший их в длинный узкий конференц-зал.

Джули села, а Роби принялся вышагивать из угла в угол.

— Вы нервничаете? — в конце концов поинтересовалась она.

Поглядев на нее, Уилл наконец осознал, что она напугана. «А почему же ей не бояться?» — подумал он. На нее свалилось слишком многое, будь ты хоть не по годам продвинутый подросток.

Роби сел рядом с ней.

— Вообще-то нет. — Оглядел комнату. — Просто тебе лучше побыть здесь.

— Это типа тюрьма?

— Ничего подобного. Ты не заключенная. Но нам надо обеспечить твою безопасность.

— Обещаете?

– Я говорю тебе правду, Джули, только правду и ничего, кроме правды.

Она расстегнула рюкзак.

– Я могу заняться здесь домашним заданием? Мне надо решить несколько задач.

– Да, но на мою помощь не рассчитывай. До матанализа я не дошел.

Пять минут спустя дверь распахнулась, и вошел Синий. Галстук аккуратно завязан, брюки со стрелками, рубашка накрахмалена, ботинки надраены. Лицо его хранило непроницаемое выражение, но Роби чувствовал раздражение начальника. В руке у него была манильская папка.

Он поглядел сперва на Джули, потом на Роби и спросил у него, свободной рукой указав на девочку:

– Разумная ли это мысль?

– Более разумная, чем оставлять ее там, где была.

– Я же говорил вам, что она не засвечена.

– Я знаю то, что вы мне *говорили.*

Синий со вздохом сел напротив Джули, с интересом воззрившейся на него.

Почувствовав, что требуется официальное представление, Роби сказал:

– Это Джули Гетти.

– Так я и думал, – Синий кивнул.

– А вас как зовут? – полюбопытствовала Джули.

Пропустив вопрос мимо ушей, Синий повернулся к Роби:

– И чего вы надеетесь этим добиться?

– Надеюсь добиться ее безопасности. Надеюсь добиться правды. Надеюсь добраться до них, прежде чем они доберутся до меня.

– Паранойя усугубляется? – спросил Синий.

– Вы припозднились с диагнозом лет на десять, – отозвался Роби.

– Вы работаете вместе? – встряла Джули.

— Нет, — отрезал Роби.

— Иногда, — поправил Синий.

— Я должна устроиться где-то здесь? — Девочка оглядела комнату. — Это, по ходу, не похоже на жилье или типа того.

Синий воззрился на Роби — тот отвел глаза — и повернулся к Джули:

— Мы можем устроить вас здесь. С комфортом. У нас тут есть жилые комнаты для... э-э... гостей.

— А Уилл тоже здесь останется?

— Это уж пусть он сам выскажется, — ответил Синий.

Проигнорировав реплику, Роби осведомился:

— Есть что-нибудь по моим вопросам? — Его взгляд метнулся к папке, лежащей перед Синим.

— На самом деле довольно много. Хотите выслушать прямо сейчас?

Уилл бросил взгляд на Джули и вопросительно посмотрел на Синего.

Тот покашлял.

— Не вижу причины, почему она не может услышать этого. Это не секретно. — Открыл папку. — Мисс Гетти, у вашего отца весьма выдающийся послужной список в войсках.

— Правда? — Джули села стрункой.

— Да. «Бронзовая звезда» за отвагу, «Пурпурное сердце» и несколько других впечатляющих наград. Демобилизован с почетом, уволившись в звании сержанта.

— Он ни разу об этом не говорил.

— Где же он служил, чтобы заработать медаль за отвагу? — поинтересовался Роби.

— На Первой в Заливе, — ответил Синий.

— Не послужило ли причиной увольнения что-либо еще, кроме того, что он не стал продлевать контракт? — продолжил расспросы Роби.

— Были медицинские показания.

— Типа чего? — встряла Джули.

— ПТСР, — ответил Синий.

— То есть посттравматическое стрессовое расстройство, — расшифровала девочка.

— Да, оно самое.

— Что-нибудь еще? — спросил Роби.

Синий сверился с папкой.

— Когнитивные проблемы.

— У папы мозги были не в порядке? — уточнила Джули.

— Предположительно он подвергся воздействию некоторых материалов, которые могли пагубно на нем сказаться.

— ОУ? — предположил Уилл.

— ОУ? — Джули оглянулась на него. — Это еще что такое?

Синий и Роби переглянулись. Заметив это, она стукнула кулачком о стол.

— Слушайте, не можете же вы изъясняться этой кодированной чепухой и рассчитывать, что я тут буду сидеть и просто хавать это!

— Обедненный уран, — растолковал Уилл. — ОУ означает «обедненный уран». Он использовался в артиллерийских снарядах и танковой броне.

— Уран? Он ведь вредный? В смысле, если подвергнуться воздействию? — спросила Джули.

— Не было проведено никаких убедительных исследований, подтверждающих истинность этого утверждения в боевых условиях, — бесстрастно констатировал Синий.

— Тогда откуда же у папы взялись «когнитивные проблемы»? И почему его уволили, если никаких проблем не было?

— Как я понимаю, он злоупотреблял наркотиками.

— Это вы ему сказали? — Джули обожгла взглядом Роби.

— Незачем было, — Синий приподнял страницы из папки. — Протоколы арестов и приговоры я и сам в состоянии прочесть. Сплошь мелкий, незначительный вздор. Сплошь довольно глупый.

— Вы не знали моего папу, — подскочив на ноги, с вызовом бросила Джули, — и не вам его судить!

— Она всегда такая стеснительная и скромная? — Синий поглядел на Роби.

Тот промолчал.

— И ничего этого не было, пока он был в армии, — добавила девочка. — Иначе его уволили бы только по медицинским соображениям. Его вышвырнули бы или арестовали. Так почему же его уволили?

— Я же сказал, из-за когнитивных проблем.

— Но не связанных с наркотиками. Значит, должно быть что-то еще, — возразила Джули. — Вы зачитывали из личного дела. Там сказано, что он подвергся воздействию этого ОУ и он на него пагубно повлиял. Вот что *вы* сказали.

— Это *его* утверждения. И они не были обоснованы. Но я понимаю вашу точку зрения. Полагаю, в войсках считали, что его утверждения могли иметь под собой некие основания.

— А ему проводили какие-нибудь анализы? — поинтересовался Роби. — Чтобы выявить, откуда проистекают эти когнитивные проблемы.

— Нет.

— Наверное, не хотели подтверждения, что мозги ему перебаламутила эта дрянь ОУ, — изрекла Джули, убивая Синего взглядом.

— Почему бы вам по окончании колледжа не подать заявление на должность в сфере разведки? — заметил тот. — Насколько вижу, у вас есть все качества, необходимые, чтобы стать первоклассным полевым агентом.

— Пожалуй, пропущу. Предпочитаю употребить свою жизнь более полезным образом.

Роби извлек глянцевое фото с татуировкой.

— Это с вскрытия Рика Уинда. Джули подтвердила, что у ее отца была точно такая же наколка.

— Они были знакомы? — Синий поглядел на нее.

— Ни разу не слыхала о Рике Уинде и уверена, что ни разу его не видела, — заявила девочка.

— Мы можем установить, служили ли они вместе? — спросил Роби.

Встав, Синий подошел к телефону на тумбе и сделал звонок, пока Джули смотрела на татуировку, а Уилл смотрел на нее.

— Ты в порядке? — вполголоса поинтересовался он.

— А я должна быть в порядке? — огрызнулась она.

Тут вернулся Синий.

— Ответ мы скоро получим.

— Есть что-нибудь на эту свидетельницу? — справился Роби.

— Мишель Коэн? Пока нет. Проверяем. На данный момент она определенно под опекой ФБР.

— А если она опознает меня и Джули?

— Это будет не просто катастрофа, — заметил Синий.

— Может, она врет, — высказалась Джули.

— Возможно, — поддержал Роби. — Но если так, нам нужно установить ее мотивы.

— Как вы уладите это с Вэнс? — озаботился Синий. — Не можете же вы вечно ее избегать.

— Что-нибудь придумаю.

Но прямо сейчас в голову Роби ничего не приходило.

Его телефон зажужжал. Роби бросил взгляд на экран.

— Суперагент Вэнс? — предположила Джули.

Роби кивнул. Текстовое сообщение было совершенно недвусмысленным: «Сейчас же сюда, или я сама за вами явлюсь хоть в пекло».

Он позвонил в ответ:

— Послушайте, я же сказал, что у меня встреча.

— Коэн дала нам достаточно, чтобы дать ориентировку на этих двоих из автобуса.

— Замечательно.

— Возможно, отец с дочерью.

— Ладно, — произнес Роби. — Вы говорили, девушка еще подросток?

— Верно. Светлокожая. Мужик намного темнее, по словам Коэн.

— Как, простите? — переспросил Роби.

— Афроамериканец, Роби. Можете дотащить свою задницу сюда?

— Уже выезжаю.

Глава 62

Роби сидел напротив Мишель Коэн. Лет под сорок, с мягкими темными волосами, вьющимися вокруг длинной шеи. Миниатюрная, около пяти футов двух дюймов, щуплая. Она нервничала, и Уилл удивился бы, если б она держалась более уверенно.

Вэнс сидела рядом с ним в тесной переговорной ВРУ, делая какие-то пометки в своем электронном планшете, пока Роби разглядывал Коэн. Та поведала ему свою историю с массой подробностей. Вышла из отеля поблизости за несколько секунд до взрыва. Увидела, как с автобуса сошли мужчина и девушка. Когда бомба взорвалась, ее оглушило и отбросило к стене. Побежала по переулку к своей машине. Поехала домой в пригород, где ее дожидался рогатый муженек, принявший за чистую монету байку о том, что она забыла о времени, ужиная с подругой.

В отеле подтвердили, что Коэн въехала в то время, когда сказала. Мужчина тоже был с ней. Его история сходится. Он безработный, уже год. Лгать об этом ни у него, ни у Коэн нет никаких оснований.

Но Роби-то, конечно, знал, что они лгут.

Ему дали подробное описание двух чернокожих, сошедших с этого автобуса перед взрывом, а Роби знал, что такого не было. Но сообщить об этом Вэнс он не мог, не раскрыв собственный секрет.

«Мной играют, и Коэн участвует в этой игре. Меня так вклинили между двумя брикетами “Семтекса”, что и не трепыхнешься. На это они и рассчитывают. Хотят, чтобы меня бросило в пот, — и справляются на славу».

Любопытно, знает ли Коэн, что он и есть тот, кто сошел с автобуса? Могли ей это сказать? Или она просто должна сыграть свою роль? Интересно, где ее отыскали... Может, она — бывшая актриса, которой нужно было срубить деньжат по-быстрому, и этим ее роль во всей этой затее и исчерпывается. Однако эта Коэн знает, что лжет легавым. Лжет ФБР. Подобное запросто не дается. Она должна быть чертовски уверена, что правда не всплывет. А для этого нужен очень сильный побудительный мотив.

«Что ж, раз они хотят поиграть со мной, отпасую обратно, и поглядим, как им это понравится».

— Вы раньше когда-нибудь обманывали мужа, миссис Коэн? — спросил Роби.

Вопрос заставил Вэнс воззриться на него, но Уилл проигнорировал это.

— Дважды, — прижав салфетку к правому глазу, поведала Коэн. — Я не горжусь этим, но ничего поделать не могу.

— Вы говорили мужу правду?

На сей раз Вэнс взглядом не ограничилась, воскликнув:

— Какое это имеет отношение к чему бы то ни было, Роби?!

Он снова проигнорировал ее.

— Вы сможете опознать этого мужчину и девушку среди нескольких человек?

— Не уверена. Столько всякого стряслось... И они какое-то время были ко мне спинами.

— Но вы уверены, что они были афроамериканцами? Хотя и было темно, и они находились далековато от вас, и, как вы сказали, столько всякого стряслось...

— Они определенно были черными, — заявила Коэн. — На этот счет я не могу ошибаться.

— Но в полицию вы сразу не пошли. А сделали это лишь несколько дней спустя.

— Я объяснила это агенту Вэнс. Меня тревожило разоблачение.

— Вы имеете в виду разоблачение вашей интрижки? — уточнил Роби.

— Да. Я люблю мужа.

— Разумеется. И я уверен, что вы очень раскаиваетесь в измене, но ваш муженек, наверное, вас не понимает, — напирал Роби.

Этот комментарий удостоился очередного сурового взгляда Вэнс.

— Я не горжусь тем, что сделала, — натянуто проговорила Коэн. — Но я все-таки явилась. Я пытаюсь помочь вашему следствию.

— И мы весьма ценим это, — вклинилась Вэнс, снова бросив на Роби взгляд, полный недоумения. — И мой партнер, несмотря на свои комментарии, тоже ценит.

— Это всё? Можно я пойду? — спросила Коэн.

— Да. Я могу послать одного из подчиненных проводить вас. Нам с агентом Роби надо кое-что обсудить.

Едва Коэн удалилась, как Вэнс накинулась на Уилла.

— Это еще что за чертовщина? — требовательно вопросила она.

— Я опрашивал свидетельницу.

— То есть *допрашивали* ее.

— На мой взгляд, это одно и то же. И для протокола: я считаю, что она лжет.

— Какие у нее могут быть мотивы для лжи? Она сама пришла. Мы даже не знали о ее существовании.

— Если б я их знал, дело можно было бы закрыть.

— Почему вы так уверены, что она лжет?

Роби припомнил пассажиров 112-го автобуса. Там было несколько черных. Не меньше двух чернокожих девушек подросткового возраста. Они оставались в автобусе, когда тот взорвался. Но из-за полного топливного бака автобус превратился в пекло. Все послетали со своих мест, обгорели до неузнаваемости, многие до самых костей. Сопоставить останки со списком пассажиров почти невозможно.

— В автобусе было не меньше шестерых черных мужчин и три чернокожих девушки, — сказала Вэнс. — Служащая станции, дежурившая в ту ночь, их помнит. Рассказ Коэн соответствует фактам.

— Не играет роли; я всё равно уверен, что она лжет.

— Что, опираясь на утробное чутье?

— Опираясь кое на что.

— Что ж, а вот я должна проводить расследование на основе собранных улик.

— Вы никогда не слушаетесь инстинктов? — поинтересовался Роби.

— Слушаюсь, но когда холодные, непоколебимые факты их попирают, дело другое.

Роби встал.

— Куда вы? — спросила она.

— Искать холодные, непоколебимые факты.

Глава 63

Зная короткую дорогу из ВРУ, Роби поспел к своей машине и уже ждал снаружи, когда Мишель Коэн выехала из крытой стоянки и рванула по улице в своем «БМВ»-купе. Уилл влился в транспортный поток позади. Она трижды проскочила на желтый, и он едва не застрял за последним из них. Десять минут спустя они направлялись по Коннектикут-авеню к Мэриленду.

Роби не сводил глаз с «бумера» и потому прошляпил две полицейские машины, сошедшиеся вокруг его «Вольво». «Фараоны» включили мигалки, и офицер в машине слева знаком велел Роби съехать на обочину. Тот проводил взглядом «бумер», прибавивший газу, снова проскочивший на желтый свет и через несколько секунд скрывшийся из виду.

Сбросив ход, Роби подкатил к бордюру. Он хотел выскочить и спустить на людей в синем всех собак, но понимал, что так можно и пулю схлопотать. Просто сидел на месте, молча дымясь от негодования, пока «фараоны» осторожно заходили по двое с каждой стороны.

— Покажите ваши руки, сэр, — окликнул один из них.

Роби выставил из окна левую руку со значком федерального агента.

И услышал, как один из копов буркнул под нос: «Жопа!»

Секунду спустя полицейские стояли у его окна.

— Я уверен, что у вас, ребята, есть обалденные основания, чтобы тормознуть меня, пока я вел преследование, — провозгласил Роби.

Сдвинув шляпу на затылок, первый коп посмотрел на документы Уилла.

— Получили вызов от диспетчера, что женщину в машине преследует какой-то тип. Она была напугана и попросила нас наехать на него. Дала нам описание и номерной знак вашей машины.

— Что ж, отличный способ для злоумышленника ускользнуть от полиции, — заметил Роби. — Просто вызови еще копов.

— Извините, сэр, мы не знали.

— Теперь я могу ехать? — спросил Уилл.

— Так она на самом деле подозреваемая? Мы можем помочь вам нагнать ее, — предложил второй «фараон».

— Нет, нагоню ее позже. Но в будущем не спешите так бить копытами.

— Есть, сэр!

Роби тронул «Вольво» от бордюра и влился в поток движения. В зеркале заднего обзора увидел, как «фараоны» сгрудились вокруг патрульной машины, несомненно, рядя, не будет ли эта подстава стоить им карьеры. Вредить им в профессиональном плане Роби желанием не горел. На самом деле со стороны Коэн это был умный, хоть и безбашенный ход. Она в любой момент может заявить, что понятия не имела, кто сидит в машине; мол, знала только, что кто-то ее преследует. И присовокупить стопроцентно правдивый факт, что пять минут как вышла из ФБР и является ценным свидетелем чудовищного преступления, так что, вполне естественно, боялась за собственную безопасность.

Нет, Роби зайдет к ней с другой стороны. К счастью, отследить Коэн будет не так уж трудно. Ее домашний адрес записан в досье, которое Вэнс дала ему прочитать.

Он въехал в Мэриленд и колесил по дорогам, пока не отыскал нужную.

Мишель Коэн жила не то чтобы во дворце, но все же в шикарном районе. И притом, по словам Коэн, она безработная. Ее последнее место работы было в финансовой консультативной фирме, всплывшей кверху брюхом. Чем занимается ее муж, Роби не знал. Если Вэнс об этом и знала, то не упомянула.

«Пожалуй, деньги Коэн пригодятся», — подумал Роби, но вполне может статься, что у них есть какая-то другая грязь на эту женщину. Одних денег, подумал он, недостаточно, чтобы заставить в остальных отношениях невинное лицо лгать ФБР в деле о террористическом акте.

«Если только она не так уж невинна в остальных отношениях».

Интересно, прогнала ли Вэнс криминальную проверку на Коэн. Или ее мужа. Или якобы любовничка...

Вероятно, нет, поскольку Вэнс явно не считает, что они лгут. Как она сказала, с чего бы женщине являться самой? Роби приходил в голову как минимум один резон.

«Чтобы заморочить мне голову».

Остановив машину у обочины, он позвонил Синему.

— Уже есть что-нибудь на Мишель Коэн?

— Нет, но вы узнаете первым.

— Мне нужно и все то, что вы сможете нарыть по ее мужу.

— Уже занимаемся. Значит, она лгала ФБР? Сказала, что было двое черных вместо вас с Джули?

— Да.

— Ее мотивы?

— Надеюсь, мы сможем установить это.

— Рискованная выходка с той стороны... Они подставили пешку, чтобы мы могли взять ее в оборот.

— И я так думаю. Потому-то и на взводе. — Роби устремил взгляд в конец улицы, где «бумер» Коэн был припаркован на дорожке двухэтажного каменного дома, обшитого сайдингом. — Я собираюсь кое-что проверить. Потом перезвоню. Как там Джули?

— В целости и невредимости, делает свою домашнюю работу. Дифференциальные уравнения, которые она решает, куда выше уровня моего понимания.

— Вот потому-то мы и в спецслужбах, — заметил Роби. — В математике мы лохи.

Убрав телефон, он посмотрел на часы. Коэн в курсе, что он ее преследовал, а значит, в курсе, что ему известен ее домашний адрес. От сидения здесь сиднем пользы не будет.

Но у него как раз есть идейка получше.

Пешек ему бояться нечего. Но всякий, кто ведает, что творит, не станет подставлять пешку под удар без веской причины.

«И теперь мне надо выяснить, в чем эта причина состоит».

Глава 64

Налив себе чашку кофе, Мишель Коэн отнесла ее в гостиную с телевизором. Она была одна. Поставила чашку, взяла пульт дистанционного управления и переключила канал.

— Вообще-то другая программа мне больше нравилась.

Коэн завизжала.

Роби уселся в кресло напротив нее.

— Какого черта вы делаете в моем доме?! Как вы проникли *в* мой дом? — вопросила она.

— Вы запираете двери, даже когда находитесь дома, — отметил Уилл.

— Я не знаю, кем вы себя вообразили. Но я звоню в полицию. Вы очень грубо обошлись со мной сегодня в ФБР. И мне кажется, перед этим вы меня преследовали. Терпеть этого я не намерена. Это домогательство, просто и ясно.

И вдруг осеклась, когда Роби продемонстрировал некий предмет.

— Знаете, что это такое, Мишель?

Она уставилась на плоскую прямоугольную коробочку.

— А должна?

— Вот я и не знаю, должны или нет.

— Я не собираюсь сидеть здесь, играя с вами в дурацкие шарады.

— Это DVD. С камеры безопасности.

— И что?

— Она была направлена прямо на то место, где взорвался автобус.

— Если это так, почему же полиции об этом неизвестно?

— Потому что это запись с веб-камеры с видом на улицу, которую мужик поставил у себя в квартире. Я нашел ее потому, что ходил от двери к двери, опередив легавых. У этого мужика были проблемы со взломщиками. Хотел поймать их на горячем. Она вела запись циклически. Полный охват улицы. И есть отметки времени и даты. Хотите, скажу, чего там не видно?

Она промолчала.

— А не видно там вас, Мишель, как и вашего дружка, в том месте, где вы якобы были.

— Это нелепость. К чему нам врать о чем-то подобном? И портье отеля подтвердил наш рассказ.

— Я не говорю, что вас не было в отеле. Я только говорю, что вы лжете о том, что видели. На самом деле вы не видели ничегошеньки.

— Вы ошибаетесь!

— Вы сказали, что видели, как автобус взорвался.

— Видела.

— А заодно видели, как пистолет мужика улетел и угодил под машину?

— Совершенно верно.

— Этот взрыв автобуса расшвырял во все стороны тысячи осколков. Там был шквал всякого барахла. А вы, контуженная зрелищем взрыва автобуса и гибели множества людей, заметили лишь крохотный пистолетик, пролетевший по воздуху, проследили взглядом его траекторию среди всего этого кавардака и заметили, как он грохнулся под машину? — Он помолчал. — Это полнейшая и несусветная чушь.

Подскочив, Коэн ринулась к телефону на столике рядом с дверью кухни.

— Убирайтесь. Сейчас же. Или я звоню в полицию и вас арестуют.

Роби приподнял DVD повыше.

— А еще мы оба знаем, что вы не видели двоих черных, сошедших с этого автобуса, Мишель. И DVD это подтвердит. Значит, вы лгали ФБР. Этим вы заработали как минимум пять лет в федеральной тюрьме где-то по трем разным тяжким уголовным преступлениям. Работа в индустрии финансов вам больше не светит. Когда вы выйдете, вам будет чуть за сорок. А тюрьма – отнюдь не курорт ни для тела, ни для души. Когда вы выйдете, выглядеть будете на все пятьдесят. А то и на шестьдесят, если придется тяжко. А там ведь не только мужики на стенку лезут, Мишель... Дамам там тоже одиноко. Вы будете доступной свежатинкой. Вы мелкая и кроткая. У вас не будет ни шанса.

– Вы просто пытаетесь меня запугать.

– Нет, я пытаюсь лишь просветить вас на тот счет, насколько серьезна ваша ситуация. – Роби положил DVD на кофейный столик. – С автобуса действительно сошли два человека. Но они не были черными.

– А вы откуда знаете?

– Потому что видел, Мишель. Так почему бы вам не сесть, чтобы мы потолковали? Может, сможем обмозговать способ выпутать вас из этого...

– И зачем вам это?

– Затем, что я хороший парень, вот зачем.

– Не поверю в это ни на миг.

– Хотите верьте, хотите нет. Если б вы хоть на миг поверили, что вы не просто разменная монета в этой затее, я бы вас уже арестовал. Но если я смогу использовать вас, чтобы добраться до людей, которые нужны мне на самом деле, тогда это дорогого стоит. Для вас это козырь в переговорах, Мишель. Не стоит махать рукой на нашу сделку, потому что другой не будет.

Роби наклонил голову к тому месту, которое она занимала на диване. Коэн сидела, потупив взор.

– Допейте свой кофе, – сказал Уилл. – Это поможет вам успокоить нервы.

Отхлебнув, она поставила чашку трясущейся рукой.

Роби откинулся на спинку кресла, вперив в нее пристальный взгляд.

– Кто велел вам соврать?

— Это я вам сказать не могу.

— Вам придется сказать — или мне, или ФБР. Что предпочтете?

— Я не могу сказать никому и ничего.

— Почему?

— Потому что его убьют, вот почему! — воскликнула она.

— Убьют кого?

— Моего мужа.

— А он каким образом к этому причастен?

— Игорные долги. Увяз по самую макушку. Но к нему подкатили и сказали, что есть способ выпутаться. Если мы это сделаем, все долги ему простят.

— Солжете ФБР?

— Да.

— Риск немалый.

— Тюрьма или смерть? — скептически проронила Коэн.

— Чем ваш муж занимается?

— Он партнер в юридической фирме. Он хороший человек. Столп общества. Но у него проблемка с азартными играми. И он влез в трастовый фонд одного клиента, чтобы покрыть нехватку. Если это раскроется, он погиб.

— И кто же вас на это подрядил?

— Я с ними не встречалась. Муж встречался. Сказал, что его отвели в какую-то комнату, посадили в темноте и предъявили ультиматум. Сказали нам всё, что надо сделать.

— А почему выбрали вас вместо вашего мужа?

— Наверное, я хладнокровнее под давлением, чем он. Мы не думаем, что он сумел бы соврать ФБР.

Роби обдумал это. Респектабельная чета, свидетели, внушающие доверие. Никаких мотивов говорить неправду. Вполне здраво.

— А что за тип, с которым у вас якобы была интрижка?

— Его выставили они. Мы просто сидели в номере отеля, глядя в пол. А потом ушли в то время, когда нам было сказано. Вообще-то взрыва автобуса я не видела. Мне было приказано сказать, что с автобуса сошли чернокожий мужчина и юная чернокожая девушка. А остальное вы сегодня слышали.

— А где ваш муж сейчас?

— Убеждается, что о его игровых долгах позаботились.

— Вы правда думаете, что все будет настолько просто?

— Что вы хотите сказать?

— Вы — обуза для этих людей, Мишель. Неужто вы думаете, что они позволят вам и вашему мужу жить?

Кровь бросилась ей в лицо.

— Но мы же ничего не знаем!

— Рассказанное вами только что это опровергает.

— Думаете, нас попытаются убить?

— Когда должен вернуться ваш муж?

Коэн поглядела на часы, и лицо ее побледнело.

— Минут двадцать назад.

— Звоните ему.

Схватив телефон, она набрала номер. И ждала, прижав телефон к уху.

— Переводит на автоответчик.

— Пошлите эсэмэску.

Коэн сделала, как было велено. Они прождали пять минут, но ответного сообщения не было.

— Звоните ему снова.

Она попробовала еще дважды — с тем же результатом.

— Где он должен получить подтверждение, что его долги погашены?

— В баре в Бетесде.

Роби мигом обдумал ситуацию.

— Поехали!

— Куда?

— В бар в Бетесде. Может, еще успеем спасти ему жизнь.

Глава 65

По пути Роби позвонил Синему, чтобы запросить подкрепление. Его встретят у бара.

Уилл завел «Вольво», бросив взгляд на Коэн. Лицо ее было залито слезами, а дыхание вырывалось из груди короткими всхлипами, которые при других обстоятельствах заставили бы Роби почувствовать к ней жалость.

Она поглядела на него со страдальческим видом.

– Думаете, он мертв, да?

– Не знаю, Мишель. Но как раз ради этого мы и здесь. Чтобы предотвратить это, если сможем.

– Теперь это кажется такой глупостью!.. Конечно, они ни за что не сняли бы его с крючка вот так запросто. Но это был наш единственный шанс. Мы были в отчаянии.

– Что дало идеальную возможность к вам подъехать.

Роби свернул налево, почти сразу направо и остановил машину у обочины.

– Здесь? – указал на бар дальше по улице с вывеской «Фарт».

– Да, здесь, – Коэн кивнула.

«Что ж, надеюсь, нам действительно подфартит».

Роби взглядом отыскивал подкрепление. Послал текстовое сообщение Синему. Ответ пришел почти сразу: «В шестидесяти секундах».

– Вон машина Марка! – выпалила Коэн, указав на серый седан «Лексус», припаркованный в половине квартала от них.

Несколько секунд спустя позади них притормозил внедорожник. Роби посигналил водителю. Тот посигналил в ответ. Уилл вышел и сопроводил Коэн к внедорожнику. Внутри сидели трое. Мишель забралась на заднее сиденье.

– Не дергайтесь, – сказал ей Роби. – Что бы вы ни увидели или услышали, эти люди о вас позаботятся, хорошо?

— Пожалуйста, верните мне моего мужа.

— Буду стараться. — Он перевел взгляд на мужчину на пассажирском сиденье. — Не хочешь ли пройти со мной?

Кивнув, тот передернул затвор пистолета и убрал его в кобуру.

Они вдвоем двинулись по улице, поворачивая головы из стороны в сторону и высматривая малейшую угрозу. Подойдя к бару, Роби увидел, что тот закрыт. Поглядел на часы, а потом на второго.

— Поздновато открывается для бара...

— На этот счет ты прав. Как будем действовать? — спросил второй.

— Дай мне две минуты, чтобы зайти сзади. Потом вышибай дверь. Встретимся посередине.

Тот кивнул, и Роби двинулся в обход через переулок, ведущий к задней стороне этого скопления зданий. Быстро отыскал заднюю дверь бара. Он не знал, есть ли там сигнализация, да и не заморачивался этим. Если полиция приедет, так тому и быть. Может, ей придется приезжать так и так, в зависимости от того, что Роби найдет внутри.

Одолев замок с помощью отмычки, он достал пистолет и медленно приоткрыл дверь. Снаружи уже смеркалось, а внутри царила полнейшая темнота. Зажигать свет Уилл не рискнул. Они и без того слишком хорошая мишень, чтобы еще помогать кому-то видеть его перемещения лучше.

Подождав, пока глаза приспособятся к темноте, он двинулся вперед, прислушиваясь на каждом шагу. Сверился с часами. Напарник может войти через переднюю дверь в любую секунду.

Пройдя через кухню, Роби не увидел ничего, кроме кастрюль и сковородок, рядов чистых бокалов и кружек и шеренги швабр. Следующее помещение должно быть залом бара. Там он встретится со своим человеком.

Вот только его там не оказалось.

Зато был кто-то еще, и внимание Роби тотчас переключилось на него. Нырнув за стойку, он осмотрел помещение квадрат за квадратом, подмечая все возможные стрелковые позиции. Выждал еще тридцать секунд, а потом покинул укрытие. В зале не было ни души. Не считая его и еще одного человека.

Роби приблизился к мужчине, сидевшему в кабинке слева от входа, привалившись спиной к кожаному сиденью.

В фасадные окна вливалось достаточно света, чтобы Уилл разглядел все, что требовалось. Набрав на телефоне «911», он коротко переговорил. Затем дал отбой и наклонился над человеком.

Единственное огнестрельное ранение в голову. Роби коснулся его руки. Холодная.

Мертв довольно давно.

Схватив со стола салфетку, Уилл намотал ее на руку, сунул руку в пиджак мужчины, выудил бумажник и откинул клапан.

Водительские права на имя Марка Коэна. С фото на Роби смотрел этот же человек, только без кровавой раны в голове.

Сунув бумажник обратно, он поглядел на переднюю дверь.

«Жопа!»

Подбежал к двери, отпер и вышел наружу. По обеим сторонам улицы туда-сюда шли прохожие. Отметив их, Роби посмотрел вдоль улицы.

Его «Вольво» стоял на месте.

А вот черный внедорожник исчез.

Перебежав через улицу, он скользнул в свой «Вольво», слыша приближающийся звук сирен. Достал телефон и позвонил Синему.

— Марк Коэн мертв, а ваши парни улизнули с Мишель Коэн. Не хотите объясниться?

— Не понимаю, — ответил Синий. — Оба они из моих

лучших людей. Самые доверенные. Они должны были выполнять ваши приказы.

— Во внедорожнике было *трое*, — выложил Роби.

— Я посылал только двоих.

— Тогда еще один увязался за ними, и, полагаю, теперь понятно зачем.

— Это неслыханно, Роби.

— Буду через двадцать минут. Ступайте сейчас же проведать Джули. Берите с собой побольше людей. Всех перекупить не могли.

— Роби, вы хотите сказать...

— Да делайте же!

ГЛАВА 66

Вбежав в охраняемое здание, Уилл первым делом увидел Синего.

Потом увидел Джули.

Ощутил, как тугой комок в груди обмяк, и перешел на шаг.

— Следуйте за мной, оба, — кратко бросил Синий.

Они быстро пошли по коридору. Роби заметил, что у Синего на поясе кобура с пистолетом.

Поглядел на Джули, шагавшую рядом.

— Что не так, Уилл? — тревожно спросила она. — Что происходит?

— Просто мера предосторожности. Всё будет классно.

— Вы мне врете, так ведь?

— Более или менее, ага.

— Спасибо, что сказали правду про неправду.

— Похоже, это лучшее, что я сделал за последние дни.

Синий закрыл и запер за ними дверь. И жестом пригласил Роби и Джули сесть.

— Обычно вы не носите оружия, — Роби посмотрел на пистолет.

— Обычно в наших рядах нет предателей.

— А Мишель Коэн? — спросил Роби.

— Мертва. Вместе с двумя из моих людей. Теми двумя, которых я послал официально.

— Где и как?

— Только что нашли трупы во внедорожнике кварталах в десяти от бара. У всех пулевые ранения.

— Кто был третий?

— Малкольм Стрейт. Проработал здесь десять лет. Безупречный послужной список.

— Больше нет. Опишите его мне.

Синий назвал примеры.

— Это он должен был войти со мной через переднюю дверь бара, — сообщил Роби. — Никаких следов?

— Пока нет. Несомненно, у него имелся план бегства.

— О чем мы толкуем? — не вытерпела Джули. — Кто эти люди?

Роби поглядел на Синего.

— По-моему, она заслуживает знать.

— Тогда валяйте.

Пару минут Уилл вводил Джули в курс дела.

— Зачем они заставили эту даму сказать очевидную ложь? — озадаченно спросила она. — Они должны были знать, что вы выследите ее и узнаете правду. Им по-любому пришлось бы убить ее и ее мужа, чтобы заставить их замолчать.

— Ты права, — подтвердил Роби. — Что они выигрывают, заставив Мишель Коэн заявиться с ее байкой?

— Именно, — подхватил Синий. — Что они этим выигрывают?

— А иначе это слишком большой риск для них, — медленно проговорила Джули.

— Мишель Коэн не представляла, кто обратился к ее мужу, — рассуждал Роби. — Она сказала, что он отправился в бар получить подтверждение, что его игровые долги уплачены. А вместо этого получил дыру в башке.

— Как и его жена, — добавил Синий.

— С кем еще этот Малкольм Стрейт здесь работал?

— С уймой народу.

— Вы должны поговорить с каждым из них. Самое меньшее, нам надо знать, не оставил ли он здесь кого-нибудь.

— Согласен.

— Значит, у этого типа мог быть здесь кто-то еще? — спросила Джули, глядя на Синего в упор. — Не такое уж безопасное здесь место.

— Выясним это как можно быстрее, — бросив взгляд на Роби, ответил тот. — Подобное внедрение — случай из ряда вон, — добавил он, оглянувшись на Джули.

— Что до меня, это один случай из одного, — парировала девочка.

— Больше мы не можем здесь оставаться, — заявил Уилл. — Надо двигаться.

— Куда? — спросил Синий.

— Я буду на связи, — Роби встал. — Пошли, Джули!

— Куда вы направитесь? — переспросил Синий.

— Куда-нибудь, где безопаснее, чем здесь, — отрезал тот.

* * *

Уилл вывел «Вольво» из ворот и свернул налево.

— Это место, где мы можем подцепить «хвост», — пояснил он Джули. — Здесь мы как в трубе. Только один вход и один выход. Так что держи глаза нараспашку.

— Лады, — Джули повела взглядом из стороны в сторону, а потом повернула голову, чтобы поглядеть назад.

Когда они выехали на главную дорогу и начали набирать скорость, она доложила:

— Не вижу никаких фар.

— А спутник над головой, его ты видишь?

— Шутите? За нами могут следить со спутника?

— Факт в том, что я не знаю.

— Так что же нам делать?

— Надеяться на лучшее и готовиться к худшему.

— И куда поедем?

— В единственное место, которое у меня осталось. В домик в лесу.

— Весьма уединенный, если кто-то захочет устроить на нас засаду?

— Зато куда легче заметить приближение противника. Компромисс. Баланс «за» и «против». Я бы сказал, «за» в этом случае перевешивают.

— А как же спутники?

— Спутником они нам вреда причинить не смогут. Для этого нужно стоять обеими ногами на земле.

— Они могут прислать массу мужиков.

— Могут. С другой стороны, могут и никого не послать.

— А отчего ж не послать?

— Сама рассуди, Джули. Какова их конечная цель? Этот тип Малкольм Стрейт находился в конторе вместе с тобой. Он мог бы убить тебя и там. И меня могли уже пару раз шлепнуть, но удачно промахнулись.

— Значит, хотят оставить нас в живых, как вы уже говорили. На фоне автобуса и всего прочего. Но мы по-прежнему не знаем почему.

— Не знаем. Но узнаем.

Глава 67

— Уилл, это не дорога к вашему дому, — заметила Джули.

— Небольшое изменение планов.

— Почему?

— Чтобы получить небольшую, но нужную помощь и сделать большое признание.

Роби принял решение, необычное для него. Почти

всю жизнь он был одиночкой и обычно не искал помощи у других, предпочитая решать собственные проблемы самостоятельно. И все же в конце концов признал, что с этой проблемой ему в одиночку не сладить. Нужна помощь.

Порой просьба о помощи – свидетельство силы, а не слабости.

И это решение может оказаться и правильным, и катастрофическим. Заранее не угадаешь. Но хотя бы это будет *его* решение.

Въехав в комплекс кондоминиума, он вышел из «Вольво». С Джули, следующей по пятам, вошел в здание. Поднявшись на лифте, они вышли и зашагали по коридору.

Уилл постучал в дверь с номером 701.

Послышались шаги. Остановились. Роби ощутил, как зрачок разглядывает его через глазок.

Дверь отворилась.

На Вэнс были черные беговые шорты, бледно-зеленая майка корпуса морской пехоты и белые носки по щиколотку. Она уставилась сначала на Роби, а затем ее взгляд упал на Джули.

– Вы хотите, чтобы задницу вам прикрывала суперагент Вэнс?! – воскликнула та.

– Суперагент Вэнс? – Николь снова уставилась на Уилла. – Что здесь, черт возьми, происходит? Кто эта девочка?

– Из-за нее я и здесь, – ответил Роби.

Отступив на шаг, Вэнс пропустила их в квартиру и заперла за ними дверь.

– Есть кофе? – поинтересовался Уилл. – Это может несколько затянуться.

– Только что поставила.

– Я предпочитаю черный, – сообщила Джули.

– О, вот как? – озадаченно пробормотала Вэнс.

– Мишель Коэн и ее муж мертвы, – выложил Роби.

— Что?! — воскликнула Николь.

Он сел на диван, жестом пригласив Джули последовать его примеру. Вэнс встала перед ними руки в боки.

— Коэн мертва? Как?

— Она лгала, я же сказал. Истина ее настигла.

— Зачем ей было лгать?

— У ее мужа были игровые долги. Это был выход, как они считали.

— Откуда вам известно, что они мертвы?

— Его я видел с третьим глазом во лбу в баре в Бетесде. Она погибла вместе с двумя федеральными агентами.

— Да что творится-то, черт побери?! — вытаращилась Вэнс. — Какими федеральными агентами?

— Может, сперва кофе? Я вам помогу.

Уилл направился в кухню. Вэнс чуть не наступала ему на пятки.

— Лучше начинайте говорить, — она ухватила его за плечо. — Внятно и лучше сейчас же, Роби.

— Ладно. Прежде всего технически я на СКРМО не работаю.

— Вот так сюрприз! Что еще?

— Это должно быть между нами.

— Еще бы, черт!

— Теперь хотите чашку кофе?

— Я хочу лишь добиться от вас прямых ответов.

Налив две чашки кофе, Роби одну протянул ей. Поглядел за окно на иллюминированные памятники в округе Колумбия. Указал на них:

— Чего стоит безопасность этого места? — и обернулся к Вэнс.

— Чего стоит? — с недоумением переспросила она. — Дьявол, да всего на свете!

Роби отхлебнул кофе.

— Ну вот, а чего стоит безопасность вот этой девочки?

— Вы даже не сказали, кто она такая.

— Джули Гетти.

— Ладно, и каким же образом она сюда вписывается?

— Она была в автобусе в ту ночь, но сошла перед взрывом.

— А вы-то откуда это знаете, черт побери? — резко осведомилась Вэнс.

— Оттуда, что сошел вместе с ней. Потому-то и знал, что Коэн лжет. Как видите, ни Джули, ни я не чернокожие.

Отхлебнув еще кофе, Роби снова обратил взгляд к памятникам.

Вэнс стояла, покачиваясь с пяток на носки и обратно, очевидно, в попытке переварить это ошеломительное откровение. Наконец прекратила покачиваться.

— *Вы* были в том автобусе! — вскричала она. — Почему? И почему я узнаю об этом только теперь?

— Потому что надо было знать, а вам знать не надо было, — заявила Джули. — Во всяком случае, тогда.

Обернувшись, оба уставились на девочку, замершую в дверном проеме.

— Надо знать? — Вэнс перевела взгляд с нее на Роби. — Значит, вы из спецслужб? Перед Богом клянусь, Роби, если мы бегали кругами из-за какой-то там цэрэушной хрени, я всерьез подумаю, не застрелить ли когонибудь, начиная с вас.

— Это не ЦРУ. Во всем этом деле что-то не то, Вэнс, причем с самого начала.

— Роби, с вас причитается тонна объяснений, начиная прямо сейчас. Что вы делали в том автобусе? И что там произошло? И кто его взорвал?

— Кто его взорвал, не знаю. Но это должны были сделать дистанционно. Не таймером.

— Почему?

— Они не хотели убивать ни меня, ни ее, вот почему.

— Опять же, почему?

— Не знаю. Я только знаю, что зачем-то им было нужно, чтобы в живых остался один из нас или мы оба.

— Что ты делала в автобусе? — обернулась Вэнс к Джули.

— А можно мне сперва кофе?

— Господи, вот. — Николь вручила свою чашку Джули. — Ну и что же ты делала в автобусе?

— Какой-то мужик убил моих родителей. Мама прислала мне в школу записку, то есть я думала, что она от мамы. В записке мне было велено сесть на тот автобус и встретиться с ними в Нью-Йорке. Когда я в него села, тот же мужик, что убил моих родителей, сел в него и напал на меня. Уилл помог его скрутить. Мы сошли с автобуса. Тогда-то он и взорвался. Сбил с ног нас обоих.

— Так это *ваш* ствол мы нашли около автобуса! — вскинулась Вэнс. — Это вы были в квартире Джейн Уинд! Вы собирались ее убить!

— Просто выслушайте его, агент Вэнс, — взмолилась Джули.

— С чего бы?

— Потому что кто-то убил моих родителей. А Уилл спас мне жизнь, причем вообще-то не один раз.

Когда Николь оглянулась, Роби спиной к ней потягивал свой кофе, глядя из окна.

— Пожалуй, возьму и себе чашечку кофе, — проронила она.

Налив кофе, Джули вручила ей чашку.

— А в остальном, что вы собираетесь поведать, дело обстоит так же скверно? — Вэнс поглядела на Роби.

— Наверное, еще хуже, — ответил он.

— Вы поставили меня в неловкое положение. Я обязана доложить обо всем этом.

— Согласен. Обязаны. Я действовал через своих, но лишь выяснил, что в наших рядах есть предатель, а то и два. Вот и гадаю, каковы шансы, что ими дело не кончается?

— Вы имеете в виду Бюро? — она вздыбила брови.

— А у вас никогда не бывало паршивых овец?

— Не так уж много, — оправдывающимся тоном ответила агент.

— Хватит и одной, — отметила Джули.

— Хватит и одной, — повторил Роби.

Вэнс со вздохом привалилась к стойке.

— И чего же вы хотите от меня?

Глава 68

Уилл повернул «Вольво» к аэропорту Даллеса и челночным автобусом доехал до главного терминала. Купил билет на рейс «Юнайтед эйрлайнз» до Чикаго, вылетающий часа через два, прошел проверку службы авиационной безопасности и направился в туалет, где было еще около дюжины человек. Вошел со своей дорожной сумкой, а позже вышел с сумкой на колесиках с телескопической ручкой, одетый в теплый костюм, очки и бейсболку. Дошел до выхода, доехал на автобусе до проката автомобилей, взял в аренду новую тачку — на сей раз «Ауди», — воспользовавшись кредитной картой под другим псевдонимом, и рванул на запад по платной дороге.

Бросил взгляд в зеркало заднего вида. Если кто-то способен сесть ему на «хвост» и после всего этого, то заслуживает победы.

Час спустя он въехал в свое лесное убежище. Завел машину в амбар и закрыл ворота. Граблями сгреб солому с пола амбара, обнажив металлический люк. Сняв его, опустился в отверстие. Щелкнул выключателем, и старая люминесцентная лампа, мигнув, загорелась. Сбежав по металлической лесенке, встал на прочный бетонный пол. Это сооружение строил не он. Фермер, бывший владелец этой недвижимости, вырос в тридцатых, а когда настали пятидесятые, решил построить под амбаром бомбоубежище, вообразив, будто толика строительного леса, соломы и несколько дюймов бетона способны защитить его от любых термоядерных безобразий, которые Советский Союз мог вдруг обрушить на Америку.

Пройдя по короткому коридору, Роби остановился. Перед ним была стена огневой мощи, которую он скопил по крохе, дабы довершить работу предшественника. Здесь имелись пистолеты, винтовки, дробовики и даже ракетная пусковая установка «земля — воздух». Пусть это смахивает на бзик в духе Джеймса Бонда, но на самом деле это лишь типичный рабочий инвентарь в ремесле Роби.

Взяв все, что могло понадобиться, он сложил оружие у стены. Открыл выдвижной ящик верстака и сунул в карман пару электронных передатчиков. Потратил еще десять минут, подбирая разные другие предметы, которые могли пригодиться, и упаковал все в большую дорожную сумку. Поднялся с ней по лестнице, закрыл люк, снова расшвырял над ним солому и положил сумку в багажник «Ауди».

Пять минут спустя Уилл уже мчался обратно на юг. Снял номер в мотеле продолжительного проживания и выгрузил снаряжение. Переоделся и позвонил Джули, оставленной на попечение Вэнс и ФБР. Агент сообщила начальству лишь то, что Джули — потенциальная свидетельница и нуждается в защите. Для организации защиты свидетеля вызвали двух иногородних агентов. В округе Колумбия Роби в данный момент не мог доверять ровным счетом никому.

— У меня идея! — возбужденно поведала Джули. — Я позвонила Брумам по телефону, что вы мне дали. И получила эсэмэску в ответ. Они хотят встретиться.

— Ты ведь знаешь, что это *вряд ли* Брумы, верно? — увещевающим тоном отозвался Роби. — Они могли заполучить телефон Брумов, и когда приняли твой звонок, дали ответную эсэмэску на твой номер. Будь это Брумы, они, скорее всего, просто позвонили бы.

— Вам всегда надо быть кайфломщиком? — спросила Джули.

— Где и когда?

Сообщив, она поинтересовалась:

— Можете подъехать и захватить меня?

— Джули, ты туда и близко не подойдешь.

Он буквально прозрел сквозь цифровой эфир, как она спала с лица.

— Что?!

— Скорее всего, это подстава. Ты не пойдешь. Этим займусь я.

— Но мы же команда. Вы сами сказали.

— Я не стану подвергать тебя еще большей опасности, чем сейчас. Я обстряпаю это и доложусь тебе.

— Отстой!

— Не сомневаюсь, что с твоей точки зрения это отстой, но это разумный поступок.

— Я могу позаботиться о себе, Уилл.

— В большинстве обстоятельств я бы с тобой согласился. Но это не одно из тех обстоятельств.

— Вот уж спасибочки!

— Пожалуйста.

Но Джули уже дала отбой.

Убрав телефон в карман, Роби мысленно подготовился к предстоящей встрече. Рано или поздно тот, кто за этим стоит, будет больше не заинтересован в сохранении его жизни. Может статься, этот момент уже на подходе.

Дав газу, он сунул в карман пиджака еще несколько предметов, а затем позвонил Вэнс и ввел ее в курс.

— Я с вами, — заявила она.

— Вы уверены?

— Больше не спрашивайте, Роби. Потому что мой ответ может запросто измениться.

Глава 69

Официальное открытие мемориала Мартина Лютера Кинга было отложено из-за урагана, крайне невовремя захлестнувшего Восточное побережье. Но теперь мемориал был открыт. Центральным элементом выступает Скала Надежды – тридцатифутовая статуя доктора Кинга, составленная из 159 гранитных блоков, подогнанных так, чтобы выглядеть единым куском камня. Его официальный адрес – Индепенденс-авеню, 1964, в честь Закона о гражданских правах, подписанного в 1964 году. Мемориал примерно равноудален от мемориалов Линкольна и Джефферсона и расположен вдоль «линии лидерства» между двумя другими мемориалами. Он примыкает к мемориалу Франклина Делано Рузвельта, и это единственный памятник на Эспланаде, посвященный цветному, да притом не президенту.

Роби знал все это и даже присутствовал на церемонии открытия мемориала. Но сегодня его волновал только вопрос выживания.

– Вы на месте? – негромко спросил он через гарнитуру, разглядывая Кинга.

– Так точно, – раздался у него в ухе голос Вэнс.

– Видите кого-нибудь?

– Нет.

Роби продолжал движение и наблюдение. На нем были очки ночного видения, но увидеть то, чего нет, они не помогали.

– Джули?

Голос раздался слева от него, рядом с мемориалом.

Голос принадлежал мужчине. Роби покрепче сжал рукоятку пистолета и снова произнес в гарнитуру:

– Слышали?

– Да, – ответила Вэнс, – но источник пока не наблюдаю.

Секунду спустя это сделал Роби.

Мужчина отошел от мемориала. В потоке лунного света с помощью прибора ночного видения Уилл разглядел, что это действительно Лео Брум, узнав его по фото, виденному у того в квартире.

– Это Брум? – раздался голос Вэнс.

– Да. Замрите и прикрывайте мне спину.

Роби продвигался вперед, пока не оказался в десятке футов от второго.

– Мистер Брум?

Тот мигом юркнул обратно за мемориал.

– Мистер Брум? – повторил Уилл.

– Где Джули? – спросил Брум.

– Мы не позволили ей прийти, – откликнулся Роби. – Думали, это может быть западня.

– Что ж, именно так я и думаю, – сообщил Брум. – Просто для сведения: у меня есть оружие, и я умею целиться и попадать в того, в кого целюсь.

– Мистер Брум, – подала голос Николь, – я спецагент ФБР Вэнс. Мы хотим только поговорить с вами.

– То, что вы это говорите, вовсе не значит, что вы из ФБР.

Вэнс вышла на открытое место, держа оружие стволом вверх и свою бляху.

– Я из ФБР, мистер Брум. Мы хотим лишь поговорить. Попытаться выяснить, что здесь происходит.

– А второй? – осведомился мужчина. – Он что за птица?

– Я знаю, что родители Джули мертвы, мистер Брум, – произнес Роби. – Я пытаюсь помочь найти их убийц.

– Кёртис и Сара мертвы?

– А также Рик Уинд и его бывшая жена. Оба убиты.

Брум появился из-за цоколя мемориала.

– Мы должны положить этому конец.

– Более чем согласна с вами, – сказала Вэнс. – И может быть, с вашей помощью нам это удастся. Но сперва надо переправить вас в безопасное место. И вашу жену тоже.

— Это вряд ли удастся.

— Они добрались до вашей жены? — спросил Уилл.

— Да. Она мертва.

— Вы были с ней, когда это случилось? — поспешно уточнил Роби.

— Да, я едва успел...

Он уже несся к Бруму во весь опор.

— На землю, живо! Ложитесь!

Но знал, что опоздал.

Раздался треск выстрела. Совершив пируэт, Брум упал, где стоял, жестко грохнувшись о землю. Дернулся разок, когда его сердце совершило последний удар, и замер неподвижно.

Добежав до него, Роби пригнулся и оглядел окрестности. Выстрел донесся слева. Уилл окликнул Вэнс, уже говорившую по телефону.

Он понял, что все было подстроено с самого начала.

Получить никаких сведений от Лео Брума ему даже не светило. С ним по-прежнему играют. Подсовывают дразнящий золотой самородок — и тут же отдергивают, как только он подберется слишком близко. Неведомому противнику известно куда больше, чем ему. У них есть активы с обеих сторон, а у него такой роскоши нет.

Вэнс присела на корточки рядом с ним.

— Мертв?

— Пуля прошла через голову навылет. Больше не заговорит.

Испустив долгий вздох, агент посмотрела на покойника.

— Похоже, они все время на шаг впереди.

— Похоже, — согласился Роби.

— Вы приказывали ему лечь перед самым выстрелом. Откуда вы знали?

— Его жену убили, а он улизнул? Вот уж не думаю...

То же случилось и с Джули. Они не дают людям уйти просто так.

— Но какой смысл был им оставлять Лео Брума в живых? Он мог бы что-то нам сказать.

— Они не собирались дать ему такого шанса, Вэнс.

— Так зачем вообще позволять ему прийти? Раз они за ним следили, значит, могли прикончить его в любой момент.

— Похоже, для них это игра.

— Игра?! Здесь гибнут люди, Роби. Ничего себе игра!

— Ничего себе игра, — он кивнул.

Глава 70

Роби сидел в своей квартире, не зажигая свет.

Вэнс с квартетом агентов ФБР несли неусыпную вахту над Джули. Роби рассказал девочке об убийстве Брумов. Она приняла весть стоически, не заплакала — очевидно, просто приняла это как жизненный факт. Может, так даже хуже, думал Уилл. Как-то это неправильно, чтобы эмоции четырнадцатилетнего подростка так зачерствели, что насильственной смертью их больше не прошибешь...

Сюда он вернулся, потому что хотел оказаться в таком месте, где вокруг ни души. И хотя у него был номер в гостинице длительного проживания, вместо того приехал сюда. Его не тревожило, что убийцы придут по его душу, — во всяком случае, пока.

«Зачем-то я им нужен живой. А после того я буду нужен им мертвый».

Роби выворачивал себе мозги наизнанку, перебирая миссии, выполненные в недавнем прошлом. Казалось бы, при его роде деятельности должна найтись масса людей, жаждущих ему отомстить, — слишком много, чтобы представлялось возможным расследовать все случаи. Но он ни разу не провалил задания, а это означает, что его мишень всякий раз умирала. И всякий раз успешно ретировался, откуда следует, что его личность должна была оставаться в секрете. Однако его контролер переметнулся, откуда следует, что Роби был как голенький перед всяким, кто мог раскошелиться...

Встав, он выглянул из окна. Два часа ночи. Машин на улицах по пальцам счесть, а людей так и вовсе ни души. Но потом ему на глаза кто-то попался, и Уилл подошел ближе к окну, чтобы лучше видеть.

Энни Ламберт остановила свой велик перед многоквартирным домом, слезла и вкатила его в вестибюль.

Когда она вышла на своем этаже, Роби уже поджидал ее. При виде него Энни удивилась, но, очевидно, заметила написанную на его лице боль.

— Ты в порядке? — с тревогой спросила она.

— Бывали дни и получше. А твой, очевидно, затянулся?

Ламберт, улыбнувшись, принялась возиться со своей сумкой. Роби взял ее, закинув через плечо.

— Спасибо. Сегодня я накосячила, — призналась она. — Пришлось засидеться, чтобы поправить дело.

— Что стряслось?

— Попрала официальные протоколы. Через голову непосредственного начальника попыталась получить ответ на вопрос, потому что моего непосредственного начальника на месте не было. За что и угодила на ковер.

— Как-то это неправильно. По правде, так выглядит довольно мелочно.

— Ну, когда тебе недоплачивают за решение важных вопросов, народ сильнее цепляется за титулы и субординацию, чем следовало бы.

— По-моему, ты не в меру великодушна.

— Может, я просто устала, — утомленно проронила Энни.

— Давай провожу тебя до двери, и сможешь поспать.

Шагая вместе с ним по коридору, она заметила:

— Ты тоже выглядишь не ахти.

— Как и у тебя, денек выдался долгий.

— Тоже крючкотворство?

— Тут немного иначе.

— Порой жизнь — полная лажа,— сказала Ламберт.

— Да, бывает.

Они дошли до двери.

— Когда я сказала, что устала, я вовсе не имела в виду, что мне надо поспать. — Энни повернулась к нему: — Не хочешь зайти чего-нибудь выпить?

— Ты уверена, что это тебе не в тягость?

— Судя по виду, нам обоим это не повредит. Ничего шикарного вроде твоего винца. Мне по карману только пиво.

— Годится.

Они вошли. Поставив велосипед, Ламберт направила Роби в кухню, где он разжился двумя бутылочками пива и вернулся в гостиную, чувствуя стыд за то, что знает планировку ее квартиры благодаря подглядыванию через телескоп.

Обстановка вполне соответствовала имиджу молодого государственного служащего, чья зарплата ни в малейшей степени не соразмерна ни его мозгам, ни способностям. Все дешевое, но Уилл заметил картину маслом с портовым пейзажем и пару предметов высококачественной мебели — наверное, доставшихся Ламберт от родителей.

Из спальни она вышла босиком, одетая в свободные джинсы и футболку с длинными рукавами, стянув волосы на затылке в конский хвостик. Роби вручил ей бутылку, и она плюхнулась в кресло, подобрав ноги под себя.

Уилл сел напротив на небольшую кушетку из кожзама.

— Чудесно сбросить с себя профессиональные доспехи, — произнесла Ламберт.

— До завтрашнего утра, которое почти настало.

— Вообще-то завтра у меня отгул, — сообщила она. — Или сегодня, как ты заметил.

Отхлебнула пива. Роби последовал ее примеру.

— Почему это?

— Президент покинул городок вкупе с изрядной частью персонального штата. Когда вернется, в Белом доме закатят банкет. Мне придется на нем вкалывать. Так что я намерена насладиться отгулом.

— Хотелось бы мне того же...

— Тем паче что последний месяц я пахала и по выходным, — она безропотно улыбнулась. — А администрация малость пала духом.

— Почему бы это?

— Избирательные рейтинги президента не на высоте. Экономика в раздрае. Следующие выборы вытанцовываются нелегкими и неприятными.

— Страна расколота ровно посередке. Теперь уж никакие выборы легкими не бывают.

— Верно, — согласилась Ламберт. — Может, я никогда не стану политиком. Это слишком болезненно, знаешь? Что ни секунду, что ни день кто-нибудь тебя судит. И не только твою позицию в отношении проблем. А то, как ты говоришь, выглядишь, ходишь... Просто стыд.

— Значит, ты начала подумывать о том, как жизнь будет обстоять для тебя после Белого дома?

— Сейчас я как раз на том этапе жизни, когда просто живу ото дня ко дню.

— Вообще-то это не так уж плохо.

— Некоторые назвали бы это ленью.

— Да кому какое дело до того, что думают некоторые?

— Именно.

— По правде говоря, великие умы считают точно так же.

Потянувшись вперед, Энни чокнулась с ним пивом.

— За великие умы!

— За великие умы, — с усмешкой согласился Уилл.

— Значит, официально это наше первое свидание?

— Технически я так не сказал бы, — ответил Роби. — Оно скорее спонтанное. Но мы можем сделать его тем, чем пожелаем. Это свободная страна.

— Мне очень понравилась выпивка в «Даблъю».

— Давненько я такого не делал.

— Я тоже.

— В твоем возрасте следует бывать на людях почаще.

— Может, я старше, чем выгляжу, — поддела Энни.

— Сомневаюсь.

— Ты мне нравишься, Уилл. Очень нравишься.

— Да ты меня толком и не знаешь пока.

— Я умею быстро и хорошо оценивать людей. Всегда умела. — Она помолчала, отхлебнула пива. — Ты заставляешь мне почувствовать себя... не знаю, довольной собой, что ли.

— У тебя масса поводов быть довольной собой, Энни.

Она поставила пиво.

— Порой я чувствую себя угнетенной.

— Черт, как и каждый из нас.

Встав, Ламберт присела рядом с Роби и коснулась его руки.

— У меня была пара неудачных опытов с парнями.

— Обещаю, что со мной у тебя такого не будет. — Гарантировать подобное Роби не мог, но, произнося это, верил в истинность своих слов.

Они одновременно склонились друг к другу — губы их ласково соприкоснулись, — а потом отпрянули. Когда Ламберт открыла глаза, Роби смотрел на нее.

— Тебе не понравилось? — спросила она.

— Нет, вообще-то очень понравилось.

Они снова поцеловались.

— Я намного старше тебя, — сказал он, когда они снова отстранились друг от друга.

— Ты не кажешься намного старше.

— Может, нам не следует этого делать.

— Может, нам как раз следует сделать в точности то, чего мы оба хотим, — проворковала Энни ему на ухо. Они снова поцеловались. Но на сей раз не ласково, а жадно, тяжело дыша.

Ладонь Роби скользнула к ее бедру и начала ласкать его. Сцепив руки у него за спиной, Энни крепко их сжала. Ее губы коснулись его уха.

— В спальне может быть удобнее...

Он встал, подхватив ее на руки, и понес к двери спальни. Энни нажала на ручку двери ногой и пинком открыла ее. Роби пяткой захлопнул дверь за собой. Они без спешки принялись раздевать друг друга.

Энни увидела его татуировки, шрамы и рану на плече. Легонько коснулась ее.

— Больно?

— Уже нет.

— Откуда у тебя это?

— Да просто глупость. — Он притянул ее к себе.

Минуту спустя они скользнули между простынями, бросив одежду спутанной кучей на полу.

ГЛАВА 71

Шесть утра — и Роби снова был на ногах. Прокатное авто плавно катило по темной улице.

Едва покинув Энни Ламберт в постели, он уже начал раскаиваться, что переспал с ней. Секс был дивный, аж потряхивало, наполняя теплом и напрочь вышибая из колеи. Чувство полного раскрепощения.

И все же это было ошибкой.

По сути, он покинул покойника на Эспланаде, чтобы пойти и трахнуться со штатным сотрудником Белого дома. В постели с ней о деле он и не помышлял. Что ж, ситуация переменится прямо сейчас...

Он позвонил Вэнс. Несмотря на ранний час, она сняла трубку после второго гудка.

— Я в конторе. Вообще-то и не покидала ее. Где вы?

— Еду.

— Куда?

— Толком не знаю.

— Что стряслось с вами вчера ночью? Вы вроде как испарились, когда мы устаканили ситуацию с Джули.

Уилл не ответил.

— Роби?

— Мне просто надо было малость отойти, прояснить мозги.

— Теперь-то они прояснились? Потому что нам надо работать над делом.

— Ага.

— Я не ужинала. И не завтракала. За углом от ВРУ есть круглосуточная забегаловка. Знаете?

— Встретимся там через десять минут, — ответил Роби.

Он прибыл первым и уже успел заказать для обоих по кружке кофе, когда вошла Вэнс.

— Мне казалось, вы говорили, что не были дома. А одеты в свежее, — заметил он.

— Держу комплект в офисе, — пояснила она, усаживаясь и беря кофе, чтобы тут же отхлебнуть. — Видок у вас не ахти.

— А я должен выглядеть ахти? — парировал Роби, на миг озадачившись, не следует ли ей сказать, что он был с другой женщиной.

Они сидели в неловком молчании, потягивая кофе, пока Уилл не спросил:

— Как там Джули?

— Издерганная, угнетенная... По-моему, она считает, что вы ее бросили.

— А как вы объясните все это начальству?

— Срезала угол. Что-то доложила, о чем-то умолчала...

Подошла официантка, и они сделали заказ. Подлив им кофе, она удалилась.

Роби внимательно разглядывал Николь.

— Я не хочу, чтобы вы подпортили карьеру из-за этого, Вэнс.

— Знаете, давайте перейдем на ты, и зовите меня Никки, если хотите.

Это предложение только усугубило угрызения совести Роби.

— Ладно, Никки. Нам нужно, чтобы на закате дня ты могла отойти от этого, сохранив всю свою жизнь целой и невредимой.

— По-моему, это невозможно, Роби.

— Я веду к тому, что тебе незачем меня прикрывать. Было бы нечестно просить тебя о таком.

— А я веду к тому, что, если не прикрою, ФБР обрушится на тебя, как тонна кирпичей. Слишком много вопросов, а ответов раз-два и обчелся.

— У меня есть профессиональное прикрытие.

— Недостаточное. И, уж если совсем откровенно, я делаю это не только ради тебя. Если все выплывет, мою задницу, скорее всего, стащат с этого расследования, а дело так запуталось, что, наверное, его вовек не распутают. А вот с этим у меня явный напряг.

— Значит, мы поняли друг друга, — заключил Роби.

— Я не уверена, что вполне тебя понимаю, но это ни к селу ни к городу. Я не твой мозгоправ. Я просто работаю с тобой в уповании упечь подальше нескольких убийц.

— Лео Брум, — переменил он тему. — Нашли по нему что-нибудь полезное? Он еще говорил, что до его жены добрались.

— На нем ничего не нашли. Пытаемся отследить, откуда он появился. Поблизости ни одной неучтенной машины. В такой поздний час метро, пожалуй, тоже можно сбросить со счетов. Опрашиваем таксёров; может, удастся определить, где его посадили.

— А может, он пришел пешком, — указал Роби. — Но у него не было ключ-карты от номера отеля, ничего такого, что хоть намеком указывало бы на его местопребывание?

— Ничего подобного. Но одну вещь мы нашли.

— И что же?

— Татуировку гоплита на предплечье, точь-в-точь такую же, как на руке Рика Уинда. А значит, такую же, какая была на руке отца Джули, по ее словам.

— Значит, в войсках они могли знать друг друга, — подытожил Роби.

— А что, если в конечном итоге это не имеет к тебе ровным счетом никакого отношения? Они вместе были в армии; может, у них имелся общий секрет... А теперь он им аукнулся.

— Это по-прежнему не объясняет, почему нам с Джули дали сойти с того автобуса. Или почему они промазали по нам с тобой перед «Доннеллиз».

— Нет, пожалуй, не объясняет. Ты говоришь, ему *позволили* ускользнуть после того, как убили его жену. Часть игры, говоришь ты. Может, они с тобой и играют, но во всем этом должна быть какая-то цель.

— Я уверен, что цель есть, и железобетонная. Вот только не знаю какая.

— Если это какого-то рода состязание между тобой и ими, оно должно как-то увязываться с твоим прошлым. Об этом ты не думал?

— Думал. Но должен обдумать куда основательнее.

— В какого рода ремесле ты подвизаешься, Роби? СКРМО не настоящая твоя крыша, но явно есть где-то еще в федеральном правительстве.

Он пил свой кофе, не отозвавшись ни словом, потому ни слова сказать не мог.

— Я не уполномочена, поэтому твои губы не шевелятся? — спросила Вэнс.

— Не я пишу правила. Порой они — отстой, как сейчас, но всё равно правила есть правила. Извини, Никки.

— Хорошо. Отвечать ты не обязан, но выслушай меня, лады?

Роби кивнул.

— По-моему, ты был в квартире Джейн Уинд, чтобы убить ее в ходе некоего санкционированного акта. Вот только почему-то не нажал на спусковой крючок. Но кто-то еще нажал с дальней дистанции. Ты отнес младшего ребенка в безопасное место, после чего смылся оттуда. Потом тебя припахали к расследованию преступления, очевидцем которого ты был, под эгидой значка СКРМО. — Николь помолчала, приглядываясь к нему. — Как я справляюсь?

— Ты — агент ФБР, меньшего я и не ожидал.

— Расскажи мне о покушении на Уинд.

— На самом деле оно не было санкционировано. Меня не должны были привлекать, но привлекли. Человек, сделавший это, сейчас стал грудой обугленных костей.

— Подбирают болтающиеся концы?

— На мой взгляд, ага.

— Значит, кто-то играет с тобой, закапывая тебя поглубже. Смахивает на то, что все началось с твоей вылазки к Джейн Уинд. Ее благоверный был уже покойником. Итак, она умирает. Уиндов с дороги убрали. Пункт первый.

Роби допил свой кофе и выпрямился с более внимательным видом.

— Продолжай.

— Пункт два. Убиты родители Джули. Мы знаем, что они дружили с Брумами. А на руках Рика Уинда и Кёртиса Гетти были одинаковые татуировки. Должно быть, со времени совместной службы в войсках. Твои люди уже увязали их между собой?

— Еще работают над этим.

— Пункт третий. Итак, Гетти, Брум и Уинд, включая и их супруг — или, в случае Уинд, бывших жен, — все мертвы.

Кивнув, Роби подхватил нить.

— Я пытаюсь улизнуть на том автобусе. Они знали, что я это сделаю. Джули направляют на тот же самый автобус запиской, якобы исходящей от ее матери. Мы сходим, автобус взрывается.

— А нападение перед «Доннеллиз», где нас с тобой должны были прикончить?

— Очередное очковтирательство, очередные игры с моим рассудком.

— Ничего себе игры... Погибла масса невинных людей, Роби.

— Того, кто за этим стоит, сопутствующий ущерб не колышет. Для него это шахматные фигуры, и ничего более.

— Что ж, я бы с радостью нацепила пару браслетов на людей, рассуждающих подобным образом...

— Но какова конечная цель? К чему все это?

Она сделала еще глоток кофе.

— Так где же ты сегодня спал?

Не успела Вэнс закончить вопрос, как перед мысленным взором Роби вспыхнул образ обнаженной Энни Ламберт, сидящей на нем верхом.

— Я почти не спал, — правдиво сознался он.

Принесли их еду, и какое-то время они занимались расчисткой завалов из яиц, бекона, тостов и картофельных оладий. Наконец покончив с этим, Вэнс отодвинула тарелку и поинтересовалась:

— И как ты намерен атаковать?

— Приоритет номер один — безопасность Джули. Очевидно, в нашей конторе окопался «крот», и я вынужден рассчитывать на Бюро.

— Мы сделаем все возможное, чтобы с ее головы и волос не упал. Каков второй приоритет?

— Я должен выяснить, кто из моего прошлого домогается меня настолько отчаянно.

— У тебя много вариантов.

— Чересчур. Но я должен проредить их, и как можно быстрее.

— Думаешь, у этой штуки есть часовой механизм?

— Вообще-то я думаю, что будильник вот-вот прозвонит.

— И что же будем делать?

— Совершим путешествие далеко-далеко отсюда.

— Ты уезжаешь? — изумилась Вэнс.

— Нет, не уезжаю.

Глава 72

Роби сидел в тесной комнатенке, служившей ему кабинетом последние пять лет. Ни один одутловатый мужчина среднего возраста в помятом костюме не явился, чтобы вручить ему очередную флешку. Он пришел сюда не ради очередного задания. Он пришел оглядеть те, что были раньше.

Путешествие, о котором Уилл говорил Вэнс, он проделывал в собственном рассудке. Смотрел на экран компьютера перед собой. А с экрана на него смотрели рапорты о его последних пяти заданиях, уводившие Роби в прошлое на целый год.

Он устранил — по крайней мере на первое время — три из них. Последние два задержали его внимание по паре причин: во-первых, они были самыми недавними, а во-вторых, затрагивали мишени с длинными руками и множеством друзей.

Уилл нажал несколько компьютерных клавиш, и на экране появилось изображение покойного Карлоса Риверы. Когда Роби видел этого латиноса в последний раз, тот крыл его матом в Подземном Эдинбурге. Уилл убил

Риверу и его телохранителей и, как считал сам, ушел, не обнаружив себя.

У Риверы остался младший брат Донато, прибравший к рукам изрядную долю деятельности картеля брата. Досье Донато гласило, что в жестокости тот усопшему брату не уступит, но куда менее амбициозен. Он довольствуется тем, что правит своей наркоимперией, не суя нос в политическую ситуацию в Мексике. Не исключено, что как раз из-за случившегося со старшим братом. И все же он может желать мести за смерть Карлоса. И если установил личность Роби через его контролера, то мог раздобыть и нужную для этого информацию.

Роби прокрутил перед мысленным взором события, увенчавшиеся убийством Карлоса сотоварищи. Завершив этот процесс, он подумал: «Мне что, надо лететь в Мексику и попытаться прикончить Донато?»

Но глубинным утробным чутьем Уилл ощущал, что родне убитого наплевать с высокой горки на то, кто пришил Риверу. Младший братец жив и недурно справляется и без старшего.

Так что Роби перешел к следующей мишени, представляющей интерес.

Халид бен Талал, один из саудовских принцев, завсегдатай списка «Форбс 400», богатством превосходивший даже Риверу.

И снова Роби прикрыл глаза, на сей раз перенесясь сквозь расстояния и время в Коста-дель-Соль.

На третью ночь мишень прошествовала прямо в перекрестье его прицела вкупе с палестинцем и русским — геополитически маловероятной парочки. Талал покинул свою автоколонну и поднялся по трапу в здоровенный самолет. На несколько секунд Роби потерял его из виду. Но затем Талал сел прямо напротив товарищей-заговорщиков.

Выстрел Уилла угодил ему ровнехонько в центр лба. Выжить ни шанса. Роби уложил двоих телохранителей, вывел из строя самолет, выполнил отход и, не прошло и часа, уже сел на медленный паром до Барселоны.

Чистое убийство, чистый отход. И, правду говоря, в мусульманском мире бен Талал был не так уж популярен. Для умеренных его идеи были чересчур радикальны. Правящая династия прекрасно сознавала, что он жаждет ее низвергнуть, и в основном по ее повелению Роби и выслали на задание. Даже исламские фундаменталисты предпочитали обходить Талала за милю, потому что не доверяли его тесным связям с западными капиталистами...

Откинувшись на спинку кресла, Уилл потер виски. Если б он не бросил, то закурил бы прямо сейчас. Ему требовался какой-нибудь отвлекающий фактор, чтобы отделаться от ощущения полного краха. Что-то брезжит перед ним. Быть может, истина, так нужный ему ответ... Но ответ не приходил.

Он снова перебрал три миссии, предшествовавшие Ривере и бен Талалу. Каждый шаг, как с латиносом и мусульманином. Чистое исполнение, чистый отход — все до единого.

А если не один из них, то кто же?

Достав пистолет, Роби положил его на стол перед собой стволом от себя. Уставился на «Глок». Чудесное оружие, почти всегда действующее без изъяна. Это не серийное изделие. Оно подогнано под его ладонь, его хватку и его стиль стрельбы. Каждая деталь изготовлена с дотошностью, делающей успех предрешенным. Но дело тут не только в точности прицела. В каждой миссии миллион деталей, и если даст сбой хоть одна, та же участь постигнет и миссию. Для Роби наиболее простой частью являлось само убийство. В этом он был дока и имел подобие контроля над событиями. Остальные части головоломок зачастую сводились к тому, чтобы свою работу выполнили другие и были ему совершенно неподконтрольны.

Роби не всегда убивал во имя правительства США. Он работал и для других, сплошь союзников американцев. Вот что привлекло их внимание. Платили по эту сторону Атлантики лучше, но будь это только ради денег, Роби давным-давно сменил бы профессию.

Он соглашался на все эти задания отнюдь не без причины – брал на мушку одного монстра за другим. Никогда не говорил об этом ни с кем, да и вряд ли когда-нибудь заговорит. Не то чтобы воспоминания были чересчур болезненны. Просто Роби заморозил эту часть своего рассудка. Он просто не в состоянии произнести об этом хоть одно предложение. Именно так ему и хотелось. Чуть меньше – и он попросту расклеился бы и не смог функционировать.

Уилл встал из-за стола. Ощущение провала навалилось страшным бременем.

Едва он протянул руку к дверце машины, как телефон зазвонил.

Синий.

Они отследили военные связи между Кёртисом Гетти, Риком Уиндом и Лео Брумом. Все трое служили вместе.

– Выезжаю, – бросил Роби.

Глава 73

– Одно отделение, – сообщил Синий, в чьем кабинете сидели они с Уиллом. – Они воевали вместе на протяжении всей кампании, включая передислокации, – Первая в Заливе.

– Неудивительно, что Джули не знала об этом, – заметил Роби. – Она тогда даже не родилась.

– А ее отец о службе держал язык за зубами, – подхватил Синий. – Может, он даже жене не говорил.

– Я знаю, что некоторые солдаты не любят распространяться о своем боевом опыте, но факт самой службы в войсках обычно не утаивают. В его личном деле нет никаких намеков на основания для подобной секретности?

— Возможно. — Синий выудил из стопки на столе очередную манильскую папку. — Как вам известно, во время Первой войны в Заливе в Багдад союзные войска на самом деле не вступали. Миссия заключалась в изгнании Саддама Хусейна из Кувейта, и эта миссия была выполнена.

— Сто дней, — сказал Роби. — Помню.

— Верно. Итак, согласно сообщениям, иракцы порядком награбили в Кувейте, каковой является одним из богатейших государств в Заливе. Наличные, золото, драгоценные камни, всякое такое...

— Дело клонится туда, куда я подумал?

— Доказать ничего невозможно, но похоже на то, что Гетти, Уинд и Брум в Кувейте были охочи до чужого добра. Всех троих уволили на общих основаниях.

— Джули вы сказали, что ее папаша получил почетную отставку по медицинским основаниям.

— Это правда. Сказал.

— Если они были замешаны в воровстве, как, по-вашему, могли они протащить трофеи обратно в Штаты? Ни один из троих на богача не похож, — возразил Роби. — Гетти зарабатывали дерьмовой работенкой и жили в дерьмовом дуплексе. У Уиндов никаких богатств не было. И я видел квартиру Брумов. Ничего особенного.

— Кёртис Гетти, вероятно, бóльшую часть просто вынюхал. Финансы Рика Уинда показывают, что он никогда особо не зарабатывал, но притом владел домом и ломбардом. Опять же, мы не можем найти никаких записей о том, из каких средств он заплатил за предприятие.

— Но притом получал полную казенную пенсию. Как такое возможно, если его считали вором?

— «Считали» здесь ключевое слово. Полагаю, за недостаточностью улик. Но увольнение на общих основаниях говорит о многом, потому что по всем остальным статьям его послужного списка в войсках ему причиталась самая что ни на есть почетная отставка.

— Значит, в конце концов его взяли за задницу?

— И он явно не стал это опротестовывать. Опять же, это говорит об очень многом. Если он похитил что-то, но всё равно получил полную пенсию, а тюремного срока не получил, да притом удержал плоды своей кражи, Уинд, наверное, считал, что легко отделался.

— А если он разбогател воровством, зачем ему пенсия?

— Мы не знаем, много ли им удалось умыкнуть. Может, он считал это своей заначкой на черный день и решил продолжать получать казенные деньги.

— А Лео Брум?

— Вот здесь мы сорвали банк. Его квартира в округе Колумбия не бог весть что, но у них был дом на берегу океана в Бока-Ратоне, и мы отследили инвестиционный портфель, который он держал на другое имя. На общую сумму около четырех миллионов.

— Ладно, по крайней мере, он, похоже, кувейтцев пощипал. Значит, по-вашему, кто-то решил с ними посчитаться спустя столько времени? А к чему втыкать в самую середку меня?

— Вы-то и есть деталь, внушающая тревогу, Роби. Эти трое отставников в схему худо-бедно укладываются. А вот вы — нет. — Синий закрыл папку и посмотрел на него через стол. — Вы прошлись по своим недавним заданиям?

— По пяти. Совершенно шаблонные. Никаких очевидных причин кому-то покушаться на меня. И никаких очевидных причин, почему нет. Так что я не смог сузить круг подозреваемых. — Он поразмыслил несколько секунд. — По словам Джули, мать сказала своему убийце, что девочка ничего не знает.

— И что с того?

— Не знает чего? Об армейской службе своего папочки? Я могу вам прямо сейчас сказать, что мужик в автобусе, покушавшийся на Джули, явно не с Ближнего Востока.

— Это ничего не значит. Вы тоже не с Ближнего Востока, и всё же работали от их лица. Они могли нанять для выполнения местное дарование. Это проще, чем протащить в страну одного из своих, особенно в наши дни.

— Так почему вы не сказали Джули об этих утверждениях о воровстве? — Роби поглядел на него.

— Я решил сфокусироваться на медалях. И обвинения против Кёртиса Гетти не были доказаны.

— Но всё же?

— А смысл?

— Почему? — напирал Роби.

— У меня есть внучки.

— Ладно, — уступил Роби. — Это я могу понять.

— Но к ответам мы, кажется, не приблизились ни на йоту, — проронил Синий.

— Нет, может, и приблизились.

— Как это?

Роби встал.

— Они хотят втянуть меня во что-то, что бы то ни было.

— Само собой, но как это нам поможет?

— Я должен заставить их попотеть, привлекая мое внимание более усердно.

— Что вы имеете в виду?

— Собираюсь заставить их надавить посильнее. Когда люди давят изо всех сил, они делают ошибки.

— Что ж, вы уж постарайтесь не давить на них настолько сильно, чтобы это кончилось вашей гибелью.

— Нет, я *хочу*, чтобы они сфокусировались на *мне*. И так уж слишком много сопутствующего ущерба.

Повернувшись, Роби вышел из комнаты.

Он собирался повидаться с Джули. Вообще-то поведать ей пока нечего. Как и сказал Синий, ничего хорошего информирование ее о прошлых проступках отца не даст. Роби был убежден: все прегрешения троих солдат, допущенные двадцать лет назад, к нынешней ситуации ни малейшего отношения не имеют. Они – просто удобные фигуры на шахматной доске.

«Это все из-за меня, – думал Роби. – Это началось с меня и должно так или иначе окончиться на мне».

Глава 74

– Значит, мистер Брум и Рик Уинд служили в армии вместе с папой? – спросила Джули.

Роби сидел с ней на конспиративной квартире ФБР. Насколько она безопасна и конспиративна, он не представлял, но выбора почти не осталось. Агенты ФБР, охранявшие Джули, выглядели бдительными профессионалами, и все же Уилл держал руку рядом со своим «Глоком» и был готов перестрелять их, если они попытаются причинить девочке хоть малейший вред.

– Они воевали на Первой войне в Заливе. После этого демобилизовались в разное время. Очевидно, такая татуировка была на руках у многих солдат их отделения.

– Мне по-прежнему не верится, что мой папа был типа герой.

– Поверь, Джули, был.

Она теребила молнию своей куртки.

– Вы узнали что-нибудь еще?

– Вообще-то нет, – ответил Роби.

– Должно быть, папа уволился из армии молодым. Интересно, почему он не остался на сверхсрочную?

– Не могу сказать, – негромко проронил Роби. – Некоторые отбывают свой срок и занимаются другими вещами.

– Может, если б он остался в войсках, то мог бы, ну, знаете...

— Ну, если б он остался, тогда не смог бы познакомиться с твоей мамой.

— Это правда, — медленно проговорила Джули, внимательно поглядев на Роби. — И почему мне кажется, что вы чего-то недоговариваете?

В этом взгляде Уилл уловил что-то узнаваемое. Точно так же он и сам смотрит на людей, не говорящих ему того, что он хочет услышать.

— Потому что ты подозрительна по натуре, как и я.

— Вы что-то от меня умалчиваете?

— Я умалчиваю множество вещей от множества людей. Но всегда по веским основаниям, Джули.

— Это не ответ на мой вопрос.

Он встретился с ней взглядом, рассудив, что, если сейчас не смотреть ей в глаза, это все равно что поставить восклицательный знак на подразумеваемом обмане.

— Другого я дать не могу. Извини.

— То есть, значит, вы не разобрались, что происходит, да?

— Вообще-то нет.

— Вам нужна моя помощь? И не говорите, что должны обеспечить мою безопасность. Нет такого места, даже здесь, с супер-пупер-фэбээровцами со всех сторон.

Роби хотел было отклонить ее предложение на основании этой самой проблемы безопасности, но прикусил язык. Ему как раз пришло кое-что в голову.

— Твоя мать сказала, что ты ничего не знаешь, верно? Когда говорила с тем субчиком в твоем доме.

— Именно так она и сказала.

— А это подразумевает, что твои родители как раз что-то знали. Что твоя мать фактически, вероятно, знала, почему явился этот тип. Почему хотел их убить.

— Пожалуй, верно. Но мы это уже проходили, Уилл.

— А Лео Брум, прямо перед смертью, подразумевал, что тоже что-то знает.

Джули смахнула слезинку из правого глаза.

— Я была знакома с ним не так уж и хорошо, но он казался неплохим человеком. А Ида мне вправду нравилась. Она всегда была добра ко мне.

— Знаю. Как ни поверни, это трагедия. Далее Шерил Косманн сказала, что за день до гибели твои родители обедали с Брумами в закусочной. Сказала, вид у них был такой, словно они привидение узрели.

— Это верно.

— Когда ты в последний раз говорила с родителями, прежде чем вернулась в свой дом в ту ночь?

— Как раз перед тем, как меня снова упекли под опеку. Случай улизнуть и повидаться с мамой в закусочной мне не перепал.

— И как твоя мама выглядела, когда вы виделись в последний раз?

— Отлично. Нормально. Мы просто болтали.

— А потом вдруг этот тип явился к ним домой, чтобы убить их, и твою мать это не удивило?

Джули заморгала.

— Вы хотите сказать, что-то должно было произойти после того, как я виделась с ней в последний раз, но прежде чем тот тип явился к нам домой?

— Нет, это должно было произойти между вашей последней встречей и обедом твоих родителей с Брумами, где все они выглядели, будто увидели призрака, по словам Шерил.

— Но мы не знаем, что это было.

— Но сужение временных рамок может помочь. Как я понимаю, либо что-то случилось с твоими родителями, они что-то обнаружили и сообщили Брумам. Либо Брумы что-то узнали и сообщили твоим родителям.

— А как же Уинды?

— Вот это своего рода карт-бланш. Их на обеде не было, но они тоже должны быть как-то причастны, иначе с какой бы стати погибли?

— По-вашему, это как-то связано с их армейской службой?

— Нутром чую, что связано. Но факты на это не указывают. А именно мое участие во всём этом. Если я прав и причиной всей этой катавасии служу я, к чему припутывать в нее твоих родителей, Брумов и Уиндов? Я ни с кем из них не знаком.

— То есть вы вправду думаете, что все это как-то завязано на вас?

Роби уловил невысказанный вопрос.

«Не из-за меня ли убили ее родителей?»

— Да, по-моему, завязано. Иначе слишком уж много совпадений.

Джули поразмыслила над этим.

— Выходит, или Уинды, или мои родители, или Брумы что-то узнали. Мужики служили вместе и поэтому могли сказать об этом друг другу. Злодеи всё выяснили и вынуждены были их убить.

— Звучит логично.

— Ага, пожалуй, — проронила девочка, отведя взгляд.

Роби выждал несколько напряженных мгновений, прежде чем нарушить молчание.

— Джули, я не ведаю, что происходит. Если все это и вправду из-за меня и твои родители и остальные угодили между молотом и наковальней, я сожалею.

— Я не виню вас за случившееся с моими родителями, Уилл, — промолвила она, хоть и без убеждения в голосе.

Встав, Роби начал вышагивать из угла в угол.

— Что ж, может, и следовало бы, — бросил он через плечо.

— Сколько вас ни вини, их этим не вернешь. И мое желание не изменилось. Я хочу добраться до тех, кто это сделал. До *всех* до единого.

Сев на место, Роби поглядел на нее.

— Полагаю, получается не более чем двадцатичетырехчасовое окно, когда весть, погубившая твоих родителей, циркулировала между Уиндом, Брумом и твоим папой. Если нам удастся отследить звонок, перемещения или любого рода общение в рамках этой группы, мы смогли бы лучше управиться со всем этим.

— А вы можете?

— Мы можем хотя бы попытаться, черт возьми. Проблема в том, что пока не удалось нарыть в их прошлом ничего такого, что могло бы послужить катализатором всего этого.

— Ну, они же в отделении были не одни, правда? Личный состав отделения — это девять или десять солдат под командованием штаб-сержанта...

— Откуда ты знаешь?

— Курс американской истории. Мы изучаем Вторую мировую войну. Так что мой папа, Уинд и Брум — трое. Это означает, что надо отследить еще шестерых или семерых.

Роби тряхнул головой, гадая, как они проглядели столь очевидный факт. А потом посмотрел на грудь Джули.

Прямо на ее сердце сияла лазерная точка.

Глава 75

Уилл никак явственно не отреагировал на лазерную точку, зная, что это прицел снайперской винтовки. На окно он не посмотрел даже мельком, понимая, что жалюзи чуть приоткрыты. Винтовка и стрелок где-то там, вероятно, в тысяче ярдов от квартиры, явно больше не конспиративной и опасной дальше некуда.

Мысленно устроил себе нагоняй за то, что не заметил приоткрытых жалюзи раньше.

Сунул руки под стол, отделяющий его от Джули. Улыбнулся.

— Чего смешного? — с недоумением полюбопытствовала она.

— Ты когда-нибудь играла в игру «Замочи крота»?

— Гм... вы что, нездоровы, Уилл?

Тем временем Роби ощупывал нижнюю поверхность стола. Сплошная древесина, не ДСП. Это хорошо. Толщиной около дюйма. Может, сойдет. Должно сойти. Ему придется проделать два движения, каждой рукой по отдельности. Он набрал в грудь побольше воздуху и улыбнулся еще шире, потому что, если Джули сделает какое-нибудь внезапное движение, пиши пропало.

— Я тут подумал об одном происшествии, случившемся со мной давным-давно...

Одной рукой Уилл опрокинул стол так, чтобы тот загородил Джули от снайпера, а другой выхватил свой «Глок».

Джули завизжала, когда Роби выстрелил, прикончив верхний свет. Винтовочная пуля разбила окно, вошла в дерево и прошла навылет, но барьер сбил траекторию пули, впившейся в стену слева от Джули.

— На пол! — рявкнул Роби. Девочка тотчас же распласталась на животе. Послышался топот ног, бегущих по коридору.

Роби нырнул за стол и повернулся к Джули, распластавшейся на полу, накрыв голову ладонями.

— Ты цела?

— Да, — дрожащим голосом отозвалась та.

— Это ты приоткрыла жалюзи на окне?

Джули уставилась на Роби.

— Нет, они так и были, когда я сюда вошла.

Дверь начала открываться.

— Роби, вы в порядке? — раздался голос.

Уилл узнал голос одного из агентов, приставленных для охраны, и крикнул в ответ:

— Положите ствол на пол и ногой подтолкните в комнату.

— Какого черта творится, Роби?! — гаркнул один из агентов.

– То же самое я хочу спросить у вас. Кто открыл жалюзи в этой комнате?

– Жалюзи?

– Ага, жалюзи. Потому что снайпер только что сделал выстрел как раз через эту щель. Так что если у вас нет ответа, я застрелю первого же, кто переступит этот порог. Мне плевать, будете это вы или кто-нибудь другой.

– Роби, мы из ФБР.

– Ага, а я не на шутку осерчавший мужик с «Глоком». И куда это нас заведет?

– Снаружи снайпер?

– Именно так я и сказал. Вы не слышали выстрел?

– Замрите!

Послышался топот ног, бегущих прочь.

Роби поглядел на Джули, а потом обратно на окно. Замирать он вовсе не собирался. Извлек телефон и набрал номер Вэнс. Она ответила.

– Снайпер на конспиративной квартире, – выложил Роби. – Где-то «крот». Требуется подмога. Сейчас же.

Дав отбой, он взял Джули за руку.

– Не поднимайся.

– Мы погибнем?

– Просто не высовывайся и следуй за мной.

Он вывел ее из комнаты, проверил коридор, и оба побежали, но не к передней или задней двери, а к противоположной от выстрела стороне дома. Скорчившись, сели в комнате, и Роби, вытянув шею, украдкой выглянул из окна. Невооруженным взглядом ему нечего и рассчитывать провести тщательную рекогносцировку местности, но блика от прицела он не заметил, хотя современное высокотехнологическое оборудование может и не давать предательских отблесков света. Не угадаешь, к какой категории отнести парня, велевшего ему замереть – союзник или неприятель, – и вряд ли так уж разумно будет дожидаться, чтобы выяснить это однозначно.

Их появление наверняка поджидают либо из задней двери, либо из окна на стороне дома, противоположной позиции снайпера. Так что Уилл наметил выйти через переднюю дверь.

Но сначала надо ее достичь.

Они пробрались обратно в коридор и, с Роби во главе, медленно двинулись к передней части дома. В окрестностях дома лишь одна дорога и для въезда, и для выезда. Других домов поблизости нет. Чтобы попасть сюда, надо очень сильно этого хотеть. И кто-то явно хотел. И сделал это, прибегнув к помощи кого-то изнутри.

Выглянув из-за угла в гостиную, Роби увидел одного из агентов, лежащего ногами к входной двери, с лужей крови у шеи. Это не пулевое ранение. Роби услышал бы выстрел, да и такую дырищу может проделать только дробовик. Должно быть, ножом. Ладонью зажать рот, полоснуть клинком по шее – почти бесшумно. Смерть очень быстрая.

Зажать ладонью рот... Для этого убийца должен быть совсем рядом.

Еще один предатель в рядах.

– О боже!

Уилл оглянулся на Джули. Она только что увидела труп.

– Не смотри, – бросил Роби.

Опять постучал по клавиатуре телефона. Вэнс сняла трубку. Роби слышал звук двигателя автомобиля. Похоже, разогналась за сотню.

– Тут один мертвый агент. Где остальные, не знаю. У покойника рана из положения непосредственного соприкосновения. Его уложил тот, кого он считал другом.

– Вот же жопа! – воскликнула Вэнс.

– Ты далеко?

– В трех минутах.

Убрав телефон, Роби повернулся к Джули:

— Мы выйдем через переднюю дверь, но нужно отвлечь внимание на другое место.

— Ладно, — сказала Джули; взгляд ее метался от Роби к покойнику и обратно. — И как?

Роби выбросил патрон из патронника, извлек магазин, удалил два верхних патрона, вставил два других, которые достал из кармана пиджака, и вогнал обойму на место. Передернул затвор, загнав в патронник новый патрон. Осторожно подобрался к двери и ногой приоткрыл ее.

— Что вы собираетесь делать? — поинтересовалась Джули. — Проложить дорогу отсюда выстрелами?

— Закрой уши.

— Что?

— Зажми уши и отвернись от двери.

Роби подождал, пока она исполнит это. Потом прицелился и выстрелил.

Первая пуля попала в бензобак черного бюровоза, припаркованного на подъездной дорожке. Зажигательная, она воспламенила пары бензина, и взрыв швырнул седан в воздух.

Второй выстрел был направлен во второй бюровоз, припаркованный рядом с первым. Секунду спустя облака пламени от обоих автомобилей слились воедино.

Роби схватил Джули за руку, и они во весь дух ринулись по подъездной дорожке. Держась за стеной пламени и дыма и уповая, что она прикроет их от того, кто только что пытался убить Джули, свернули прочь от дома и побежали по улице. На бегу Роби ломал голову, стоит ли пытаться добраться до своей машины; с равным успехом можно нарисовать у себя на лбу мишень.

Свернувшая на улицу машина поддала газу. Увидев синие проблесковые огни за решеткой радиатора, Роби отчаянно голоснул Вэнс. Та врезала по тормозам, и «бумер», пойдя юзом, остановился. С маху распахнув дверцу, Уилл впихнул Джули на заднее сиденье, а сам запрыгнул на переднее пассажирское.

— Гони! — бросил он.

Николь дала задний ход настолько резко, что шины задымились, вгрызаясь в асфальт. Сделала полицейский разворот, и как только капот машины нацелился в обратном направлении, выжала газ. Достигнув конца улицы, свернула налево. Поглядела на Роби, а затем бросила взгляд на Джули, скорчившуюся на заднем сиденье.

— Оба целы? Никто не ранен?

— Мы в порядке, — лаконично бросил Роби.

— Так поведай мне, что за чертовщина тут стряслась.

— Просто езжай, — отрезал он.

Глава 76

Сидевший на пассажирском сиденье Роби то и дело обращал назад, а потом на Вэнс взгляд, буквально источавший подозрительность. И не снимал ладони с рукоятки «Глока». Это было даже ближе, чем на волосок. Не посмотри он вниз и не увидь точку, Джули присоединилась бы к родителям в числе мертвых. Уиллу стало очевидно, что ни он, ни она той стороне в числе живых больше не нужны.

Он откинулся на спинку сиденья, но напряженно, подобравшись, как пружина, не считая, что опасность уже позади.

Вэнс почти не сводила глаз с дороги. Изредка бросала взгляд на ствол в руке Роби, а потом — на его лицо. И если их глаза случайно встречались, поспешно отводила взор.

Они проехали мили две, прежде чем она наконец нарушила молчание:

— У тебя есть какой-то конкретный резон держать пушку нацеленной в мою сторону?

— У меня дюжина резонов, но ты, наверное, все их уже передумала.

— Я не подставляла тебя, Роби. За этим стою не я.

— Рад слышать. Я приму это к сведению.

— Я могу понять, почему ты не в настроении верить кому бы то ни было, и ФБР в том числе.

— Опять же, рад слышать. — Голос его был лишен малейшего намека на выражение, как неживой. Даже Роби не мог признать в нем собственный голос.

— Куда хочешь направиться?

Уилл поглядел на нее с непроницаемым выражением.

— Почему *тебе* не выбрать место? Посмотрим, что будет.

— Это проверка?

— С чего бы это?

— Народ, может, хватит уже? От этого никакого проку.

Оба посмотрели в зеркало заднего вида и встретили устремленный на них взгляд Джули.

— Кто-то только что подставил нас под опекой ФБР, — спокойным, ровным голосом проговорил Роби. И повторил: — Так что выбирайте место, агент Вэнс. Отвезите нас туда, и поглядим, что будет.

— Как насчет ВРУ?

— И как же?

— Роби, я на вашей стороне!

Он посмотрел за окно.

— Парни, которых ты вызвала, не из города?

— *Я* их не вызывала. Их вызывали другие из Бюро.

— Какие другие?

— Конкретно не знаю. Я подала заявку на иногородних агентов. — Она одарила Роби суровым взором. — По твоему настоянию. Прислали этих.

— Одного убили, — сказал Роби. — Сомневаюсь, что он приехал, чтобы умереть. Так что его можно исключить. Но кто-то оставил открытыми жалюзи в комнате, куда поместили Джули... — Он оглянулся на девочку. — Кто из агентов направил тебя туда?

— Тот, который подходил к двери после выстрела, — сообщила Джули. — Я узнала его голос.

— И который так и не вернулся. Который убил напарника, — присовокупил Роби. — Велевший нам замереть. — Он бросил взгляд на Вэнс. — В точности как сказала мне ты. Замри.

Вэнс врезала по тормозам, остановив «бумер» посреди дороги, и всем корпусом повернулась к Роби.

— Лады, так застрели меня! Всё равно от меня никакого проку, если ты мне не веришь. Так что приставь пушку к моей башке и спусти треклятый курок!

— Истеричная аффектация ничего тебе не даст, — заметил Роби.

— Так чего именно ты от меня хочешь?

— Я уже сказал. Покамест просто езжай.

— Куда?

— Выбери направление и придерживайся его.

— Блин, — пробормотала Вэнс дрожащим голосом, включила сцепление, и машина рванула вперед. — Прежде чем свернуть на улицу, я слышала взрывы. Твоя работа?

— Взорвал две машины Бюро. Не забудь предъявить счет.

— Ты их взорвал?

— Нужен был отвлекающий маневр, — встряла Джули. — Иначе мы живыми из дома не выбрались бы.

Роби откинулся на спинку сиденья.

— Итак, я схлопотал изменников в собственной организации. Предателей в ФБР. Головоломку, к разгадке которой даже не приблизился. А время на исходе.

— И что же ты собираешься предпринять? — нервно спросила Вэнс.

— Перегруппироваться и подумать заново. Будем втроем держаться вместе. Но нам нужны новые «колеса».

— А моя машина чем плоха?

— В принципе, тем, что ее знают.

— Вы собираетесь угнать еще машину, Уилл? — поинтересовалась Джули.

— Еще?! — возвысила голос Вэнс.

— Он в этом спец, — заверила девочка. — Как будто это раз плюнуть.

— И надеюсь, что ты такой же спец в вождении, — сказал Роби.

— Почему? — не поняла Николь.

Роби уже поднял пистолет и нажал на кнопку, чтобы опустить стекло со своей стороны.

— Потому у нас на шесть часов внедорожник, и он быстро приближается.

Глава 77

Вэнс бросила взгляд в зеркало заднего вида. Внедорожник — черный, здоровенный, настигавший их чересчур быстро — смахивал на массивный авиалайнер, несущийся по взлетной полосе перед самым отрывом.

Она дала по газам, и «бумер» рванул вперед.

— Думаешь, это копы или федералы?

Выстрел разнес заднее стекло «бумера». Джули с визгом пригнулась, и в тот же миг пуля, пролетевшая между Вэнс и Роби, расколола ветровое стекло.

— Нет, — кратко бросил Уилл. — Не думаю, что это копы или федералы.

Вэнс выкрутила руль влево. «Бумер» под визг шин развернулся на девяносто градусов и помчался по боковой улице.

— Ну так *сделай* же что-нибудь! — вскинулась Николь.

Повернувшись, Роби поглядел на Джули, скорчившуюся на заднем сиденье.

— Отстегни ремень и ложись на пол, — велел он.

— А если машина попадет в аварию, а я не пристегнута? — спросила она.

— Думаю, это будет волновать тебя меньше всего.

Отстегнув ремень, Джули сползла в пространство между передними и задними сиденьями.

Прицелившись, Роби сделала один выстрел из «Глока» через разбитое заднее стекло. Пуля попала в передок внедорожника. Роби целился в радиатор. Пуля угодила точно в центр, и он услышал, как она с визгом отскочила.

— Бронированный, — сообщил он Вэнс.

Затем выстрелил в левую переднюю шину. Резина должна была разлететься в клочья. Не тут-то было.

— Самонесущие шины, — констатировал Роби. — Мило. Очень мило.

— Если они бронированы, мы должны легко обогнать их, — отозвалась Вэнс.

— Смотря сколько у них лошадей под капотом.

Он выстрелил снова — в ветровое стекло. Стекло частично растрескалось, но внедорожник не притормозил.

— Что ж, они хотя бы не идеальны, — заметил Уилл.

Увидел ствол, появившийся из окна с пассажирской стороны. И тут же понял, что это не просто ствол. Если из него попадут, всё будет кончено.

Перехватив руль у Вэнс, он швырнул машину в крутой правый поворот, снесший ее с дороги через бордюр прямо в чей-то двор.

Долей секунды позже ствол, торчавший из внедорожника, автоматически изрыгнул дюжину пуль. По «бумеру» они промазали, но машина позади них, припаркованная у перекрестка, мигом взорвалась.

Внедорожник, не способный совершить резкий поворот, понесся по дороге дальше. Потом послышался визг тормозов и скрежет терзаемой коробки передач.

Роби вывернул баранку, и «бумер», перескочив бордюр, приземлился на дороге. Сняв ладони с руля, Уилл оглянулся.

— Что за чертовщина? — вопросила потрясенная Вэнс.

— Называется «Кувалда», — сообщил Роби. — Штурмовой дробовик. Я узнал его по здоровенному дисковому магазину. Должно быть, поджег топливный бак вон той машины... — указал вперед. — Следующий поворот налево, а потом направо, и дави на всю железку. Пока они снова смогут сесть нам на хвост, нас и след простынет.

Вэнс так и сделала, и вскоре они остались одни на дороге, ведущей на запад от всей этой пальбы. Послышались звуки сирен, доносящиеся будто со всех сторон разом.

Смахнув осколки автомобильного стекла с сиденья и вытряхнув их из волос, Джули села на место и пристегнула ремень.

— Цела? — оглянулся на нее Роби.

Она кивнула, но не обмолвилась ни словом.

Уилл оглянулся.

— Рюкзак оставила на конспиративной квартире?

Она снова кивнула.

— Что изменилось, Роби? — спросила Вэнс.

Убрав пистолет в кобуру, Уилл поглядел на нее.

— Как-как?

— Раньше они не хотели нас убивать, только напугать до усрачки, устрашить или черт его знает чего. Но теперь яснее ясного жаждут, чтобы нас не стало. Так что же изменилось?

— Много чего может быть, — ответил он. — Не зная конечной цели, трудно понять, что движет этой братией. И какую роль играет в этом каждый из нас.

— Значит, нам нужно понять, что это за цель, — решила Вэнс.

— Легче сказать, чем сделать, — откликнулась Джули.

— Так что же изменилось? — На сей раз вопрос прозвучал из уст Роби.

Вэнс и Джули поглядели на него.

— Именно это я только что и сказала, — ответила Николь.

Уилл не ответил, глядя прямо перед собой.

Он улыбнулся бы – но не сделал этого, потому что все это может оказаться тупиком.

Хотя наконец-то – *наконец-то* – он что-то нащупал.

Глава 78

Роби подсказывал Вэнс дорогу до своего загородного убежища. По его требованию она отключила GPS-чип своего телефона. По дороге агент позвонила своему начальнику, чтобы доложить о случившемся. На месте событий остался один погибший агент ФБР, которого видели Роби и Джули. Второго агента пока так и не нашли. На самом деле Бюро не могло подтвердить факт, что его прислали в Вирджинию для защиты Джули.

Вэнс с гримасой отвращения бросила телефон на колени.

– Проклятье! Убери мелкую кучку дерьма как надо – и не вляпаешься в большущую кучу.

– Ты исчезла с радаров, – напомнил Роби. – Тебя это не напрягает?

– Значит ли это, что ты в самом деле мне веришь?

– Тебя там тоже хотели убить.

– Меня не напрягает исчезновение с радаров, если есть план.

– Он в разработке. Но мне нужна кое-какая информация.

– Какого рода?

Уилл поглядел на Джули, сидевшую на заднем сиденье, не сводя с него глаз.

– А изменилось то, что Джули нашла правильный ответ.

– Какой ответ? – не поняла девочка.

– На самом деле все упирается в хронометраж. Как

только ты это сказала, у тебя на груди появилась красная точка. С этого момента нас обоих списали в расход.

— Что он говорил? — Вэнс оглянулась на Джули.

— Что мой папа, мистер Брум и Рик Уинд были в одном отделении, — растолковала та. — А в отделении девять или десять солдат. Так что, может быть, они говорили с кем-то еще из своего отделения. Тогда-то все и началось. В смысле, если они трое поддерживали связь, могли быть и другие солдаты...

Кивнув, Роби поглядел на Вэнс.

— Так что конспиративная квартира была не просто скомпрометирована. Она еще и была нашпигована жучками. Они могли слышать всё, что мы говорим. И точка появилась в ту же секунду, едва Джули произнесла это.

— Ты правда думаешь, что дело может быть в этом? — осведомилась Вэнс. — В других членах отделения?

— Я думаю, что нам надо выяснить, так это или нет, — и побыстрее.

— Ты мог бы добыть эти сведения довольно быстро, через СКРМО.

— Мог бы. Но раз в СКРМО есть засланные, я не могу раскрывать свои карты.

Вэнс осунулась на сиденье, продолжая вести машину, обдумывая их положение.

— И в Бюро тоже могли быть засланные.

— Могли быть?! — воскликнула Джули. — Какое отделение сегодняшнего спектакля вы прозевали, суперагент Вэнс?

— Ладно, есть засланные, — Николь поморщилась и посмотрела на Роби. — И что же будем делать?

— У меня есть знакомый, который мог бы помочь, — ответил тот. — Старый друг.

— Ты уверен, что можешь доверять этому человеку?

— Он заслужил это доверие.

— Ладно.

— Но мне придется вас покинуть, чтобы с ним повидаться, — предупредил Роби.

— Думаешь, разделиться — хорошая мысль? — нервно спросила Вэнс.

— Нет, — ответил он. — Но только так это может удаться.

— Вы надолго? — поинтересовалась Джули.

— Не дольше, чем потребуется, — только и сказал Уилл.

* * *

Устроив их в доме, Роби показал Вэнс, где что, активировал сигнализацию и внешние средства безопасности, а затем направился в амбар. Оседлал мотоцикл, нахлобучил шлем и завел машину. Мощные пульсации двигателя умиротворяли его, позволяя сосредоточиться на чем-то еще, кроме того, что придется сделать позже.

Он поехал на мотоцикле на восток, а потом на север. Добравшись до Кольцевой, последовал по ее длинной дуге на север. Промахнул мост Вудро Уилсона, видя мерцающие огни округа Колумбия слева и зеленый простор Вирджинии, раскинувшийся до самого Маунт-Вернона справа.

Минут тридцать спустя он остановился перед кирпичным приземистым зданием, обнесенным высоким забором. Перед воротами стоял часовой в мундире. Роби загодя предупредил о визите и был внесен в список. Показал свои настоящие документы. Внутрь его часовой пропустил только после дотошного обыска.

Через пару минут Уилл уже шагал по единственному коридору здания. От этой главной артерии отходили двери слева и справа — сплошь запертые. Час поздний, народу почти ни души.

Но хоть один есть. Тот самый, кто ему нужен. Человек, занимавший пост Роби до него.

Остановившись у одной из дверей, Уилл постучал.

В его сторону двинулись шаги. Дверь распахнулась.

Перед ним стоял человек в возрасте за пятьдесят с седыми волосами, стриженными под бобрик, примерно одного с Роби роста, подтянутый и широкоплечий. Похоже, он сохранил изрядную часть сил молодости. И когда пожал Уиллу руку, сила эта стала очевидной. Впустив Роби, он закрыл дверь, но лишь после того, как выглянул в коридор – нет ли каких угроз. Даже здесь Уилл поступил бы точно так же – на этом уровне подобное поведение становится частью натуры.

Комнатка маленькая, обставленная рационально. Никаких личных сувениров. Мужчина сел за стол, на котором стоял небольшой ноутбук. Роби сел напротив, сцепив руки на плоском животе.

– Давненько не виделись, Уилл, – сказал хозяин.

– Я был типа занят, Шейн.

– Знаю, – ответил Шейн Коннорс. – Хорошая работа.

– Может, и да, а может, и нет.

– Объясни, – он склонил голову к левому плечу.

Роби посвятил десять минут тому, чтобы ввести его в курс последних событий. И когда закончил, собеседник откинулся на спинку кресла, устремив на Уилла пристальный взор.

– Состав отделения я могу добыть прямо сейчас. Но когда ты его получишь, что планируешь дальше?

– Пройти по следу. Осталось не больше семерых. Разумеется, с акцентом на местных.

– Это я понимаю.

Коннорс склонился к ноутбуку, нажимая на клавиши, а затем откинулся и устроился поудобнее.

– Заложим на это десять минут. – Он по-прежнему не сводил с Роби глаз. – Для тебя это двенадцать лет.

– Знаю. Я тоже считал.

Как по подсказке, Уилл расслышал тиканье часов, находящихся где-то в кабинете.

– Вперед заглядывал? – осведомился Коннорс.

– Я заглядываю вперед с самого первого дня.

– И?..

– Определенные возможности имеются. Но ничего более.

Это вроде бы огорчило Коннорса, но он промолчал. Его взгляд опустился к ноутбуку. Следующие восемь минут оба смотрели на экран.

Когда в почтовый ящик упало электронное письмо, Коннорс нажал несколько клавиш, и принтер на краю стола тоненько заныл. Из него выскользнули листы. Шейн взял их и передал Роби, даже на заглянув.

– Мне нужна свежая машина. Неотслеживаемая, – сказал тот. – Могу оставить в залог свой байк.

Коннорс кивнул:

– Это займет две минуты.

– Спасибо.

Сделал звонок. Прошло две минуты. Компьютер динькнул. Коннорс снова кивнул.

– Готово.

Оба встали.

– Искренне признателен, Шейн.

– Знаю.

Роби тряхнул ему руку. И уже повернулся было уйти, когда Коннорс произнес:

– Уилл!

Он повернулся обратно.

– Ага?

– Когда будешь заглядывать вперед в следующий раз, заглядывай подальше, чем сюда.

Роби окинул кабинет взглядом, остановив его снова на хозяине, и чуть заметно кивнул. И через секунду уже шагал по коридору, зажав бумаги в руке.

Глава 79

Прежде чем завести автомобиль – элегантный бежевый «шеви», – Роби просмотрел распечатки. В них было всего три имени, потому что из семерых членов отделения, кроме Уинда, Гетти и Брума, четверо уже мертвы, причем уже не один год. Это несколько упростило работу Роби. По крайней мере, потенциально. Следующее обстоятельство упростило ее еще больше. Все живут поблизости. Данные включали также их нынешние адреса и краткий послужной список каждого. Армия блюдет свою документацию безупречно.

Сунув бумаги в карман, он завел двигатель и проскочил мимо часового по пути из небольшого правительственного комплекса. Возвращаясь в Вирджинию прежним путем, он думал о Коннорсе и его тамошней клетушке. Коннорс научил Роби практически всему, что он знал. Был легендой среди полевых исполнителей санкционированных убийств. Когда он официально ушел от дел, а Роби дал полный газ, действуя по всей планете, они с Коннорсом потеряли контакт. Однако Уилл до сих пор живо помнил первую миссию, которую они исполнили вместе. Совершив убийство, Коннорс поцеловал ствол своей винтовки. Когда Роби спросил, почему он это сделал, Шейн ответил просто: «Потому что это единственная вещь, стоящая между тем, что я здесь, а не там».

Существуют люди – хоть их и можно перечесть по пальцам, – которых не купишь ни при каких обстоятельствах. Шейн Коннорс – один из них.

Роби убедился, что за ним нет «хвоста», но для пущей уверенности последний десяток миль порядком попетлял.

Обратно в фермерский дом он добрался уже ранним утром. Вэнс бодрствовала с пистолетом в руке и серьезным выражением на лице. Джули спала на диване в задней комнате на первом этаже.

Николь сразу углядела подъехавший автомобиль.

— Где ты его взял? — спросила она, едва Роби переступил порог.

— Там же, где получил это, — он продемонстрировал бумаги.

Стоя вместе с ним в дверном проеме и глядя на спящую Джули, свернувшуюся на диване клубочком, как котенок, Вэнс сказала:

— Не желала идти наверх. По-моему, не хотела быть настолько далеко от меня.

Уилл направился в кухню. Николь последовала за ним.

Они сидели, просматривая имена и текущие адреса.

— Три индивидуума. Двое мужиков и одна женщина, — резюмировала Вэнс. — Как собираешься этим заняться? Снова разделимся?

— Не годится. Комментарии Джули их предупредили. Вероятно, они знают, что мы предпримем.

— Значит, они предвидят, что мы явимся за этими лицами, и будут ждать?

— Может, предпримут нечто поэффективнее.

— Типа чего?

— Типа того, что заставят всех троих исчезнуть.

— Хочешь сказать, убьют?

— Если убьют двоих, то, считай, они сделали работу за нас. Оставят только одного, к которому все сводится. Если заставят уйти всех троих, — мы вернулись туда, откуда пришли.

Положив пистолет на стол, Вэнс потерла глаза.

— Тебе надо поспать, — заметил Роби.

— Кто бы говорил! — парировала она.

— Я несу первую вахту. Можешь перехватить пару часов.

— Тогда будет уже восемь утра. Тогда ты не поспишь.

— Вообще-то я чувствую себя довольно отдохнувшим.

Николь сжала его запястье.

— Это еще зачем? — поинтересовался Роби.

— Просто проверяю, человек ли ты на самом деле. Хоть ты и льешь кровь, когда ранен.

— Значит, будем брать их одного за другим, зная, что нас будут ждать.

— Значит, козыри у них, — добавила Вэнс. — Как ты и сказал, их могут просто заставить исчезнуть.

— Могут, если не воспрепятствует одно обстоятельство.

— Какое?

— Если один из них почему-то нужен, чтобы что-то сделать.

— Наподобие чего?

— Если б я знал, то бы не сидел здесь, пытаясь это понять.

— Что будем делать с Джули? Оставлять ее здесь нельзя. А брать девчонку на подобное дело — глупее не придумаешь.

— Может, и не придумаешь, но я все равно поеду.

Обернувшись, они увидели Джули, стоящую на пороге с сонно помаргивающими глазами, каким-то чудом хранящими в уголках выражение гнева и уязвленных предательством чувств.

— Боже, — выдохнула Вэнс, — в подслушивании ты настоящий дока!

— С вами двоими иначе ничего и не узнаешь, — огрызнулась Джули.

— Это опасно, — заметил Роби.

— Что же может быть нового? — ровным тоном выговорила Джули, присаживаясь к столу. — В меня стреляли, чуть не взорвали, родителей убили у меня на глазах... Преследовали пешком, преследовали на колесах... Так что на самом деле ваш аргумент «опасно» как-то не катит.

Вэнс бросила взгляд на Роби, растянув губы в улыбке.

— На определенном уровне ее логика просто непрошибаема.

— Значит, логика гласит, что раз тебя едва не прикончили несколько раз, разумнее всего влезть в очередную ситуацию, где тебя, скорее всего, убьют? — возразил Роби.

— Не надо чувствовать ответственность за меня, Уилл, потому что ее нет, — отрезала Джули и убрала прядь волос за ухо, глядя на него волком.

Улыбка Вэнс померкла.

— Ладно вам обоим, меньше всего нам сейчас надо настраиваться друг против друга.

— Я отвечаю за тебя, — заявил Роби. — Я отвечаю за тебя с того самого момента, как мы сошли с того автобуса.

— Это ваш выбор, не мой. Я — жертва обстоятельств.

— Но все равно жертва.

— Я хочу выяснить, почему убили моих родителей. На все остальное мне наплевать. — Девочка поглядела на Вэнс, а затем на Роби. — Так что не считайте, будто должны волноваться, что со мной будет. Потому что вам плевать.

— Мы просто пытаемся помочь тебе, Джули! — воскликнула Вэнс.

— Я не какой-то там ваш доброхотский проект, лады? Приемная детка с улицы, которой вы желаете только блага... Выбросьте это из головы. Тут речь не о том.

— Ты с нами повязана, Джули, хочешь ты того или нет. И если б не мы, ты была бы мертва, — добавил Роби.

— Я уже чувствую себя мертвой.

— Это я могу понять. Но чувствовать себя мертвой и быть мертвой на самом деле — вещи совершенно разные.

— С чего это мне кому бы то ни было доверять? — уперлась она.

— Думаю, мы заслужили твое доверие, — бросил Роби.

— Ну так подумайте получше! — выпалила Джули в ответ.

Встала и вышла из кухни.

— Можешь ты поверить в такое дерьмо? — протянул Уилл.

Вэнс посмотрела на него через стол.

— Она всего лишь ребенок. Она лишилась родителей и напугана.

Тут же успокоившись, Роби с виноватым видом проронил:

— Знаю.

— Чтобы пройти через это, мы должны держаться вместе.

— Легче сказать, чем сделать...

— Почему?

— События могут расколоть нас.

— События?

— Ты должна хранить верность ФБР, Вэнс. А не мне.

— Почему бы тебе не позволить мне решать за себя? — Она положила ладонь ему на руку. — И то, что я здесь, исчерпывающе показывает, кому я храню верность, Роби.

Мгновение Уилл смотрел на нее, а затем встал и вышел, предоставив удивленной Вэнс уставиться ему вслед.

Глава 80

Направившись в амбар, Роби открыл инструментальный ящик на верстаке и достал пачку сигарет «Винстон». Выудив одну, зажег, поднес к губам, втянул в легкие канцерогены, а затем выдохнул их.

«От рака легких медленно или от пули быстро... А, в общем-то, какая разница? Время? А не насрать ли?»

Сделав еще затяжку, подвигал шеей, делая растяжку. Пыхнув еще разок напоследок, раздавил сигарету о верстак и вышел из амбара, закрыв за собой дверь.

Уставился на фермерский домик. В нем горели два окна.

Одно в комнате Джули.

Одно в комнате Вэнс.

Его от них отделяет футов пятьдесят.

А на самом деле – пятьдесят световых лет.

«Я убийца. Я спускаю курок. Я обрываю жизни. И ничего другого...»

Обернувшись, Роби выхватил пистолет настолько молниеносно, что Вэнс невольно вскинула руки, заслонив лицо. Затем, медленно опустив руки, воззрилась на него.

– Я думал, ты в доме, – опустив пистолет, сказал Уилл.

– Я *была* в доме. Но решила выйти проведать тебя.

– Я в полном порядке.

– В порядке, только малость на взводе? – Она поглядела на пистолет.

– Я предпочитаю называть это профессионализмом.

Скрестив руки на груди, Николь сделала вдох, выдох и поглядела, как стылый воздух обращает дыхание в туман.

– Мы в этом вместе, знаешь ли.

Роби спрятал пистолет в кобуру, но не отозвался ни словом.

Вэнс подошла ближе.

– Знаешь, я понимаю людей, держащих все под спудом в себе. Безмолвных, стоических воинов. Само собой, в ФБР таких до чертиков. Но со временем это приедается. И малость раздражает, особенно в такое время, как сейчас.

Роби отвел глаза.

– Я не такой, как ваши в ФБР, Вэнс. Я убиваю людей. Делать это мне приказывают. Но я эти приказы выполняю. Без угрызений совести. Без ничего.

– Так почему же ты не убил Джейн Уинд и ее сына? – возразила Николь. – Зачем терял время, чтобы вынести второго ребенка в безопасное место? И был занят этим, пока другие пытались тебя убить? Объясни это мне.

– Может, мне просто надо было их убить.

– Если б я считала, что ты в это веришь, я пристрелила бы тебя сейчас же.

Обернувшись, Уилл увидел, что Вэнс нацелила свой пистолет ему в грудь.

– Значит, ты просто убийца, Роби? Тебе всё и все до лампочки?

– А тебе-то что?

– Уж и не знаю... Просто как-то не все равно. Может, я просто дура. Я только что присягала там на верность тебе. Но до тебя, похоже, не дошло. Я не рассчитывала, что ты заскачешь с ликующими воплями, когда я поставила тебя выше ФБР и собственной профессиональной карьеры, но ждала хоть какой-то позитивной реакции. А ты просто ушел.

Повернувшись, Роби зашагал обратно к дому.

– Ты всегда уходишь, когда вопрос встает ребром? – хлестнула она. – Это так ты управляешься, когда дело швах? Если да, это не круто. От тебя я ожидала большего.

Уилл развернулся обратно, сунув руки в карманы и покачиваясь взад-вперед на пятках. Сделал несколько неглубоких вздохов, уперев взгляд в точку прямо над плечом Вэнс.

Она двинулась к нему, убирая пистолет в поясную кобуру.

– Я думала, я приехала сюда, чтобы стать частью чего-то. Только не говори, что я заблуждалась на этот счет.

Роби бросил взгляд на дом.

– Она всего лишь дитя. Этого ей выше крыши. Ее вообще не следует вовлекать во все это.

– Знаю. Но притом она – несгибаемое дитя. И умное. И решительное.

— Это не потасовка на детской площадке, — Роби скривил губы. — И не экзамен по химии, который можно сдать или провалить. Один из нас или мы оба можем не дожить до конца. Так какие же у нее шансы?

— Но ты лишь убийца, Роби, — отозвалась Вэнс. — Ты сам сказал, что в этом ты весь. Так чего ж тебя волнует, что будет со мной или с ней? Это просто очередная работа. Если мы умрем, то мы умрем.

— Но она не должна умирать. Она заслуживает жизни.

— Весьма странное заявление из уст хладнокровного убийцы.

— Ладно, Вэнс, я уяснил.

— Пойдем поработаем над планом, — она указала на дом. — *Все* вместе.

Роби не отозвался ни словом, но зашагал к дому. Николь пристроилась рядом.

— Что бы ни случилось, — произнес он, — Джули это переживет.

— И чего бы оно ни стоило, — подхватила Вэнс, — я сделаю все, что в моих силах, чтобы и ты тоже.

Глава 81

Джером Кэссиди.

Элизабет Клэр ван Бюрен. В девичестве она была Элизабет Клэр и просто приставила к имени фамилию по мужу — ван Бюрен.

Габриель Зигель.

Вот три имени в списке.

Роби смотрел на них, потягивая кофе за кухонным столом в фермерском доме.

Пробило восемь тридцать. Солнце уже высоко. Услышав, как наверху полилась вода, он предположил, что Вэнс пошла в душ. Джули уже встала, оделась и находилась в задней комнате, наверняка раздумывая об их последней стычке.

Пятнадцать минут спустя Николь сидела напротив него с еще не просохшими волосами. Ее брюки и блузка были помяты, но вполне презентабельны.

— Если мы пробудем вне поля зрения дольше, — сказала она, — мне могут понадобиться какие-то вещи.

Кивнув, Уилл встал и налил ей чашку кофе. Развернув листы к себе, Вэнс посмотрела на список имен.

— За кого возьмемся в первую очередь? — поинтересовалась она.

Роби вручил ей чашку, и в этот момент в кухню вошла Джули. Глаза у нее припухли, а одежда была помята сильнее, чем у Вэнс. Очевидно, она не потрудилась раздеться перед сном.

— Хочешь? — Уилл приподнял чашку.

— Сама могу взять, — буркнула она.

Взяла чашку и налила себе кофе. Они сидели за столом, избегая встречаться глазами друг с другом.

Роби пододвинул листы Джули:

— Не узнаёшь ни одного из этих имен?

Она неспешно изучила список.

— Нет. Родители ни одного из них ни разу не упоминали. У вас есть их фото?

— Пока нет, — ответил Роби. — Тем не менее ты уверена? Ни один не брезжит?

— Нет.

Взяв список, Уилл проглядел его.

— Габриель Зигель ближе всех по расстоянию. Живет в Манассасе. Сначала отправимся туда, выясним, что сможем.

— Если действуем географически, — подхватила Вэнс, — ван Бюрен будет следующей, а Кэссиди — последним. Но они могут быть на работе. Я подразумеваю, что это домашние адреса.

— Я тоже об этом думал. Но если их нет дома, а есть кто-то еще, мы можем предъявить документы и получить рабочие адреса.

— Как только наведаемся по одному из этих адресов, мы можем подцепить «хвост», Роби, — предостерегла Вэнс. — И они смогут отследить нас досюда.

— Что ж, мы просто позаботимся, чтобы они этого не сделали.

— Может, сперва просто позвонить людям из списка? — предложила Джули. — Так нам не придется подставляться.

— Или, может, мне привлечь Бюро, чтобы их взяли для допроса? — подкинула Вэнс. — Не могли же они подкупить в ФБР всех до единого.

— Именно так мы и думали в последний раз, — заметил Роби. — И как-то оно не заладилось.

— Да брось, ты же знаешь, что я имею в виду.

— Я предпочел бы сделать это в одиночку.

— Ладно, значит, сначала займемся этим Зигелем, — заключила Вэнс. — Я смотрела его послужной список. Что это нам о нем говорит?

— Он был штаб-сержантом. Командиром отделения. Сейчас ему пятьдесят. На гражданке уже много лет. Неизвестно, чем он сейчас занимается. Мой источник этими сведениями не располагает.

Джули достала телефон, полученный от Роби.

— Давайте, я забью его послужной список и адрес, и поглядим, не поведает ли нам что-нибудь «Гугл».

Заглянув в лист Уилла, она принялась печатать на миниатюрной клавиатуре. Подождала, пока загрузятся данные.

— У мистера Зигеля есть страница в «Фейсбуке», — повернула телефон всем на обозрение. На них смотрело фото брылястого мужчины с седеющими волосами.

— А мы уверены, что это тот самый? — поинтересовалась Вэнс.

— На его странице в «Фейсбуке» сказано, что он служил во время Первой войны в Заливе, — сообщила Джули, — и он даже указал название армейского отделения, в котором был.

Показала экран Роби, и тот кивнул:

— Это нужный Зигель.

— Согласно его профилю, он работает в банке «СанТраст» заведующим отделением, — продолжала Джули.

— Тут масса отделений «СанТраст», — заметила Вэнс. — Не сказано, в каком именно?

— Нет. Но в лайках у него оружие, футбол и состязания поваров чили. У него двадцать девять друзей, то бишь маловато, но я не знаю, давно ли он в «Фейсбуке». К тому же он очень старый.

— Ему всего пятьдесят, — возразила Вэнс.

— Я же сказала, он *очень* старый, — Джули пожала плечами. — И не вижу на его странице ничего такого, что объясняло бы, почему все эти люди мертвы.

— А как насчет Кэссиди? — осведомился Роби.

Девочка потыкала в клавиши, и страница загрузилась.

— Джеромов Кэссиди тут порядком. — Пробежав глазами страницу, она нажала на клавишу прокрутки. — С ходу не вижу ни одного, упоминающего военную службу или адрес, что вы дали, — во всяком случае, в сводке «Гугл». Могу прогнать углубленный поиск по каждому из них.

— Попробуй ван Бюрена. Это не такая распространенная фамилия, — предложила Вэнс.

Джули послушалась. Страница загрузилась.

— Куда более распространенная, чем кажется. На просмотр требуется время.

— А времени у нас нет, — подвел черту Роби. — Надо сейчас.

Машину он загнал в амбар. Заранее загрузил в нее снаряжение, которое могло понадобиться, взяв его из бункера под амбаром. Показал Вэнс арсенал на заднем сиденье. Она потрогала MP-5 и уставилась на винтовку «Барретт», способную пробить дыру в бронированном «Хаммере».

— Где ты берешь подобные вещи? — удивилась она, тут же поспешно добавив: — Не парься, я не хочу знать.

Роби достал из багажника три бронежилета и надел один на Джули, пока Вэнс натянула другой, плотно затянув его на своем торсе липучками-велкро и надев поверх него куртку.

— А это правда нужно? — спросила Джули.

— Только если хочешь выжить, — отрезал Роби.

— Он тяжелый, — пожаловалась она.

— Уж лучше это, чем поймать пулю, которую он остановит, — подключилась Вэнс.

Уилл сел за руль, Вэнс — на место пассажира, а Джули — на заднее сиденье. Роби сдавал задом, пока автомобиль не выехал из амбара полностью, и вылез, чтобы закрыть и запереть дверь амбара.

Когда он сел на место, Вэнс заметила:

— Возможно, эта наш последний визит сюда.

— Что будет, то и будет, — отозвался Роби. — А теперь поглядим, что сможет поведать нам мистер Зигель.

Дал газу и поехал к дороге.

Глава 82

Тихая улица с трехполосной дорогой и скромного размера домами с пристроенными гаражами, продающимися вдвое-втрое дороже, чем в большинстве других уголков страны. Многие совсем небольшие, с убогим озеленением; кусты вокруг типовых строений разрослись настолько, что скрывают фасады почти полностью. Машины припаркованы вдоль улицы, а в нескольких двориках малолетние детишки играют под бдительным оком матерей или нянь.

Сбросив ход, Роби высматривал адреса. Вэнс заметила нужный первой.

— Третий справа, — сообщила она, — с фургоном на дорожке. Стоит надеяться, дома кто-то есть.

Остановив машину у бордюра, Роби заглушил двигатель, снял солнечные очки, взял бинокль с переднего сиденья и осмотрел окрестности. Масса возможных огневых точек — слишком уж много, чтобы можно было адекватно укрыться.

— Мы тут как на ладони, — заметил он.

— Неудивительно, — ответила Вэнс. — Пойду постучусь в дверь. Прикрывай меня отсюда.

— Может, наоборот? — предложил Роби.

— У меня документы ФБР. Они козырнее твоих.

— Федеральная бляха устрашит любого.

Но Вэнс уже распахнула свою дверцу.

— Если кто-нибудь откроет огонь, уж постарайся открыть ответный. И стреляй без промаха!

Роби и Джули проводили взглядами Николь, поднявшуюся на крыльцо с верандой и позвонившую в дверь.

Уилл извлек пистолет из кобуры и опустил стекло с пассажирской стороны, окидывая окрестности взглядом по широкой дуге, неизменно возвращавшейся к воображаемому трехфутовому окну вокруг Вэнс.

— Она очень смелая, взяла и просто пошла, — заметила Джули.

— Она же суперспецагент ФБР; это входит в ее должностные обязанности.

— Не пытайтесь любезничать со мной, Роби.

— Значит, теперь я Роби? А что стало с Уиллом?

Джули промолчала.

Передняя дверь открылась, и Уилл впился взглядом в показавшуюся в ней женщину. Вэнс козырнула документами и пару минут растолковывала, чего хочет. На лице женщины — Роби заключил, что это жена Зигеля — застыло потрясенное выражение. Обе женщины поговорили еще минутку, а затем дверь закрылась, и Вэнс торопливо зашагала обратно к машине.

Роби заметил, как штора в фасадном окне отодвинулась в сторону и женщина выглянула в щелку.

Вэнс уселась обратно в машину, и Уилл завел двигатель.

— Габриель Зигель работает в отделении «СанТраст» минутах в десяти отсюда. Взяла адрес у его жены.

— Она выглядела удивленной, — прокомментировал Роби.

— Она *была* удивлена. По-моему, она решила, что это как-то связано с банковскими проблемами.

— Может, ее муж ворует деньги, — встрепенулась Джули. — Может, отмывает их для террористов. А мои родители и остальные узнали...

— Может, — Роби глянул на Вэнс. — Дамочка следила, как ты возвращаешься к машине.

— Да уж не сомневаюсь. Наверное, названивает сейчас мужу. Так что поехали.

— Встречу с ним я беру на себя, — заявил он. — А ты останься в машине с Джули.

— А когда я смогу сделать что-нибудь, кроме как сидеть в машине? — поинтересовалась девочка.

— Твое время придет, — ответил Роби. — Прежде чем все закончится, придет время каждого.

* * *

До отделения банка они добрались меньше чем за десять минут. Оставив спутниц в машине, Роби вошел в небольшое кирпичное здание рядом с оживленной автотрассой в Манассасе. Спросил Габриеля Зигеля, и его проводили в стеклянную клетушку площадью с десяток квадратных футов.

Зигель оказался ростом около пяти футов восьми дюймов, коренастым и бледным. На взгляд Роби, на фото в «Фейсбуке» он выглядел куда лучше.

— В чем дело? — Зигель встал из кресла за столом. Очевидно, жена ему все же позвонила.

Роби сверкнул значком и осведомился:

— Вы служили в войсковом отделении во время Первой в Заливе?

— Ага, и что? Армия хочет, чтобы я пошел на сверхсрочную? Ни за что. Я свое оттрубил. И я слишком не в форме, чтобы таскать винтовку по пустыне.

Он уселся обратно в кресло, а Роби остался стоять.

— Меня больше интересуют люди, с которыми вы вместе служили. Поддерживаете связь с кем-нибудь из них?

— Ага, с некоторыми.

— С кем именно?

— О чем *именно* идет речь?

Банкир-то показывает характер, отметил про себя Роби.

— Вопрос национальной безопасности. Но я могу сказать вам, что это может быть связано со взрывом автобуса и гибелью людей в ресторане на Капитолийском холме.

Зигель побледнел еще больше.

— Иисусе! Кто-то из моего старого отделения в этом замешан?! Прямо не верится...

— Значит, вы знаете их всех, и хорошо? — с напором спросил Роби.

— Нет. То есть, ну, все мы сражались за нашу страну. И обратиться против нее... — Голос его стих до шепота и оборвался; он просто сидел там, положив пухлые ладони на свой дешевый письменный стол, с таким видом, будто пацаненок, которому только что сказали, что его щенка переехала машина.

— С кем из них вы поддерживали контакт?

Очнувшись от транса, Зигель медленно проговорил:

— Дуг Биддл, Фред Альварес, Билл Томпсон и Рикки Джонс умерли. Много лет назад.

— Это я знаю. Но они не местные. Раскиданы по всей стране.

— Ага, но мы перезванивались. Обменивались электронными письмами. Дуг как-то раз приезжал, и я устроил ему экскурсию по памятникам. Фред погиб в автокатастрофе. Билли сунул чертов ствол в рот и спустил курок. У Дуга и Рикки был рак. А они ведь моложе меня... По-моему, это из-за всей дряни, которой нас там обрабатывали. Знаете, синдром войны в Заливе. Может, я уже помираю и даже не ведаю об этом... Всякий раз, как у меня мигрень, сразу думаю, что всё кончено.

Он осунулся в кресле мешком.

Сев напротив него, Роби спросил:

— А с кем-нибудь из местных старых приятелей зависаете?

— Видел Лео Брума пару раз. Но уже давненько.

— Насколько давно?

— Больше десяти лет тому. И где бы вы думали? В баре в Сиэтле, наткнулся случайно. Он был там по делам, а я только что поменял работу и приехал на семинар. У него вроде бы все было путем. По-моему, он работал в госаппарате или что-то вроде, точно не помню.

— Еще кто-нибудь?

— На Ближнем Востоке я больше всего сблизился с Кёртисом Гетти. Но с возвращения в Штаты мы с ним больше не виделись. Даже не знаю, где он теперь.

«На том свете», — мысленно ответил Роби.

— Лео Брум ни разу не упоминал о Гетти?

— Не помню... Почему-то казалось, что они вряд ли поддерживают отношения. Но я же сказал, это было десяток лет назад.

«Десять лет назад так оно и могло быть», — подумал Роби.

— Еще кто-нибудь? Рик Уинд, например?

— Я читал, что его убили... В этом все дело?

— Вы поддерживали контакт с Уиндом?

— Нет. Уже много лет. Раньше виделись. Но он стал

каким-то странным. Купил этот ломбард в захудалой округе... Не знаю. Просто изменился.

— А как насчет Джерома Кэссиди?

— Не-а. Не слыхал о нем с самого дембеля.

— Он здешний. Живет неподалеку.

— Вот уж не знал...

— А как насчет Элизабет ван Бюрен? Это ее фамилия по мужу. А девичья...

— Элизабет Клэр. Знаю.

— В те времена иметь женщину в подразделении было в диковинку, не так ли?

— Ага. Теперь-то, конечно, всё иначе... Но я всегда считал, что правило о нестроевой для женщин — хрень собачья. Они могут воевать ничуть не хуже мужчин. А в подразделении могли дать своей силе просиять по-настоящему. Мужики больше мачо. Женщины дают команде перспективу. И должен вам сказать, хотя им и давали боевые назначения на вспомогательные посты, технически они не должны были вступать в бой, но вступали стопудово. Во всяком случае, на Первой в Заливе. А Лиззи была одной из самых-самых. Она была лучшим бойцом, чем я, могу вам сказать.

— Но она больше не в армии, — заметил Роби.

— Что ж, для этого был железный резон, — ответил Зигель.

— Вы поддерживали с ней контакт?

— Поддерживал.

— Так почему же она больше не в армии?

— Рак. Начался с груди, а потом расползся. Теперь он у нее в мозгу, в легких, в печени... Разумеется, она обречена. Как только эта дрянь даст метастазы, всё кончено. Волшебных пилюль от этого не придумали. Она в хосписе в Гейнсвилле.

— Вы с ней виделись?

— Раньше навещал регулярно, но с месяц назад перестал. Она была то в сознании, то в отключке. По большей части в отключке. Морфин. Я даже не знаю, жива ли она еще. Следовало бы поддерживать связь, но слишком уж тяжко видеть ее в таком состоянии.

— Как называется заведение?

— Центральный хоспис. Рядом с трассой двадцать девять.

— Ладно.

— Да говорю же, это все дерьмо, которым мы там надышались! — воскликнул Зигель. — Обедненный уран, токсичные коктейли от всех этих артобстрелов... Пожары пылали повсюду, марая небо в черный цвет; горящее дерьмо, черт знает, что там было... А мы как раз посередке, нюхаем все это. С равным успехом это я мог бы сейчас дожидаться кончины на той койке.

Роби вручил Зигелю карточку.

— Если что-нибудь всплывет, позвоните мне.

— Так из-за чего это все? Как кто-то из моего прежнего отделения может быть замешан в эти дела?

— Это мы и пытаемся выяснить. — Роби помедлил. — Жена предупредила вас, что мы едем?

— Есть такое дело, — признал Зигель.

— Ее что-то тревожит?

— Она тревожится, что я могу лишиться работы.

Роби вспомнилась гипотеза Джули об отмывке денег для террористов.

— Почему? У вас тут проблемы?

— Я не сделал ничего дурного, если вы об этом. Но разве кто сейчас ходит в банки заниматься делами? Всё в онлайне. Я проторчу тут сегодня часов восемь, а увижу человека два. Как думаете, долго мне еще будут платить за такую работу? Банки сидят на деньгах отнюдь не просто так. Они чертовски скаредны. Письмена уже на стене. Мир переменился. А я, наверное, меняюсь недостаточно быстро. Может, и кончу тем, что буду таскаться с винтовкой по пустыне... Что ж еще остается для мужика в моем возрасте? Я могу стать толстым наемником. Но погибну там в первый же день.

— Что ж, спасибо за помощь.

— Ага, — рассеянно обронил Зигель.

Когда Роби покидал его, тот выглядел так, будто уже получил смертный приговор.

ГЛАВА 83

Они въехали на парковку Центрального хосписа двадцать минут спустя. Там стояло машин пятнадцать. Въезжая на стоянку, Роби внимательно осмотрел каждую: не сидит ли там кто. Въехав на свободное парковочное место, он поглядел на Вэнс.

— Хочешь заняться или мне пойти?

— Я хочу пойти, — заявила Джули.

— Зачем? — не понял Уилл.

— Она сражалась вместе с ним. Может, знает что-нибудь о папе.

— Вряд ли она в состоянии разговаривать, — заметила Вэнс.

— Тогда зачем вообще мы здесь? — поинтересовалась Джули.

— Возьму ее с собой, — решил Роби. — А ты будь начеку.

— Ты уверен? — спросила Вэнс.

— Нет, но всё равно это сделаю.

Они с Джули направились в здание хосписа — двухэтажное кирпичное строение с множеством окон и царящей внутри жизнерадостной атмосферой. Совсем не похоже на место, куда люди пришли встретить конец земного бытия. Может, как раз в этом и суть.

Демонстрация документов Роби обеспечила им эскорт до палаты Элизабет ван Бюрен. Она была такой же веселенькой, как и всё учреждение, с цветами, расставленными на столиках и подоконнике. С улицы вливался свет. Медсестра как раз проверяла состояние ван Бюрен. Когда она отошла, надежды Роби получить какие-либо персональные сведения от тяжелобольной женщины рухнули.

Она напоминала скелет и была на искусственной вентиляции — аппарат раздувал ее легкие через трубку, вставленную в горло, а другая трубка выпускала токсичную двуокись углерода. Кроме того, в ее брюшную полость была введена трубка для питания, а к конечностям тянулись многочисленные капельницы для внутривенных вливаний. На стойке для капельниц висели пластиковые мешочки с медикаментами.

— Могу я вам помочь? — обернулась к ним медсестра.

— Мы просто пришли задать миссис ван Бюрен несколько вопросов, — сказал Роби. — Но, судя по всему, вряд ли это возможно.

— Ей назначили ИВЛ шесть дней назад, — сообщила сестра. — Она то приходит в себя, то без сознания. Тяжелые обезболивающие. — Сестра похлопала пациентку по руке. — Она — настоящая душенька. Служила в армии. Просто ужасно, что дошло до этого. — Помолчала. — Какого рода у вас вопросы?

Роби извлек документы.

— Я из минобороны. Мы просто проводим расследование кое-каких военных вопросов, и ее имя всплыло как возможный источник информации.

— Понимаю. Что ж, вряд ли она сможет оказать вам особую помощь. У нее последняя стадия болезни.

Роби поглядел на аппарат искусственной вентиляции легких и систему мониторинга, подключенную к скукоженной женщине в кровати.

— Значит, ее жизнь поддерживает аппарат вентиляции?

— Да.

Уилл поглядел на Джули, смотревшую на ван Бюрен.

— Но она же в хосписе, — возразил он.

Сестра почувствовала себя несколько неуютно.

— Хосписы бывают разных уровней. Все дело в том, чего хотят пациент и его семья. — Она поглядела на лежащую. — Но уже недолго осталось, с ИВЛ или без.

— Значит, она на вентиляции по желанию родных? — справился Роби.

— Вообще-то я не имею права говорить. Это частная информация. И я не вижу, как это может быть связано с вашим военным расследованием, — не без раздражения ответила сестра.

Подойдя к окну, Джули подняла с подоконника фотоснимок.

— Это ее семья?

Сестра с любопытством взглянула на девочку, а затем на Уилла.

— Говорите, вы из минобороны... Но зачем с вами она?

— Вообще-то я не имею права говорить, — отрезал тот, и сестра надула губы.

Джули повернула фото, чтобы показать Роби. А сестре сказала:

— Мой папа служил в одном армейском отделении с миссис ван Бюрен. Я надеялась узнать от нее что-нибудь о его прошлом.

Чопорное выражение исчезло с лица сестры.

— А, понимаю, зайка... Я не сообразила. Да, это она с семьей. Тут было больше фотографий. Но ее дочь и муж мало-помалу их выносят. Знают, что конец близок.

Роби взял фото, показывающее ван Бюрен в более здоровые дни. Она в парадной форме, грудь увешана медалями. Рядом мужчина — наверное, муж. И девочка примерно ровесница Джули.

— Значит, это ее муж? — спросил Роби.

— Да. Джордж ван Бюрен. А это их дочь, Брук Александра. Теперь она, конечно, старше. Фото сделали не один год назад. Сейчас она в колледже.

— Значит, вы с ней знакомы?

— Она частенько навещала мать, так и познакомились. Брук — очаровательная девушка. Терзается из-за матери.

— А муж?

— Заходит регулярно. Я знаю, он тоже убит горем. Им едва исполнилось пятьдесят, и тут такое... Но кто сказал, что жизнь воздает по заслугам?

— Еще кто-нибудь ее навещает?

— Немногие. Во всяком случае, насколько мне известно. Я не все время прикреплена к этом крылу.

— У вас есть журнал посещений?

— Он в регистратуре. Но не все записываются.

— Почему?

— У нас тут не секретное заведение! — ощетинилась сестра. — Люди, приходящие сюда навестить друзей и родных, обычно очень расстроены. Порой забывают записываться. Один-два человека расписываются за всю группу. Как можете догадаться, мы тут проявляем гибкость в этом отношении. Они приходят выказать любовь, уважение и поддержку. Но это не то место, которое все так и *рвутся* посетить.

— Понятно. Давно она здесь?

— Четыре месяца.

— Не слишком ли это долго для хосписа?

— У нас тут люди бывают и покороче, и подольше. Это не то заведение, где один срок годится для всех. И чуть больше пары недель назад миссис ван Бюрен была не такой, как сейчас. Пошла на спад относительно быстро.

— Но вентиляция будет поддерживать ей жизнь, пока не выключат, верно? То есть даже если она не сможет дышать самостоятельно?

— Я правда не могу говорить с вами об этом. И федеральные законы, и законы штата запрещают.

— Я просто пытаюсь разобраться в ситуации.

Медсестра снова почувствовала себя не в своей тарелке.

— Послушайте, обычно использование аппарата ИВЛ лишает человека права на хосписное обслуживание. Хосписы существуют для того, чтобы позволить пациенту уйти достойно. Сюда приходят не лечиться от болезней или искусственно продлевать жизнь.

— Значит, использование вентиляции в подобной ситуации — отклонение от нормы?

— Оно может быть основанием для десертификации и перевода пациента в больницу или другое медицинское учреждение.

— Так почему же ИВЛ? — спросил Роби. — Неужели у нее есть шансы выкарабкаться?

— Опять же, даже если б я знала, сказать вам все равно не могла бы. Единственное, что могу вам сообщить: порой родные доходят до точки, где проникаются ложной надеждой. Или принимают решение отправиться в хоспис, а потом передумывают.

— Понимаю, — проронил Роби.

— Трудно смотреть, как любимый человек умирает, — добавила Джули.

— Да, это так, — подтвердила сестра. — Очень трудно. Что ж, если у вас больше нет вопросов, мне нужно кое-что сделать для пациентки.

— Вы сказали, муж навещает ее регулярно?

— Да. Но по времени — когда как. Брук ходит в колледж в другом штате, так что наведывается не так часто.

— Вы не представляете, где работает ее муж?

— Нет, ни малейшего понятия.

— Наверное, я смогу выяснить это достаточно легко.

Медсестра поглядела на Джули, смотревшую на ван Бюрен.

— Сожалею, что она не может ничего сказать о твоем отце.

— Ага, я тоже. — Джули подалась вперед и коснулась руки умирающей. — Сожалею.

А потом повернулась и вышла. Роби вручил свою карточку медсестре.

— Если ее муж наведается, не попросите ли его позвонить мне?

Снова взглянув на смертельно больную бывшую воительницу, он повернулся и последовал за Джули.

ГЛАВА 84

Роби придержал дверцу открытой для Джули, а затем сел в автомобиль после нее. Пристегнулся и поглядел на Вэнс.

— От Элизабет ван Бюрен помощи не жди. Она не в состоянии говорить. И жить ей осталось недолго.

— А как насчет Зигеля? После выхода из банка ты почти ничего не сказал.

— Он сказал, что общался с Лео Брумом, но больше десяти лет назад. И не знал, что Кёртис Гетти и Джером Кэссиди живут поблизости. Похоже, он только и ждет, что того и гляди тоже заболеет раком или лишится работы. Если только он не скрывает что-то по-настоящему искусно, я даже не представляю, как он сюда вписывается.

— Значит, остается Джером Кэссиди, — заключила Вэнс.

— Он в Арлингтоне, верно?

— Так сказано в бумагах.

— Тут ничего подозрительного не заметила?

— Ничегошеньки.

— Тогда поехали.

* * *

Дорога до Арлингтона отняла больше часа из-за сложной дорожной обстановки — иначе говоря, наблюдалось нормальное движение в сторону округа Колумбия. Время уже подбиралось к обеденному, когда Роби наконец нашел парковку, въехал на нее и повернулся к Вэнс:

— Ты уверена, что это здесь?

В ответ она подняла страницу, и Уилл пробежал ее взглядом.

Все трое повернулись, чтобы поглядеть на здание.

— Это бар и гриль, — заметила Джули.

Роби поглядел наверх.

— Но, похоже, сверху есть комнаты. Может, Кэссиди живет в одной из них...

— Моя очередь. — Вэнс отстегнула ремень безопасности.

Уилл глянул через улицу, а потом снова на нее. Этот район перенаселен, как и изрядная часть Арлингтона. Слишком много жилья и предприятий, а земли для них маловато. Результатом стали тесные улочки, где почти негде припарковаться, и уйма укромных закоулков, каждый из которых может быть пунктом наблюдения за ними.

— На сей раз пойдем все, — решил Роби.

— А как же машина? — Вэнс тряхнула головой. — Нельзя оставлять ее без присмотра. Меня как-то не греет оказаться здесь с бомбой под шасси.

— Я получил этот автомобиль из особого источника. Откуда следует, что он оборудован специальными защитными средствами.

— Типа чего?

— Типа если кто-то попытается влезть или заминировать машину, ему придется несладко, а мы почти наверняка об этом узнаем.

Они выбрались из машины. Взгляд Роби скользил во всех возможных направлениях.

— В чем дело? — нервно поинтересовалась Вэнс. — Видишь что-нибудь?

— Нет, но это не означает, что их там нет.

— В других местах ты был не так напряжен.

— Потому что это *последнее* место.

Порывисто передохнув, Вэнс кивнула:

— Верно. До меня дошло.

Бар назывался «Техасский Холдем-салун». В без десяти двенадцать внутри было уже человек двадцать. Заведение было украшено в западном стиле — уйма сёдел, уздечек, ковбойских шляп и сапог, с фресками, изображающими всадников, скот и бескрайние техасские равнины. В дальнем конце зала раскинулся колоссальный бар, занявший интерьер на всю ширину. Перед ним выстроились барные стулья с фальшивыми бычьими рогами на спинках. За баром на стене — огромный флаг Техаса. А вокруг флага — нагромождение сотен видов хмельного, призванных промочить глотку, облегчить бумажник и притупить сознание.

— Кто-то вбухал в это место уйму наличности, — прокомментировал Роби.

К ним подошла молодая женщина во всем черном, кроме белой ковбойской шляпы и белых сапожек, держа в руке стопку меню.

— Столик на троих? — спросила она.

— Возможно, — ответил Роби. — Нам дал этот адрес наш друг. Джером Кэссиди. Вы его знаете?

— Мистер Кэссиди — владелец.

Роби и Вэнс быстро переглянулись.

— Он здесь?

— Вы не могли бы сообщить, кто его спрашивает? — вежливо осведомилась женщина.

Вэнс показала документы.

— ФБР. Вы не могли бы отвести нас к нему?

Женщина заколебалась.

— Вы не позволите мне сперва проверить, на месте ли он?

— Если только, пока вы проверяете, мы будем вас видеть и слышать, — отрезал Роби.

Вежливое выражение исчезло с лица женщины, сменившись тревогой.

— У мистера Кэссиди какие-то неприятности? Он — главный босс.

— Мы просто хотим поговорить с ним, — заверил Роби. — Значит, он *здесь*?

— У себя в кабинете.

— Ведите, — велел Уилл.

Повернувшись, она нерешительно тронулась вперед. Прошла мимо бара, по короткому коридорчику и свернула направо. Дверь с табличкой «Только для сотрудников» и дальше. Тут оказался еще один короткий коридорчик с двумя дверями по обе стороны. Женщина остановилась у двери с табличкой «Офис» и робко постучалась.

Из комнаты послышался какой-то шум.

Рука Роби потянулась к пистолету. Вэнс, заметив его движение, скопировала его.

— Ага? — донесся голос из комнаты.

— Мистер Кэссиди? Это Тина. Тут люди хотят с вами поговорить.

— Им назначено?

— Нет.

— Тогда вели им записаться.

— Они из ФБР.

Двинувшись мимо Тины, Роби попробовал дверь. Заперта.

— Эй! — крикнул Кэссиди. — Что за черт? Я же сказал, запишитесь на прием!

Уилл заколотил в дверь.

— Кэссиди, это ФБР. Откройте дверь. Живо!

Раздались новые шумы, шарканье и грохот задвинутого ящика стола. Отступив назад, Роби двинул правой ногой по ручке двери. Дверь влетела внутрь, а Тина, взвизгнув, отскочила.

Роби и Вэнс изготовили пистолеты. Николь отодвинула Джули в сторону, приказав:

— Держись позади!

Роби вошел в комнату первым, а Вэнс его прикрывала.

Кэссиди стоял позади стола, воззрившись на него. Он был примерно одного с Роби роста, но более худым, с широкими плечами и узкими бедрами. Длинные каштановые волосы с проседью. Лицо худощавое, но привлекательное, покрытое двухдневной щетиной. Одет в выцветшие джинсы и незаправленную белую рубашку.

Как только Уилл шагнул вперед, Кэссиди заявил:

— Не желаете мне поведать, с какой стати вы только что сломали мою дверь, а теперь нацелили на меня пистолет?

— А вы не желаете мне поведать, с какой стати вы ее не открывали, когда вас об этом просили?

Кэссиди бросил взгляд на пистолет Роби. Потом перевел его на Вэнс, вошедшую в комнату.

— Покажите мне документы, сейчас же!

Роби и Вэнс протянули требуемое.

Кэссиди внимательно прочел их, после чего взял ручку и записал имена и номера значков на белом листе, застилающем письменный стол.

— Просто хотел получить правильные сведения для моих адвокатов, когда они возьмут вас за жопу.

— Вы не открыли дверь, мистер Кэссиди, — указала Вэнс.

— Как раз настраивался, когда вы ее вышибли. И я не знал, вправду ли вы федералы.

— Ваша сотрудница сообщила вам, что мы из ФБР.

— Я плачу́ ей десять долларов в час за то, чтобы выглядела милой и рассаживала людей. Сомневаюсь, что она сумеет отличить фэбээровца от почтового служащего или какого-нибудь бандита, собирающегося меня ограбить. — Он поглядел на женщину, стоявшую за открытой дверью. — Всё в порядке, Тина. Просто возвращайся к работе. — Она поспешила прочь, а Кэссиди поглядел на Роби, убиравшего пистолет в кобуру. — А вы даже не из ФБР. Вы из СКРМО.

— Вы знаете СКРМО?

— Я служил в войсках. И что же? — Он уселся за свой стол, выудил из кармана рубашки тонкую сигарку и закурил.

— Курение в ресторанах и барах в Вирджинии запрещено, — заметила Вэнс.

— Хотя добрый штат Вирджиния действительно счел уместным лишить своих граждан права курить в заведениях вроде этого — хотя департамент здравоохранения, каковой проводит в жизнь сказанный закон, не имеет настоящей власти для принуждения к исполнению закона, и во многих местах по-прежнему дымят, сколько душе угодно, — сие мое личное пространство, и оно оборудовано специальной системой вентиляции, так что я могу обкуриться до последней стадии рака легких, коли пожелаю. Не соблаговолите ли присесть и понаблюдать?

— У меня к вам ряд вопросов, — заявил Роби.

— А у моих адвокатов *нет* ответов на ваши вопросы. — Он извлек карточку из старомодного «Ролодекса», чтобы вручить Роби. — Их контактная информация здесь, мистер СКРМО.

— Вы всегда привлекаете стряпчих нюхачей с такой прытью? — поинтересовался Роби.

— Я нахожу, что они заслуживают своих чудовищных гонораров до последнего пенни.

— Значит, вам частенько приходится прибегать к юридическим услугам? — спросила Вэнс.

— Мэм, это Америка. Если бизнесмен хочет подтереть задницу, ему лучше иметь адвоката на подхвате.

Роби оглядел кабинет. Декор явно обошелся в бешеные деньги. А на стене — полка, забитая бизнес-наградами.

— Похоже, вы преуспеваете. Надо думать, бар процветает.

— Этот бар — один из двух десятков предприятий, принадлежащих мне. И все они весьма прибыльны, и у меня ни одного чертового цента долгов. Сколько дрочил из «Форчун 500» могут сказать о себе то же самое? У меня даже есть собственный распроклятый самолет.

— Рад за вас. — Роби твердо положил визитку адвокатской конторы на стол Кэссиди. — Мы пришли расспросить вас о вашем прежнем армейском отделении.

Искренне удивившись, Кэссиди даже вынул изо рта сигару.

— Какого черта?

— Вы поддерживаете связь с кем-нибудь из сослуживцев?

Поглядев мимо него, владелец бара углядел Джули, выглядывавшую из-за притолоки, и медленно встал.

— Заходи сюда, девочка.

Джули бросила взгляд на Роби. Тот кивнул, и она вступила в кабинет.

— Ближе, — бросил Кэссиди.

Джули подобралась ближе к письменному столу.

Раздавив сигару в пепельнице, Кэссиди потер подбородок.

— Проклятье!

— В чём дело? — осведомилась Вэнс.

— Ты ведь Джули, не так ли? — произнес Кэссиди.

— Да. Но я вас не знаю.

— Я знал твоих родителей очень хорошо. Как они поживают?

— Откуда вы их знаете? — вклинился Роби.

— Вам же сказали, по отделению. Мы с Кёртисом Гетти служили вместе. Он пару раз спас мою задницу на Первой в Заливе.

— Я даже не знала, что папа служил в армии. Узнала лишь недавно, — сообщила Джули.

Кэссиди кивнул, но это его вроде бы не удивило.

— Он был не из болтливых.

— Откуда вы знали, что я Джули? По-моему, мы даже не встречались.

— Потому что ты — вылитая твоя мать. Те же глаза,

те же ямочки на щеках, всё... И мы *встречались.* Только ты была еще младенцем. Я сам пару раз тебя перепеленывал. Наверное, накосячил. В обращении с детишками я не силен.

— Значит, вы поддерживали с ними связь? — гнул свое Роби.

— Недолго. Я не видел их с тех пор, как Джули исполнился годик.

— Что случилось?

Кэссиди отвел взгляд и пожал плечами:

— Дела, всякое такое... Как-то отдалились. — Он поглядел на Джули. — Мама в порядке?

— Нет, она мертва.

— Что?! — выдохнул Кэссиди. — Что случилось, черт возьми? — Оперся ладонью о стол, чтобы поддержать себя.

— Ее и Кёртиса убили, — выложил Роби.

— Убили?! — Кэссиди рухнул в кресло. — Почему? Как? Кто?

— Мы надеялись, что вы можете помочь нам ответить на эти вопросы, — сказал Роби.

— Я?

— Ага, вы.

— Я же сказал, что не видел Гетти давным-давно.

— И не знали, что они живут в округе Колумбия? — спросил Роби.

— Нет. Раньше они тут не жили. Когда мы виделись в последний раз, они были в Пенсильвании.

— В Пенсильвании? — воскликнула Джули. — Вот уж не знала! Я думала, они из Калифорнии.

— Может, Кёртис и из Калифорнии. Но когда мы вернулись в Штаты, они жили под Питтсбургом. То бишь когда мы виделись в последний раз, понимаете... Я и не знал, что они перебрались сюда.

— Значит, тогда вы жили в Пенсильвании? — вступила Вэнс.

— Ага. Правду сказать, какое-то время я жил у них. Уже давненько. Пытался снова встать на ноги. На самом деле я был знаком с твоей мамой еще до того, как она встретила твоего папу. Они поженились, когда тот еще был в погонах. Я присутствовал на свадьбе.

Бросив взгляд на Джули, Роби заметил, как та широко распахнула глаза, впитывая эти новые сведения о своих родителях.

— В общем, — продолжал Кэссиди, — после Первой в Заливе дела у меня как-то не заладились. Впутался в скверную историю... Они помогли мне выпутаться.

— Наркотики? — спросил Роби.

— К наркотикам я касательства не имел, — проронил Кэссиди негромко, не глядя на Джули.

— Я знаю, что у моих родителей были проблемы с наркотиками, — отозвалась Джули. — Особенно у папы.

— Он был хорошим человеком, Джули, — промолвил Кэссиди. — Я же говорил, он спас мою задницу в пустыне. Заслужил «Бронзу» за доблесть. И «Пурпур» тоже. Когда мы были в погонах, он ни разу к спиртному и не притронулся. Но сюда мы вернулись совсем другими. Война была не такой уж и долгой, не как Вьетнамская или Вторая мировая. Но там мы навидались всякого. Масса смертей, по большей части штатских, женщин, детей. И уйма парней вернулись сдвинутыми или больными. В общем, твой папочка начал употреблять... Шмаль. Кокс. Мет. Твоя мама пыталась его вытянуть, но так и не сумела. А потом и сама подсела на это дерьмо. Уж если увяз в этой яме, выкарабкаться адски трудно.

— А ваш грех? — поинтересовалась Вэнс.

— Я закладывал за воротник, — откровенно признался Кэссиди.

— И все же владеете баром? — докинул Роби.

— Лучший способ испытывать себя на повседневной основе. Я окружен самым лучшим бухлом, но уже десяток лет капли в рот не брал.

— Джули четырнадцать. Значит, с Гетти вы виделись последний раз лет тринадцать назад? — уточнила Вэнс.

— Так я и сказал.

Роби обвел взглядом просторный кабинет.

— Гетти были совсем на мели. Может, вам стоило отплатить добром за добро и помочь им выкарабкаться.

— Да я бы с радостью, — откликнулся Кэссиди, — кабы мог их сыскать.

Выдвинув ящик стола, он нажал кнопку на нижней стороне столешницы. Портрет всадницы позади его стола со щелчком откинулся, открыв взглядам сейф. Распахнув его, Кэссиди извлек стопку писем и поднял на обозрение.

— Письма, что я писал твоим родителям, Джули, писал годами. Все вернулись нераспечатанными, адресат неизвестен. Я потратил уйму времени и денег, пытаясь разыскать вас всех. Искать у себя же на задворках мне даже в голову не приходило. — Швырнув письма на стол, он сел обратно в кресло и дрожащим голосом вымолвил: — Не могу поверить, что они мертвы. — Утер глаза и тряхнул головой.

Роби поглядел на письма.

— Вы потратили на это немало сил.

— Я же сказал, они были моими друзьями. Кёртис спас мне жизнь. Они помогали мне, когда я в этом нуждался. — Он поглядел на Джули. — Раз твоих родителей не стало, с кем ты живешь? Кто о тебе заботится?

— Они, пока что, — Джули указала на Роби и Вэнс.

— Она что, под защитным арестом или что? — спросил Кэссиди.

— Или что, — отрезал Роби.

— Я могу помочь тебе, — Джером смотрел на Джули. — Я бы хотел помочь тебе, как хотел помочь твоим родителям.

— Мы можем потолковать об этом после, — сказал Роби. — Вы больше ничего не можете сказать нам о Гетти или других членах отделения?

— Я же сказал, что не поддерживал контакт.

— Вы помните Габриеля Зигеля и Элизабет Клэр?

— Ага, помню. Как они живут?

— Вообще-то не фонтан. А как насчет Рика Уинда?

— Ага, славный парень. Отличный солдат.

— Теперь он тоже мертв. Как и Лео Брум.

Вскочив, Кэссиди хлопнул ладонью по столу.

— Все эти люди из моего старого отделения были убиты?!

— Не все. Но процент смертности куда выше, чем нам хотелось бы, — сухо обронила Вэнс.

— Мне надо тревожиться? — поинтересовался Кэссиди.

— По-моему, тревожиться надо всем, — ответил Роби.

Глава 85

— Мы наведались ко всем троим, и ничего не произошло, — сказал Роби по пути обратно к машине.

— Откуда следует, что они не засветили свои карты на предмет того, кто из них важен, — резюмировала Вэнс.

— Вообще-то умный ход.

— Может, это просто не играет роли. Зигель ничего не знал, кроме того, что ван Бюрен в хосписе. Она не могла ничего сказать, потому что при смерти. Однако Кэссиди малость странноват.

— Мне он понравился, — призналась Джули. — Он типа малость напоминает папу.

— Он определенно пытался отыскать твою семью, — заметил Роби. — Но все же странно, что он не знал ни о ком другом из живущих по соседству. Если мужику по средствам разыскивать Гетти, почему бы не поискать и еще кого-то из остальных?

— Он же сказал, мои родные ему помогли, — ответила Джули. — А папа спас ему жизнь. Остальные были просто солдатами того же отделения.

— Возможно, — произнес Роби. — Но я как-то не убежден.

Вэнс окинула машину взглядом.

— Думаешь, можно спокойно садиться?

— Я говорил о специальных функциях. Но если тебе так будет спокойнее, я сяду первым и заведу ее.

— Роби, ты не должен этого делать. Мы же занимаемся этим делом все вместе.

— А раз мы все вместе, я должен это сделать. Нет смысла нам всем сгорать в одной огненной вспышке разом.

Вэнс и Джули остались ждать на углу, пока Уилл отпирал автомобиль, садился внутрь и, явно напружинившись, заводил двигатель. Ничего страшного не произошло, и обе одновременно испустили долгий вздох.

Роби доехал до угла, и они сели.

— Куда теперь? — поинтересовалась Вэнс.

— Обратно в нашу штаб-квартирку. Сопоставим наблюдения, обдумаем и раскопаем новые зацепки.

— Не вижу, над *чем* тут думать, — проворчала Джули.

— Тебя ждет сюрприз, — возразил Роби.

— Что ж, будем надеяться, сюрприз ждет нас всех, — подвела черту Вэнс. — Потому что я тоже не вижу свет в конце тоннеля.

* * *

В направлении на запад дорожная ситуация была ничуть не лучше, и прошло девяносто минут с добрым гаком, прежде чем они снова уселись за стол в фермерской кухне, уставившись друг на друга.

На обратном пути захватили гамбургеры и картошку фри и поели в машине. Но хотя желудки их были полны, в головах по-прежнему зияла пустота без единого проблеска перспективных зацепок.

— Ладно, пройдемся заново, — сказал Роби.

— А надо? — засомневалась Джули. — Похоже, это пустая трата времени.

— Изрядная часть следственных действий может быть пустой тратой времени. Но чтобы выудить детали, которые действительно что-то значат, делать ее надо, — парировала Вэнс.

— Твоя очередь, — Роби поглядел на нее.

— Ладно, — произнесла Николь, — мы прошлись по ряду сценариев, которые выдохлись. Давай зайдем с другой стороны и начнем с отсева некоторых. Судя по тому, что ты рассказал о ван Бюрен, не вижу, как она может быть причастна к чему бы то ни было. Она в хосписе уже много месяцев. Не может самостоятельно дышать. По сути, ее муж и дочь наблюдают, как она умирает.

Роби кивнул:

— Зигель тоже вроде бы без понятия. Его больше тревожит перспектива лишиться работы. И он выглядел неподдельно изумленным, когда я сообщил ему, о чем хотел с ним поговорить.

— Значит, ты можешь заблуждаться, Роби, — заметила Вэнс. — Ты сказал, что они совершили покушение на Джули из-за того, что та упомянула о других членах отделения. Что-то непохоже.

— Но как же Кэссиди? — не сдался Уилл.

— А что с ним такое?

— Он знал чету Гетти. Я лично не куплюсь на то, что он не мог их разыскать. И что не знал, что поблизости живут другие члены отделения. У мужика денег невпроворот, а деньги гарантируют результат. И хотя он выглядел искренне изумленным тем, что Кёртис и Сара мертвы, это кажется весьма странным.

— Мама и папа ни разу о нем не упоминали, — поведала Джули. — Это тоже довольно странно, учитывая, насколько они были близки, по его словам. В смысле, почему они не отвечали на его письма?

— Бессмыслица какая-то, — согласился Роби.

Вэнс хотела было что-то сказать, когда зазвонил ее телефон. Она посмотрела на номер.

— Не знаю чей. Но региональный код Северной Вирджинии.

— Лучше ответь, — сказал Роби.

— Алло? — произнесла Николь в трубку. Абонент на том конце затараторил.

— Минуточку, помедленнее. — Прижав телефон к уху плечом, она достала блокнот и ручку и начала записывать. — Ладно, ладно, сейчас подъеду...

Дав отбой, она поглядела на Роби.

— Кто? — не утерпел он.

— Может, ты все-таки прав, — проговорила Вэнс.

— В чем?

— Это была жена Габриеля Зигеля. Я оставила ей свою контактную информацию.

— И что у нее случилось?

— Ее мужу позвонили прямо после твоего ухода. Он вышел из банка сразу же после того — и больше не вернулся. Пропустил встречу с клиентом и обед, который дают в банке. Просто исчез.

Глава 86

Они поехали не в банк, а прямиком к дому Габриеля Зигеля. Его жена уже ждала на пороге, когда они въезжали на дорожку. Роби направился к крыльцу первым. Женщина смотрела на него с недоумением, пока не заметила Вэнс у него за спиной.

— Мы напарники, — лаконично бросила Николь. — Роби, это Элис Зигель.

— Миссис Зигель, мы приехали, чтобы помочь найти вашего мужа.

Элис кивнула. В глазах у нее стояли слезы. При виде Джули она пришла в еще большее недоумение.

— А это кто?

— В это мы в настоящий момент не можем вдаваться, мэм, — ответил Роби. — Можно войти?

Отступив на шаг, Элис впустила их в дом. Они расселись на стульях в гостиной.

Уилл огляделся по сторонам. Обстановка по большей части дешевая, но опрятная и функциональная. Зигели явно жили рачительно. Вероятно, банк платит не так уж щедро. Но они растягивали тающие доллары как могли, подобно миллионам других семей, поступающих сейчас точно так же.

– Итак, вы сказали, что ему позвонили и он вышел, – открыла беседу Вэнс. – Не догадываетесь, кто звонил?

– В банке никто не знает. Я надеялась, что звонок можно отследить...

– Он поступил ему в банк на стационарный телефон или на его личный сотовый?

– Офисный. Поэтому там и знают, что ему звонили.

– Но если звонок поступил в офис, разве никто в банке не поинтересовался, кто звонит вашему мужу?

– По-моему, они просто переключают на нужный номер. Это ведь бизнес, в конце концов. Наверное, человек, ответивший на звонок, просто решил, что Гейб захочет ответить на звонок. У них нет официального секретаря или кого там еще. Банки больше себе подобного не позволяют. Поужались.

– Ваш муж мне так и сказал, – вступил Роби. – А человек из банка не сказал, мужчина звонил или женщина?

– Мужчина. Вы туда поедете? То есть разве след не простыл?

– Мы прикроем это направление, миссис Зигель, – заверила Вэнс. – Но никакого преступления еще не совершили. И в техническом смысле ваш муж не пропал без вести. Очевидно, он вышел по собственной воле, без принуждения.

– Но он не вернулся. Просто ушел. Это ненормально.

– А он не мог попасть в аварию?

– Его машина осталась на парковке.

— Значит, он мог уйти пешком, — высказался Роби. — Или его подвез тот, кто звонил. Вы не пытались звонить ему на сотовый?

— Двадцать раз. И эсэмэски посылала. Никакого ответа. Я очень тревожусь.

Роби пристально пригляделся к ней.

— Существует ли причина, по которой он мог вот так взять и просто уйти?

— Телефонный звонок. Должно быть, из-за него.

— Но нам неизвестно, связаны ли эти два события, — добавила Вэнс. — Может, он планировал уйти так или эдак. Момент звонка мог быть чистым совпадением.

— Но почему?

— При мне он упоминал, что вас обоих тревожит, что он может лишиться своей работы в банке, — сообщил Роби.

— Что ж, уйти подобным образом — прекрасный способ гарантировать, что он *наверняка* потеряет работу, — буркнула Элис.

— А вы уверены, что он не пробовал с вами связаться? По вашему сотовому? Может, по стационарному?

— У нас нет стационарного телефона. Мы отключили его, когда в прошлом году зарплату Гейба урезали.

— Вам не приходит в голову никакая причина для того, чтобы ваш муж мог уйти подобным образом?

Она с подозрением уставилась на Уилла.

— Ну, это же *вы* пришли с ним потолковать. А потом он исчез. Может, вы назовете мне причину?

Справедливо, отметил про себя Роби.

— Ваш муж служил в войсках во время Первой войны в Заливе... — начал он.

— Так всё из-за этого? Но он в отставке уже много лет.

— Он был членом отделения, — продолжал Уилл. — Мы интересуемся этим отделением.

— Зачем?

Заколебавшись, Роби поглядел на Вэнс.

— Просто интересуемся, миссис Зигель, — сказала та. — Хотели спросить вашего мужа, поддерживает ли он связь с кем-нибудь из своего старого отделения.

— Я знаю, что он был знаком с Элизабет Клэр. Ну, теперь ее фамилия ван Бюрен.

— Нам о ней известно.

— Она умирает.

— Это мы тоже знаем, — сказала Вэнс. — Еще кого-нибудь он когда-нибудь упоминал?

— Несколько имен, время от времени... Трудно вспомнить.

— Лео Брум? Рик Уинд? Кёртис Гетти? Джером Кэссиди? — подсказал Роби.

— Гетти... да, эту фамилию я припоминаю. Гейб сказал, что они были близки, но со времени возвращения не виделись. Рик Уинд звучит знакомо. Штука в том, что Гейб о службе в армии не распространялся. Его ужасало, что он умрет из-за отравы, которая их там окружала со всех сторон. Солдаты валятся налево и направо, а армия даже не признаёт, что есть такая штука, как синдром войны в Заливе. Когда Элизабет заболела, Гейб впал в глубочайшую депрессию. Много думал о ней. Был уверен, что станет следующим.

— Вы сказали, что он и Кёртис Гетти были друзьями, — подала голос Джули. — У него нет никаких общих фотографий?

Роби и Вэнс поглядели на нее. Уилл тут же ощутил укор совести. Он даже на секунду не задумался, как все это могло повлиять на девочку.

Элис это на миг выбило из колеи, но серьезное выражение лица Джули убедило ее встать.

— Думаю, есть. Минуточку...

Она вышла из комнаты и через пару минут вернулась с конвертом. Сев рядом с Джули, открыла его и вынула фотографии.

— Гейб привез их из-за моря. Можешь посмотреть.

Вэнс и Роби подобрались поближе, чтобы тоже посмотреть снимки.

– Вот мой папа! – встрепенулась Джули.

Элис поглядела на Роби, а затем на Вэнс.

– Ее папа?

– Это долгая история, – отозвался Роби, взял снимок у Джули и принялся его изучать.

Группа стояла перед сгоревшим иракским танком. Кто-то аэрозольной краской выписал на закопченном борту бронемашины слова «Саддам шашлык».

Кёртис Гетти, одетый в полевую форму и сжимавший в правой руке пистолет, стоял крайним справа. Он выглядел очень молодым и был рад-радехонек – наверное, оттого, что остался жив. Рядом с ним стоял Джером Кэссиди. Его каштановые волосы были коротко подстрижены на армейский манер. Он был без рубашки и выглядел загорелым, поджарым и мускулистым. Рядом – Элизабет Клэр; ростом пониже остальных, но выглядела крепче любого из мужчин. Ее форма была чище некуда, каждая пуговка на своем месте. Короткоствол покоился в кобуре, и она смотрела в камеру с очень серьезным видом.

Глядя на снимок, Роби вдруг подумал, что она, наверное, и помыслить не могла, что двадцать лет спустя будет дожидаться смерти на хосписном одре.

– А вон там, с левого краю, Гейб, – сообщила Элис.

Зигель был более худым, да и волос у него имелось куда больше. Он глядел в камеру с уверенным, даже напыщенным видом. Сейчас от человека, запечатленного на фото, осталась одна оболочка, подумал Роби.

– Вот их я не знаю, – Элис указала на двоих других, стоявших рядом посередине группы и более рослых, чем остальные.

– Рик Уинд и Лео Брум, – пояснил Роби. – О них мы знаем.

– Думаете, они могут знать что-нибудь о причине исчезновения моего мужа?

— Не исключено, — ответил Уилл, про себя присовокупив: «Но спросить их вряд ли получится».

Вэнс, очевидно, прочитав мысли Роби, заявила:

— Это направление мы проверим.

— Не понимаю, почему военная служба моего мужа вдруг всплыла сейчас, спустя столько лет.

— У него есть еще что-нибудь, связанное с его армейскими временами?

— Насколько знаю, нет. Он привез с собой кое-что. Каску, ботинки и еще какие-то вещи. Но избавился от них.

— Почему? — поинтересовалась Вэнс.

Вопрос откровенно удивил Элис Зигель.

— Конечно, потому что считал их отравленными.

ГЛАВА 87

Когда они вернулись в фермерский дом, Вэнс позвонила в ФБР и схлопотала от начальника по полной за то, что скрылась с радаров без санкции руководства. Когда тот закончил свою тираду, Вэнс смогла упросить его проследить телефонный звонок, полученный Габриелем Зигелем в банке.

Через двадцать минут начальник перезвонил с ответом — одноразовый телефон, очередной тупик — и приказал Вэнс явиться в контору сию же секунду.

Эту часть разговора Роби нечаянно услышал. Когда Николь начала было отказываться, он схватил ее за руку и сказал:

— Ступай и возьми с собой Джули.

И поднял взгляд ко второму этажу, куда девочка отправилась, чтобы воспользоваться ванной комнатой.

— Что? — не поняла Вэнс.

— Скоро не на шутку запахнет жареным.

Она накрыла телефон ладонью.

— Откуда ты знаешь?

— Просто знаю.

— Тем более нам надо держаться вместе.

— Но не с Джули. Нельзя, чтобы она оказалась в гуще этого всего. Отвези ее во ВРУ и окружи огневой мощью. А потом можешь вернуться и подключиться ко мне.

Агент настороженно, с недоверием вгляделась в него.

В трубке заквакал голос.

— Есть, сэр, — сказала Вэнс в трубку. — Буду без отлагательств. И привезу Джули Гетти. Надеюсь, мы сможем защитить ее лучше, чем в прошлый раз.

Дав отбой, она устремила на Роби испытующий взгляд.

— Если ты водишь меня за нос...

— С какой стати?

— Потому что у тебя предрасположенность к этому. Если ты вбил себе в башку благородную идею, что ты — единственный человек на свете, способный с этим совладать. Или что ты каким-то образом защищаешь меня от опасности...

— Ты — агент ФБР. Ты сама на это подписалась. У меня в башке благородные мысли не водятся. Я всегда лишь старался исполнить свою работу и остаться в живых. Если я и тешу себя какими-либо иллюзиями, так это теми, что продолжаю считать данные цели не взаимоисключающими.

— Не пытайся запутать вопрос.

— Бери свою машину и бери Джули. Устрой ее и возвращайся сюда.

— А ты будешь сидеть тут, дожидаясь меня? — скептически высказалась она.

— Если меня здесь не будет, у тебя есть мой номер телефона.

— Не верю я этому, Роби. Ты просто нашел способ от меня отделаться...

Повернувшись, Уилл пошел прочь.

— Это и есть твой ответ? Игнорируешь меня? Снова уходишь? — бросила она ему вслед.

— Что происходит? — Джули выглянула поверх лестничных перил над ними.

Поглядев на Роби, Вэнс вздохнула:

— Пошли, Джули. Нам надо убираться отсюда.

— Куда направляемся?

— Раскручивать зацепку.

— А что будет делать Роби?

— Раскручивать другую зацепку.

— А почему мы разделяемся?

— Потому что так хочет наш бесстрашный вождь. Разве нет, Роби? — добавила она погромче.

Уилл был уже в другой комнате и не отозвался ни словом в ответ.

Он проводил взглядом «бумер» с треснутым ветровым стеклом и разбитым задним, сдававший задом от дома. Врезав по газам, Вэнс выписала кольцо в земле и гравии, прежде чем рвануть по дороге прочь.

Роби сделал долгий очистительный вдох. Он никогда не был хорошим командным игроком и последние дюжину лет работал в почти полной изоляции. Так ему больше по душе. Ему лучше одному, чем в команде. Уж так он устроен.

На него нахлынуло чувство освобождения, смывающее прочь ответственность.

Он изгнал из рассудка данное Джули обещание помочь выяснить, что случилось с ее родителями. Всё равно обещание было криводушным. Он не имел права его давать. А уж его исполнение, внушил себе Уилл, приведет лишь к гибели девчонки.

Впрочем, ему-то это до лампочки. Роби упорно твердил это себе, готовясь закончить то, что начал.

Но в одном он оставался убежден совершенно твердо: всё крутится вокруг него. Несмотря на пас в сторону отделения, в котором служил Кёртис Гетти.

«Это из-за меня. А заодно чего-то побольше».

И теперь он должен выяснить, чего именно.

Происходящее снова обратилось в шахматную партию. Противник только что сделал ход.

Роби должен решить, логичный это ход или нечто иное.

Дав газ, он направился, дабы осуществить именно это.

Глава 88

Первая остановка в банке. Роби поговорил с сотрудниками, но они полезными сведениями не располагали. Габриель Зигель оставил свой портфель в кабинете; ничего полезного в нем не нашлось. Однако его присутствие поведало Роби о том, что поспешный уход Зигеля не был запланирован и не имел отношения к банковским делам. Роби и так был в этом практически уверен, но теперь получил окончательное тому подтверждение.

Как и сказала Элис Зигель, автомобиль ее мужа по-прежнему стоял на парковке – десятилетняя «Хонда Сивик». Воспользовавшись отмычкой, Роби открыл ее и обыскал, но не нашел ничего стоящего. И уехал на своем автомобиле, ломая голову, что же заставило Зигеля покинуть рабочее место.

Следующая остановка в хосписе. Во время прошлого визита он кое-что запамятовал.

Гостевую книгу.

Регистраторша позволила ему посмотреть книгу, и, пока она занималась своими делами, Уилл сфотографировал страницы за последний месяц или около того.

Потом прошел по коридору до палаты Элизабет ван Бюрен.

Ничего толком не поменялось. Женщина по-прежнему покоилась на кровати с большой трубкой, воткнутой ей в горло. Солнце по-прежнему вливалось в окна. Стояли цветы. Фото семьи.

И она по-прежнему умирала. Цепляясь за жизнь — быть может, потому, что была солдатом, и это вошло в ее плоть и кровь. И искусственная вентиляция не вредит. В какой-то момент родным придется принять решение об этом.

Как и сказала медсестра, это учреждение не предназначено для лечения и даже для продления жизни. Оно должно помочь людям умереть с достоинством, в комфорте, в мире и покое.

Глядя на ван Бюрен, Роби решил, что она выглядит не очень-то умиротворенной.

Им следовало бы позволить ей уйти. Просто перейти в место получше этого.

Взяв фото, Уилл поглядел на него. Чудесная семья. Александра ван Бюрен — миловидная, с мягкими черными волосами и лукавой улыбкой. Роби понравилось, как камера запечатлела энергию в ее взгляде, полном жизни. Отец выглядит мужественным, но утомленным и истерзанным, будто прозревал рок, который постигнет его жену в не столь уж отдаленном будущем.

На каком-то жизненном этапе Роби предполагал обзавестись подобной семьей. Разумеется, тот этап давно минул. Но порой он до сих пор об этом подумывал. И тут же перед его мысленным взором появилось лицо Энни Ламберт. Уилл тряхнул головой, чтобы прояснить мысли. Он даже не представлял, как подобное вообще возможно.

Вышел обратно навстречу свету солнца, клонящегося к закату, и навострил лыжи в Арлингтон.

В бар, выстроенный Джеромом Кэссиди.

Показав хорошее время, остановил машину перед баром около пяти. Вошел, заказал пиво и попросил позвать хозяина. Выйдя через несколько минут, тот приблизился к Роби с неуверенным видом. На пиво он посмотрел как на динамитную шашку с догорающим фитилем.

– Хотел с вами потолковать, – начал Роби.

– О чем?

– О Джули.

– А что такое?

– Вы собираетесь сказать ей, что вы ее отец?

– Пойдемте сядем.

Кэссиди повел его к кабинке в углу. Во всем заведении было человек пятнадцать посетителей.

– Первый наплыв пьющих около половины шестого, – сообщил Джером, когда они уселись. – К семи будет битком. К восьми – только стоячие места. Расходятся около половины двенадцатого. Округ Колумбия не дает поблажек и вкалывает без поблажек. Люди рано встают. Особенно те, кто в мундирах.

Роби баюкал бокал с пивом, но даже не пригубил, ожидая, когда Кэссиди спустит курок, ответив на его вопрос.

Наконец тот откинулся на спинку диванчика, положил ладони на стол и поглядел на Роби.

– Во-первых, как вы узнали, черт возьми?

– Мужики не пишут пачки писем «друзьям». Особенно мужикам. Вы не тратили время и деньги, чтобы их выследить. И я видел, как вы просияли, когда вошла Джули. Вы не видели ее с младенческих лет, но мгновенно поняли, кто она. Вообще-то сообразить не так уж трудно. И недавно я видел фото, на котором вы в мундире двадцать лет назад. Может, в Джули и много от матери, но есть и ваши черты.

Испустив долгий вздох, Кэссиди кивнул:

– Думаете, она знает?

– Нет, не думаю. А вам не все равно?

– Пожалуй, нет.

– Значит, подумываете ей сказать?

— А по-вашему, надо?

— Почему бы вам сперва не рассказать мне, что произошло?

— Да рассказывать, в общем-то, почти не о чем. И стыдиться мне нечего. Я был неравнодушен к Саре. Еще до того, как она вышла за Кёртиса. И она была ко мне неравнодушна. А потом подвернулся Кёртис. Они с ним както сразу вдруг поладили. Любовь с первого взгляда. Куда крепче, чем у нас с ней. Я не особо переживал. Я любил Сару не так сильно, как Кёртис. И потом, я же сказал, что он мне жизнь спас. Он был отличный мужик. Так почему бы не позволить ему ухватить толику счастья?

— Но Джули...

— Сдуру побарахтались напоследок в постели. Кёртис думал, что Джули — его дочь. Сара знала, что это не так. Я знал, что это не так. Но не обмолвился ни словом.

— Похоже, вы в этом отношении невероятно хороший человек, — заметил Роби.

— Я не святой, — ответил Кэссиди, — и никогда на это не претендовал. За жизнь наделал людям уйму зла, особенно когда зашибал. Но Сара и Кёртис... ну, они были просто созданы друг для друга. И я никак не мог заботиться о ребенке. Для меня это был простой выход, видите ли. Ни намека на благородство.

— Теперь это не так легко?

Кэссиди буквально пожирал глазами полный пива бокал.

— Хотите? — предложил Роби.

Джером потер ладонь о ладонь.

— Нет, не хочу. То есть хочу, но не буду.

Роби отхлебнул пива и снова откинулся на спинку диванчика.

— Теперь не так легко? — повторил.

— Чем старше становишься, тем большее бремя сожалений на себе тащишь. Я не имел ни малейшего намерения пытаться забрать Джули. Ни малейшего! Я только хотел видеть ее. Видеть, каким человеком она стала. Но потом уехал из Пенсильвании. А когда спохватился и пустился их разыскивать, они тоже уже снялись с места. Искал повсюду, только не прямо здесь. – Помолчав, он поглядел на Роби. – Что здесь происходит? Федералы рыщут. Людей убивают. И Джули в самой гуще.

– Не могу вам сказать. Но могу сказать, что, когда все будет позади, Джули понадобится друг.

– Я хочу ей помочь.

– Мы должны дождаться и поглядеть, как все обернется. Не могу давать никаких обещаний.

– Я ее отец.

– Разве что биологический.

– Вы мне не верите?

– Я больше никому не верю.

Кэссиди хотел было что-то сказать, но передумал и улыбнулся.

– Дьявол, я тоже, Роби. – Поглядел за окно. – Ну вот, я со своей стороны все выложил. Как по-вашему, надо сказать Джули?

– Не уверен, что я хороший советчик в этом вопросе. Никогда не был женат. Никогда не имел детей.

– Что ж, давайте предположим, что вы хороший советчик. Что бы вы посоветовали?

– Она любила родителей. Хотела, чтобы они жили лучше. Хочет узнать, за что их убили. Хочет отомстить за них.

– То есть не говорить ей?

– Мой завтрашний ответ может отличаться от сегодняшнего. Но вы единственный, кто способен принять это решение. – Встав, Роби поглядел на пиво. – И вы справитесь.

– Почему? – Кэссиди воззрился на него.

– Раз вы отвергли замечательное пиво при подобных обстоятельствах, то сможете отказаться от него при любых обстоятельствах. Я буду на связи.

Глава 89

Роби сам не знал, зачем сюда вернулся.

Он стоял перед дверью квартиры через улицу. Открыл ее, отключил сигнализацию и огляделся. У него есть это жилье. Есть своя квартира через улицу и фермерский дом. Каждое из этих мест должно быть надежным и безопасным, однако это не так. И потому Роби чувствовал себя бездомным. Отчасти он был готов к тому, что кто-нибудь выйдет в коридор и спросит, что он тут делает.

Посмотрел на часы. Почти семь.

Позвонил Вэнс, но наткнулся на автоответчик. Вероятно, получает по первое число от начальства за то, что скрылась с радаров. Вряд ли она вернется к нему в ближайшее время. И на самом деле Роби испытывал от этого облегчение. Он кинул эсэмэску Джули и получил лапидарный ответ. Несомненно, девчонка в ярости, что он опять запроторил ее под защитный арест. Зато она хотя бы сможет повзрослеть и сотворить своими большущими мозгами что-нибудь замечательное.

Покинув Кэссиди, Уилл немного поколесил по окрестностям. Съездил на место взрыва автобуса, потом к «Доннеллиз», до сих пор закрытому. На самом деле вряд ли он теперь откроется снова. Кто же захочет выпить или перекусить на том месте, где такое множество людей лишились жизни?

А теперь приехал сюда, сам не зная зачем...

Роби поглядел на телескоп, подобрался к нему поближе и в конце концов, чуть наклонившись, заглянул в него. В фокус тут же попало здание его кондоминиума. Уилл чуть изменил угол обзора, поглядев на ряд окон, принадлежащих его квартире. Они были темными. Как и предполагалось. Переместил телескоп влево, промелькнув взором освещенный коридор, идущий мимо всех квартир на этом этаже.

Его взгляд сместился, как он и знал заранее, к квартире Энни Ламберт. Ее окна тоже были темными. Наверное, она еще на работе. Любопытно, удался ли ее отгул. Роби надеялся, что да. Она этого заслужила.

Продолжая наблюдение, он увидел, что Энни едет по улице на своем велосипеде. Проследил, как она спешилась и завела велосипед в дом. Ведя мысленный отсчет секунд, Роби установил телескоп так, чтобы тот был направлен прямо на лифтовой холл его этажа. Несколько секунд спустя двери открылись, и Ламберт вышла, катя велосипед рядом. Отперла дверь своей квартиры и вошла.

Передвинув телескоп, Роби пронаблюдал, как она пристроила велосипед у стены, сняла куртку и теннисные туфли и зашлепала по коридору в носках. Сделала остановку в ванной. Выйдя, продолжила путь по коридору. Роби потерял ее из виду, но с минуту спустя снова поймал. Она уже сняла блузку, заменив ее свитером. Отчасти его тянуло туда, чтобы повидать ее. Но потом он увидел, как она поднимает со стула наброшенное на него длинное черное платье на плечиках, обернутое пластиковым чехлом. Сняла пластик и на пробу приложила платье к себе. Роби увидел, что оно без бретелек. Взяла другой предмет одежды, оказавшийся жакетом из того же ансамбля. И наконец достала черные туфли на трехдюймовых шпильках.

Похоже, сегодня Энни Ламберт выходит в свет. «А почему бы и нет?» — подумал Роби. Однако в закоулках его сознания трепыхнулась ревность. Чуждая ему эмоция, как-то не пришедшаяся ко двору.

Уилл сел, положив ноги на кожаную оттоманку, и уставился в потолок. Он безмерно устал — не помнил даже, когда спал по-настоящему. Незаметно погрузился в дремоту, чтобы через какое-то время, вздрогнув, пробудиться. Из туманных закоулков сознания всплыло воспоминание, и он достал телефон. Вызвал фотографии книги регистрации посетителей, сделанные в хосписе, и стал перелистывать их от экрана к экрану, не рассчитывая найти что-либо интересное. И не нашел. Из знакомых ему попалось лишь имя Габриеля Зигеля, с месяц назад. Логично, потому что Зигель признался, что посетил ван Бюрен в последний раз именно тогда.

Перелистнул на другую страницу. Ничего.

Другую. Опять ничего.

Кое-что привлекло его внимание.

Но не имя.

А дата.

Из книги посещений пропал целый день. Роби увеличил экран до максимума. Внимательно присмотрелся. И в дальнем левом углу углядел искомое.

Бумажный треугольничек. Просматривая саму книгу, его никто и не заметил бы. Слишком крохотный. Но, раздув пиксели на своем телефоне до невероятных масштабов, Роби понял, чтó это. Остатки страницы, вырванной из книги. Вероятно, пока регистратура оставалась без присмотра.

Зачем кому бы то ни было вырывать страницу из гостевой книги хосписа?

Ответ может быть только один. Чтобы скрыть, чьи имена были в нее вписаны. Совершивший это хотел стереть сведения о тех, кто посещал Элизабет ван Бюрен.

«И кто же? Брум? Гетти? Уинд? Двое из них? Все трое?»

Зигель сообщил ему, что Брума не видел лет десять, а Уинда или Гетти и вовсе со времен Первой войны в Заливе. Кэссиди сказал, что после войны не видел вообще никого, кроме Гетти.

Но что, если Брум, Гетти или Уинд узнали, что ван Бюрен здесь, и пришли навестить ее, когда она еще была в ясном уме? Зигель сказал, что она то приходила в сознание, то вновь его теряла. И не могла ли она проговориться? Сказать нечто такое, что пришлось заставить замолчать всех троих? Предположение кажется диким, но не более диким, чем любая другая из гипотез, посещающих сознание Роби в последнее время.

Уилл посмотрел на дату до и после пропавшей страницы. Восемь дней назад. Как раз укладывается. Зигеля не взяли на мушку, потому что он перестал приходить месяц назад. Рику Уинду пришлось умереть первым. Если вести обратный отсчет, получается, что его могли убить на следующий день после его предполагаемого визита к ван Бюрен. А если Кёртис Гетти не ходил в хоспис, это объясняет жаркий спор в закусочной, свидетельницей которого стала официантка Шерил Косманн. Брум сообщил Гетти. Потом мог сказать Уинду. А может, всё наоборот. Наверняка не скажешь, не видя, кто из них посещал умирающую...

Испытывать судьбу нельзя. Мужей, жен и бывшую жену — заодно потенциально опасного правительственного адвоката — надо было прикончить.

Брумы ухитрились улизнуть. На время. Но с невольной помощью Роби добрались и до них.

Дальше рассудок Уилла обратился к моменту подключения аппарата искусственной вентиляции легких.

Он поддерживает жизнь смертельно больной женщины.

Но заодно исполняет еще одну роль.

Не дает ей ничего сказать в моменты просветления.

«Не дает ничего сказать!»

В нее сунули трубку, чтобы заткнуть бедняжке рот.

Но то, что она поведала одному или нескольким членам своего бывшего отделения, и послужило причиной их убийства.

Роби буквально выбежал из квартиры и вскочил в лифт.

Надо наведаться в хоспис.

ГЛАВА 90

Часы посещений уже закончились. Но упорный стук Роби по стеклянной входной двери в конце концов привлек внимание санитарки. Он сверкнул значком, и его впустили.

— Мне надо повидать Элизабет ван Бюрен, — заявил он. — И сию же минуту.

— Это невозможно, — ответила санитарка, коротко стриженная блондинка лет тридцати.

— Ее не перевели из хосписа, нет? — спросил Роби.

— Нет.

— Тогда что?

Санитарка хотела было что-то сказать, когда появилась медсестра, с которой Роби беседовал раньше.

— Значит, вы вернулись? — с явным неудовольствием вопросила она.

— Где Элизабет ван Бюрен? Мне надо ее повидать.

— Она не может с вами увидеться.

— Мне уже сказали. Но почему? — напирал Роби, впившись взглядом в лицо медсестры.

— Потому что миссис ван Бюрен умерла около трех часов назад.

— Что случилось?

— Интубационную трубку удалили. Час спустя она мирно отошла.

— Кто приказал удалить трубку?

— Ее врач.

— Но почему? Разве для этого не требуется получить согласие родных?

— Я не могу этого сказать.

— Ладно, а кто *может*?

— Наверное, ее врач.

— Мне нужно его имя и номер, сейчас же.

Позвонив, Роби переговорил с врачом. Терапевт не горел желанием обсуждать вопрос, пока Уилл не заявил:

— Я федеральный агент. Тут происходят события, в которых мы пытаемся разобраться. Элизабет ван Бюрен — единственный общий знаменатель. Вы можете сообщить мне хоть что-нибудь? Это жизненно важно, иначе я не спрашивал бы.

— Я не удалил бы трубку, если б этого не потребовали родные, — поведал врач.

— Кто именно потребовал?

Доктор замешкался, но потом сообщил:

— У мистера ван Бюрена была медицинская доверенность.

— Значит, он велел извлечь трубку... С чего вдруг такая перемена настроений?

— Даже не представляю. Я просто исполнил то, что он велел.

— По телефону или он пришел лично?

— По телефону.

— Весьма странно, что он не хотел присутствовать, когда его жена умирала, — заметил Уилл.

— Совершенно откровенно, агент Роби, я тоже так подумал. Может, у него имелись дела поважнее, хотя ума не приложу, что может быть важнее, хоть убей...

— Вам известно, где он работает?

— Нет, не знаю.

— Вы когда-нибудь встречали его лично?

— Да, много раз. Производит впечатление совершенно нормального человека. Был глубоко предан жене. Непосредственно участвовал в уходе за ней. Он мне нравился.

— Но не настолько предан, чтобы быть с ней до конца?

— Опять же, этого объяснить я не могу.

Дав отбой, Роби поглядел на медсестру.

— Тело еще здесь?

— Нет, представители похоронного бюро уже забрали его.

— А ее муж даже не появился? Ее дочь знает?

— Понятия не имею. Надо думать, мистер ван Бюрен связался с ней. Он не просил нас сделать это, а без этого мы не имеем права делать подобные уведомления.

Роби позвонил Вэнс, но опять напоролся на автоответчик. Потом позвонил Синему, но тот тоже не отвечал.

Уилл бегом припустил по коридору к палате ван Бюрен. Толкнул дверь и увидел пустую кровать. Подошел поближе, взял фото и поглядел на Джорджа ван Бюрена. Короткая стрижка, мускулистое телосложение. Может статься, военный или бывший военный...

Медсестра, увязавшаяся за ним в коридоре, стояла за порогом.

— Это было так необходимо? — вопросила она.

— Ага, очень. — Роби стремительно развернулся. — Джордж ван Бюрен. Вы говорите, видели его. Он когда-нибудь приходил в мундире?

— В мундире?

— Ага, военном или вроде того...

— Нет, ни разу не видела. Он одевался совершенно нормально. — Она шагнула вперед. — Нам нужно собрать личные вещи миссис ван Бюрен и отправить их ей домой.

— Мне нужен адрес этого дома.

— Мы не можем давать информацию подобного рода.

Роби сделал длинный шаг, вдруг встав всего в паре дюймов от нее.

— Не нравится мне разыгрывать из себя говнюка, но в этом случае придется. Это вопрос национальной безопасности. И если у вас есть сведения, которые поспособствуют предотвращению нападения на эту страну, но вы не предоставите их федеральному офицеру по его запросу, то отправитесь в тюрьму — очень надолго.

Охнув, сестра проронила:

— Следуйте за мной.

Через минуту Роби уже несся в своем автомобиле по дороге.

ГЛАВА 91

Ван Бюрены жили минутах в двадцати от хосписного центра.

Роби уложился в пятнадцать.

Жилища среднего класса, крепко стоящего на ногах. Баскетбольные кольца. Фургоны и легковые автомобили американского производства на коротких асфальтовых подъездных дорожках. Озеленение собственными силами. В поле зрения ни единого дворецкого или «Роллс-Ройса».

Роби нацелился на дом ван Бюрена, угнездившийся в конце улицы. Дом стоял темный, но одна автомашина была припаркована на дорожке.

Остановив автомобиль у бордюра, Уилл достал пистолет и крадучись двинулся к дому. Стучать в переднюю дверь не стал. Заглянул в одно из окон. Ничего не видно.

Поспешил в обход к задней стороне. Выдавил локтем стекло задней двери и просунул руку, чтобы открыть замок. Извлек фонарик и двинулся по дому. Много времени это не отняло. Проверив все комнаты, закончил путь в гостиной.

Посветил фонариком по сторонам. Луч натыкался на различные предметы на стенах и полках. Проскочив один из них, он вернулся. Бросился к нему и взял в руки.

Фотография ван Бюренов.

Мать, дочь и отец.

Мама была в своей полевой форме.

Взгляд Роби сфокусировался на отце.

Джордж ван Бюрен тоже был в форме — причем весьма узнаваемой.

Белая рубашка, черные брюки. Черная фуражка.

Форма кадрового офицера Униформенного подразделения Секретной службы Соединенных Штатов.

Джордж ван Бюрен помогает охранять президента Соединенных Штатов.

А потом синаптической вспышкой на Роби снизошло озарение, связавшее разрозненные концы.

Он наблюдал, как Энни Ламберт идет по коридору. Потерял ее из виду секунд на тридцать. Но потом снова углядел. За эти секунды она переоделась.

А затем Уилл напрочь забыл об Энни Ламберт, мысленно перенесясь в тот самолетный ангар в Марокко. Через оптический прицел он следил, как Халид бен Талал взбирается по ступеням в свой авиалайнер. После этого Уилл ненадолго потерял принца из виду. А когда снова углядел, саудит шагал по проходу самолета, чтобы занять свое место напротив русского и палестинца.

Вот тогда-то Роби и заметил ремни, опоясывающие принца. Предположил, что эти ремни удерживают его нательную броню. Но до посадки в самолет бронекомплекта на принце не было. Роби следил за ним пристально. Он заметил бы абрис бронежилета под халатом. А на его надевание уходит отнюдь не несколько секунд, особенно для человека в халате и с внушительным брюхом.

Теперь произошедшее стало ясно как день.

Талала предупредили о возможном покушении. Вместо себя он на встречу отправил кого-то другого — вероятно, двойника, услугами которого пользовался регулярно. Может, считал, что его попытается убить русский или палестинец. Может, подозревал, что в близком окружении есть предатель или снайпер вроде Роби терпеливо дожидается случая нажать на спусковой крючок. Обвел вокруг пальца всех до единого. Вместо него умер двойник.

Теперь Роби принялся прокручивать в голове беседу,

подслушанную тогда ночью. Теперь она приобрела критическое значение.

«Совершить такое, что, по общему мнению, бессмысленно даже пытаться.

Слабейшее звено.

Готовность умереть».

Возможна лишь одна мишень.

Президент Соединенных Штатов.

Теперь угон внедорожника Секретной службы обрел смысл. Им нужен был кто-то внутри. И они располагали Джорджем ван Бюреном.

И факт, что они позволили Элизабет ван Бюрен умереть, поведал Роби, что момент покушения настал.

И миллиарды Талала подкупили людей этой страны выполнять его повеления.

Потом ему вспомнились слова Энни Ламберт: когда президент вернется в округ Колумбия, в Белом доме зададут банкет.

Достав телефон, Уилл быстро провел интернет-поиск. Увидел результаты и выбежал из дома.

Сегодня вечером президент принимает наследника престола Саудовской Аравии.

Сегодня Талал убьет двух зайцев одним камнем.

Сукин сын организовал покушение на обоих.

Глава 92

Роби был уже на полпути в округ Колумбия, когда наконец дозвонился до Синего. Сжато изложил ему свои последние умозаключения.

Ответ Синего был столь же лаконичен. Он встретит Роби в Белом доме с подкреплением. И предупредит соответствующие органы.

Двадцать минут спустя Уилл тормознул у бордюра, выскочил из машины и побежал.

Он несся по Пенсильвания-авеню к передним воротам Белого дома. Бросил взгляд на часы. Почти одиннадцать. Должно быть, прием уже пошел на убыль. И если покушение еще не произошло, то скоро произойдет.

Углядев Синего с группой людей, сгрудившихся перед передними воротами Белого дома, Роби сразу заметил, что это пестрая смесь из ФБР, секретной службы и нацбеза. Ни одного сотрудника Секретной службы в форме. Должно быть, решили, что, раз неизвестно, насколько вширь пошел заговор, лучше униформенных сюда не привлекать.

Роби подбежал к ним.

— Известно, где ван Бюрен?

— На службе, — сообщил Синий. — Мы говорили с агентами секретной службы внутри. Его сейчас разыскивают. Проблема в том, что нельзя показывать виду, будто мы что-то заподозрили. Ван Бюрен может быть не единственным их активом, находящимся там.

Один из людей в штатском оглядел Роби с головы до ног — ростом около шести футов и трех дюймов, с седеющими волосами и лицом, на котором каждый национальный кризис оставил свою тревожную морщинку. Уилл узнал в нем директора секретной службы. Он помнил, что его отец был агентом-ветераном, бывшим сбоку от Рейгана, когда в того стреляли. Говорят, нынешний директор стал агентом с подстрекательства своего старика. И присягнул, что пока он на посту, ни один президент не умрет.

— Это вы забили тревогу? — спросил директор.

— Я, — подтвердил Роби.

— Я чертовски надеюсь, что вы правы. Потому что если нет...

— Если я неправ, ничего плохого не случится. Но если я прав...

Директор перевел взгляд на Синего:

— Войдем через вход для посетителей. Так мы привлечем меньше внимания. Будем уповать, ван Бюрена захомутают еще до того, как мы войдем.

— А президент? — спросил Роби.

— Обычно в случае подобной угрозы мы уже упрятали бы его либо на личную квартиру, либо в бункер под Белым домом. Но если замешан ван Бюрен... ему известен наш протокол, и он мог предусмотреть какую-нибудь западню. Так что мы решили изолировать президента в нетипичном месте — Семейной столовой. Вместе с кронпринцем, кое-кем из администрации президента и некоторыми избранными особо важными персонами, наверняка не представляющими угрозы. Никого из униформенных в подробности системы безопасности не посвятили, только агентов в штатском. Ван Бюрен мимо них не проскочит. Мы проделали это деликатно. Теперь нам только надо найти ван Бюрена. — Помолчав, он повторил: — Но я чертовски надеюсь, что вы ошиблись на этот счет.

— Тот факт, что вы до сих пор не смогли засечь ван Бюрена, говорит, что я прав, — отозвался Роби.

Они бегом устремились к посетительскому входу и быстро миновали контрольный пункт. Всех униформенных офицеров секретной службы сняли с внутренней охраны и сосредоточили в коридоре, не сказав зачем. Каждого из них опросили. Ни один не знал, где ван Бюрен. Его назначили в периметр безопасности на цокольном этаже у библиотеки.

Там его не было.

Все помещения нижнего этажа проверили.

Роби и остальные побежали по коридору и вверх по лестнице на главный этаж Белого дома. Когда они стремительно шагали по Центральному холлу к Парадной столовой, примыкающей к Семейной столовой, один из агентов в их группе получил сообщение по своей гарнитуре.

— Ван Бюрена нашли, — доложил он.

— Где? — сразу же спросил директор секретной службы.

— В кладовой в Западном крыле.

Они изменили направление и вскоре уже были на месте. Там их направили в помещение, где нашли ван Бюрена.

Передний агент с маху распахнул дверь, и они увидели ван Бюрена, валявшегося на полу без сознания и связанного по рукам и ногам. В его волосах лоснящейся заплаткой пламенела кровь.

Один из агентов опустился рядом с ним на корточки и пощупал пульс.

— Жив, но его крепко приложили.

— Не понимаю, — сказал Синий. — Зачем вырубать и связывать собственного ассасина?

Роби заметил это первым:

— Его пистолет пропал.

Все взгляды устремились на кобуру ван Бюрена, предназначенную для табельного пистолета калибра 9 миллиметров. Она была пуста.

— Он не ассасин, — заявил Роби. — Им требовалось только его оружие. Так они избежали необходимости пытаться его пронести через службу безопасности. Он просто вошел с ним. Часть плана.

А затем Уилл вспомнил последнюю часть разговора, подслушанного в самолетном ангаре в Марокко.

«Доступ к оружию.

Не уроженец Запада.

Десятилетия подготовки.

Готовность умереть».

— Его ствол у стрелка, — объявил он. — Должно быть, он внутри с президентом и кронпринцем.

Директор побледнел:

— То есть в его администрации? Или один из гостей?

Роби не ответил. Он уже во весь дух бежал по коридору.

Глава 93

Семейная столовая — одна из комнат самых интимных размеров на главном этаже Белого дома. С одной стороны к ней примыкает кабинет главного церемониймейстера, а еще в нее можно войти через куда бóльшую смежную Парадную столовую. Президент и вице-президент частенько обедают там тет-а-тет. Декорирована она не столь помпезно, как куда больший Восточный холл или затейливо обставленные Зеленый, Голубой и Красный залы.

И все же, если Роби со товарищи сегодня проколются, этот зал навсегда запомнится как место гибели президента США.

Вся группа выстроилась перед дверями Парадной столовой.

— Мы собираемся предупредить агентов в зале, что стрелок, вероятно, там, — сказал директор. — Они уже образовали прочную стену вокруг президента и ожидают моего приказа увести его из помещения.

— Если они сделают это, — указал Синий, — или начнут обыскивать людей, убийца выстрелит. В столь тесной близости пуля может попасть в мишень, несмотря на стену вокруг президента.

— Нельзя же просто ждать, чтобы поглядеть, выстрелит или нет, — возразил директор. — Протокол предписывает пошевеливаться, и поживее. Мне уже следовало отдать этот приказ.

— Сколько всего в комнате людей? — осведомился Роби.

— Около пятидесяти, — сообщил один из агентов.

— Это может обратиться в кровавую баню, — заметил Синий.

— Никто этого не хочет, — лаконично бросил директор. — Но для меня все сходится только на президенте.

Мы планируем вывести его через кабинет главного церемониймейстера, а оттуда – во Входной зал.

– И чем дольше мы ждем, – подал голос другой агент, – тем меньше шансов вывести его оттуда без эксцессов.

– А если стрелок не один? – упорствовал Синий. – Тогда вы можете привести его прямо в западню.

– Стрелком должен быть кто-то из работающих здесь, – высказался Роби.

– Это невозможно! – отрубил директор.

– Это человек состоит в заговоре с кем-то из работающих здесь, как мы знаем. Это бесспорно. Чужаком он быть не может. А многие из находящихся в одном зале с президентом и кронпринцем – члены администрации, правильно?

Директор явственно вздрогнул.

– Это может быть кто-то из свиты принца. Было чудовищной ошибкой пускать обоих в одно помещение вместе... Вот же жопа!

– Ван Бюрена нашли в Западном крыле, – Роби покачал головой. – Был ли у кого-либо из свиты принца сегодня доступ в Западное крыло? Потому что рана на голове ван Бюрена совсем свежая.

– У вас есть ответ? – директор поглядел на одного из подчиненных.

– Сегодня вечером никто из свиты принца и близко к Западному крылу не подходил.

– Сукин сын! – воскликнул директор.

– В этом деле людям платили направо и налево, сэр, – сказал Роби. – У человека, стоящего за этим, денег невпроворот. Исключать нельзя никого. Насколько нам известно, он вполне мог подкупить агента секретной службы, находящегося там.

– Не могу в такое поверить, – уперся директор. – Еще ни один агент не был предателем.

— То же самое можно сказать и об Униформенном подразделении, — парировал Синий. — Но это явно случилось. Один из людей, образующих в этот момент стену вокруг президента, может быть резервным стрелком, а основной пользуется пистолетом ван Бюрена.

— Но если у них на содержании агент секретной службы, к чему утруждаться, добывая пистолет ван Бюрена?

— Примерно так и должен выглядеть запасной план, сэр, — пояснил Роби. — Ставки чересчур высоки. Я не говорю, что стрелков там двое, — лишь то, что отвергать такую возможность было бы безответственно.

— И что же нам делать? — вопросил директор.

— Пустите туда меня, — предложил Роби. — Члены администрации наверняка знают агентов внутренней безопасности, но меня не знают. Запустите меня в костюме официанта. Я могу войти под видом подачи чего-нибудь — скажем, кофе.

— А что потом? — требовательным тоном спросил директор.

— Опознаю стрелка или стрелков и ликвидирую их.

— Как вы отличите убийцу от остальных присутствующих? — буркнул директор.

— Агент Роби — большой специалист по распознаванию убийц, директор, — вступился за него Синий. Подошел вплотную и прошептал директору на ухо: — По случаю, он сам защищает страну в этом качестве. Правду сказать, он лучший из наших. Если вам нужен человек, способный произвести смертельный выстрел под давлением в комнате, битком набитой народом, то это он.

Директор смерил Роби суровым взором.

— Это попирает все протоколы и процедуры Службы.

— Да, сэр, попирает, — согласился Уилл.

— Если вы дадите маху, президент умрет.

— Да, сэр. Но я готов умереть ради того, чтобы это не произошло.

— Если я не смогу предупредить находящихся там агентов о нашем плане, а вы достанете пистолет, они вас застрелят.

— Тут всегда главное — подгадать правильный момент, сэр.

Директор и Роби схлестнулись взглядами на долгий миг. А потом директор сказал:

— Добудьте ему одежду официанта и тележку с этим окаянным кофе.

Глава 94

Роби поплотнее запахнул куртку. Униформа официанта, которую ему раздобыли, предназначалась для более крупного мужчины. Уилл сам на этом настоял. Нельзя же позволить, чтобы пистолет выпирал и его кто-нибудь заметил. У него было два пистолета — один в кобуре, другой припрятан под скатеркой сервировочного столика с кофе. А еще на нем был бронежилет, хотя кто-нибудь из агентов непременно выстрелит ему в голову, если подумает, что он представляет угрозу для президента.

Агентам внутри сказали, что опасность миновала, но стену вокруг главы государства надо поддерживать. Кронпринц и его свита стояли в углу по диагонали от президента, окруженные другими агентами. Тридцать с чем-то членов администрации Белого дома и другие гости располагались в центре комнаты между принцем и президентом.

Дверь открыли, и Роби вкатил столик в комнату. Гарнитуры у него не было. Никаких средств связи с кем бы то ни было. Личный состав за дверью стоял наготове, чтобы ворваться следом за ним. Директор держал свою рацию на изготовку, чтобы приказать своим агентам не стрелять в Роби, если тот выхватит пистолет. И все же он знал, что выполнить этот приказ будет невозможно. Будь дело только в директоре, Роби был бы покойником, едва переступив порог столовой.

Дверь за ним заперли, и он продолжил толкать столик. Мысленно разбил помещение на квадраты, не подавая виду.

Семейную столовую устроил Джеймс Мэдисон, и здесь трапезничало множество первых семейств, пока Джеки Кеннеди не устроила столовую наверху, в семейной резиденции. Размер помещения – футов двадцать восемь на двадцать. Сине-белый восточный ковер застилает изрядную часть пола. У одной из стен высится сине-белый же мраморный камин в окружении настенных канделябров по обе стороны от каминной доски. Над ним – портрет женщины в наряде девятнадцатого века. Длинный обеденный стол, обычно стоящий в центре комнаты, сдвинули к стене, а сопутствующие ему стулья выстроили перед ним. Одна дверь загорожена шкафом. Над чиппендейловским сундуком висит зеркало. В центре потолка свисает хрустальная люстра. Стены покрашены в желтый цвет.

Хотя особо важным персонам и членам администрации и не сказали ни о какой угрозе, судя по их озабоченным лицам, по крайней мере некоторые сообразили, что переход в этот зал отнюдь не в порядке вещей.

Роби мысленно вернулся к подслушанному в ангаре разговору.

«Не уроженец Запада.

Десятилетия подготовки».

Это явно не Джордж ван Бюрен. Он должен был знать, что есть еще второй.

Роби увидел кронпринца, нервно переминающегося в одном углу. Его со свитой окружала защитная стена. Некоторые, как и принц, облачены в традиционные халаты. Остальные в костюмах. Кронпринц – вылитый кузен-паршивая овца Талал. Оба жирные и непомерно богатые. С такими деньжищами можно много бед натворить, подумал Роби. Не будь люди так чертовски богаты, мир был бы куда безопаснее.

Его взгляд перемахнул к другому концу помещения.

Увидел президента в окружении стены агентов. Вступая на пост, тот был темноволосым. Теперь, по прошествии трех лет в Белом доме, изрядная их часть поседела. Может, в этом и заключается истинная причина того, что этот дом называют Белым, подумал Роби. Он быстро старит своих жильцов.

Шестеро агентов образовали прочную стену вокруг президента. Но даже несмотря на это, если подобраться достаточно близко, чистых линий стрельбы хватает. Каждый агент озирает свой сектор, подмечая возможные угрозы. Роби высматривал агента, не следующего этому правилу, а посматривающего на президента или на других агентов. Хоть они и считают, что угроза миновала, но не ослабляют бдительность ни на миг, ибо на самом деле опасность не исчезает никогда.

Взгляды всех агентов были обращены вовне. Быть может, стрелок только один. Сейчас Роби пригодилась бы толика везения, а необходимость разобраться лишь с одним противником – уже удача.

Он покатил столик дальше в зал. Еще раз проверил угол кронпринца. Если б угроза исходила оттуда, попасть выстрелом в президента было бы непросто.

Уилл переключил внимание на последнюю группу.

Работников администрации и остальных членов группы изолировали в центре помещения. Все в вечерних туалетах. У Роби зарябило в глазах от черного. Многие женщины прикрывали обнаженные плечи шалями, жакетами и накидками. У некоторых в руках были крохотные сумочки, сплошь слишком миниатюрные для табельного оружия ван Бюрена.

Мужчины сгрудились вместе. Смокинги по протоколу — пиджаки с карманами, в одном из которых может таиться пистолет, похищенный у охранника, лежащего без сознания.

Большинство европеоиды. Большинство производят впечатление уроженцев Запада, но тут наверняка не скажешь. Однако с дюжину человек явно приехали из дальних мест.

Роби еще пристальнее вгляделся в эту среднюю группу. На равном удалении от обоих вождей наций — такое расположение наиболее разумно, если планируешь убить обоих. Для этого нужна виртуозная стрельба, но ничего невозможного для человека, знающего свое дело. Стрельба чуть ли не упор.

«Я бы справился», — подумал Роби.

Первый выстрел сеет панику. Если он попал в цель, на миг всеобщее внимание будет приковано к жертве выстрела. А когда убитый рухнет на пол, окружающие закричат, забегают, пригнутся.

Но выстрелить в такой тесноте и остаться незамеченным невозможно. Кто-нибудь засечет стрелка. Агенты ринутся вперед. Люди вцепятся в него. Однако стрелок может исхитриться сделать второй выстрел. Это определенно осуществимо.

И с этой мыслью на Роби снизошло понимание порядка мишеней.

«Президент — первым.

Принц — вторым».

Нельзя зайти настолько далеко и убить шестерку первым. Приоритетная мишень — президент. Если стрелку удастся выпустить вторую пулю, она будет направлена в принца.

Люди подходили взять кофе, а Роби тем временем опять окинул помещение взглядом, чтобы оценить возможные преимущественные позиции для стрелка.

Группа гостей и работников администрации держалась в стороне, сгрудившись у стола. Некоторые развернули стулья и опирались на их спинки.

По большей части женщины, заметил Роби.

Синдром трехдюймовых каблуков. Наверное, после этого долгого вечера ноги у них буквально отваливаются.

Уилл перебирал присутствующих по одному, пока не наткнулся на женщину.

И перестал искать.

На него смотрела Энни Ламберт.

Одетая в черное. В жакете поверх платья без бретелек.

Без сумочки.

Кисти ее рук, скрещенных на груди, прятались под жакетом.

Волосы убраны наверх, с несколькими прядями, ниспадающими вдоль ее длинной шеи.

Настоящая красавица.

Так вот в чем причина для черного платья и высоких каблуков, виденных Роби через телескоп... Она говорила, что будет работать на этом мероприятии, но Уилл как-то не увязал это в сознании.

Она выглядела такой прекрасной. Он пообещал себе во что бы то ни стало уберечь ее от вреда. Сегодня она не умрет.

Она поджала губы в ниточку, явно узнав Роби. И не улыбнулась. Наверное, напугана, подумал Уилл. Жуткое мгновение он гадал, не поднимет ли она тревогу из-за него. Для нее Роби – инвестиционный банкир. Так чего ж он заявился, вырядившись официантом? Может, Энни решит, что он пришел убить президента? Роби гадал, как бы подать ей сигнал, но в голову ничего не приходило. Оставалось лишь уповать, что она не запаникует при виде него.

Однако Ламберт сохраняла такую невозмутимость, что при подобных обстоятельствах оставалось только позавидовать. Его уважение к ней выросло еще больше. Широко распахнув глаза, Энни словно вбирала его в себя до мельчайших деталей.

Потом он увидел, что зрачки у нее тоже расширены. А потом она улыбнулась ему так, как никогда прежде. И в этот миг Роби узрел сторону Энни Ламберт, о существовании которой даже не подозревал.

На долю секунды его рассудок отключился, будто пораженный ударом молнии. А потом мозг мгновенно дал ответную вспышку.

С криком: «Стрелок!» — он выхватил пистолет.

Но Энни Ламберт с изумительной быстротой, одним слитным движением, извлекла оружие из потайного кармана своего жакета, прицелилась и выстрелила.

Президент стоял всего лишь в нескольких футах. Ее выстрел попал ему в руку, а не в грудь. Когда Роби крикнул, агент схватил главу государства в охапку. Если б президент не сдвинулся, пуля прошила бы ему сердце, а не конечность.

Энни начала поворачивать оружие к принцу. Но не успела.

Выстрел Роби угодил Ламберт прямо в лоб и вынес затылок. Пуля впилась в стену у нее за спиной в окружении брызг мозга и осколков черепа убитой. Желтая краска покраснела.

Ламберт рухнула навзничь, ударившись о стол, и сползла на пол.

Секретная служба увлекла президента из комнаты настолько быстро, что его кровь даже не успела капнуть на пол.

Роби услышал крики, ощутил, как люди мечутся туда-сюда. Но он просто застыл на месте, опустив ствол.

И мог лишь бессловесно смотреть на труп Энни Ламберт.

ГЛАВА 95

Уилл находился в какой-то комнате в Белом доме. Не знал, в какой именно, да и наплевать. Его привели сюда другие и велели ждать здесь.

Усевшись в кресло, он уставился в пол. Освещение было тусклым. Откуда-то снаружи доносился шум. Люди в коридорах гомонили. Время от времени докатывался звук сирены.

Все это не производило на него ни малейшего впечатления.

Он видел лишь лицо Энни Ламберт. На самом деле, ее глаза. Расширенные, раздутые зрачки, казавшиеся чересчур большими, чтобы удержаться в столь ограниченном пространстве.

Он видел, как пуля из его «Глока» попала ей в лоб, взорвала мозг и оборвала ее жизнь.

Он видел это уже сто раз. Просто не мог заставить свой рассудок отключить изображение. Оно проигрывалось снова и снова, как видеоролик. Ему даже отчасти хотелось приставить пистолет к виску и положить этому конец раз и навсегда.

Но пистолет у него забрали, так что этот вариант отпадает.

Пожалуй, прямо сейчас это даже хорошо, подумал он. Прямо сейчас Роби сомневался, что хочет жить. Он больше не видел смысла ни в чем.

Дверь открылась, и Уилл поднял взгляд.

— Агент Роби?

Он увидел директора секретной службы. За его спиной маячил Синий.

— Да? — отозвался Роби.

— Президент хотел бы поблагодарить вас лично.

— Как он?

— Отлично. Из больницы его отпустили. Слава богу, пуля прошла навылет, ничего не задев. Больше крови, чем вреда. Поправится — не успеешь оглянуться.

— Это хорошо, — произнес Уилл. — Но благодарить меня нет нужды. Я просто делал свою работу. Можете сказать это от моего имени. — И снова уставился в пол.

— Роби, — вперед выступил Синий. — Это президент. Он в Овальном кабинете. И ждет вас.

Роби поднял на него глаза. Всегда опрятный, как с иголочки. И не важно, двенадцать дня или двенадцать ночи.

На лице Синего было выражение замешательства. Хоть он и знал, что Энни Ламберт жила в квартирном комплексе Роби, но об их отношениях не ведал. И Уилл был не в настроении его просвещать.

— Ладно, — произнес он. — Пошли.

Дорога до Овального кабинета заняла несколько минут, вынудив их выйти наружу и пройти мимо розария. Прежде чем Тедди Рузвельт создал Западное крыло, это место занимал ряд стеклянных оранжерей. Шагая, Роби припомнил, что в Рузвельта стреляли, когда тот вел президентскую кампанию. Спасла его лишь толщина конспекта речи, лежавшего сложенным в кармане. Пройдя через такую массу бумаги, пуля растеряла достаточно кинетической энергии, чтобы Рузвельт смог произнести свою речь, несмотря на сильное кровотечение из раны на груди. И согласился отправиться в больницу, лишь окончив выступление.

Таких президентов уже не делают, подумал Роби.

Так что Рузвельт выжил. Как и нынешний президент.

Он выжил благодаря толике сноровки со стороны Роби.

И громадному везению.

Точь-в-точь как сложенный конспект речи.

Президент сидел за письменным столом. Его левая рука недвижно покоилась в перевязи. При виде Роби он встал. Президент уже переоделся. Без смокинга, в белой вечерней рубашке и черных брюках. Он еще выглядел потрясенным, но его рукопожатие с Роби было твердым и решительным.

— Сегодня вечером вы спасли мне жизнь, агент Роби. Я хотел лично поблагодарить вас за это.

— Я рад, что с вами все благополучно, господин президент.

— Не могу поверить, что замешан член моей собственной администрации... Мисс Ламберт, полагаю? Мне сказали, что в ее биографии ни малейших предпосылок к подобному.

— Уверен, это было сюрпризом для всех, — глухо произнес Роби.

«Особенно для меня».

— Как вы настолько быстро распознали, что это она?

— Она приняла наркотик, чтобы успокоить нервы. Террористы-смертники частенько так поступают, прежде чем подорвать себя. Ее зрачки были расширены от воздействия наркотика.

— Она была в наркотическом опьянении, но при том могла точно стрелять?

— Есть вещества, снимающие напряжение, сэр, не притупляя чувства. И от этого на самом деле стреляешь еще лучше. Нервы сбивают прицел быстрее всего прочего. А сегодня вечером, полагаю, даже самый одаренный ассасин нервничал бы.

— Потому что знал бы, что отсюда не уйти? Что он обречен? — предположил президент.

— Да, сэр. И она была близко от вас, всего в нескольких футах. Точность для нее, конечно, была важна, но не так критична, как скорость.

«Фактически она была быстрее меня», — мысленно

отметил Роби. Ее пистолет появился, как молния. Прицел, выстрел и начало поворота к другой мишени, прежде чем он успел сделать хоть выстрел. Лишь благодаря его крику ближайший к президенту агент отреагировал достаточно проворно, чтобы вместо смертельного ранение стало пустяковым.

Будто прочитав мысли Роби, президент сказал:

— Говорят, если б я остался на том же месте, то был бы мертв. А если б не ваше предостережение, я не тронулся бы.

— Жаль, что я не смог остановить ее до выстрела.

— Я не раздумывая предпочту это, — президент с улыбкой приподнял раненую руку, — чем проститься с жизнью, агент Роби.

— Да, сэр.

Уиллу хотелось уйти сейчас же. Остаться одному. Сесть в машину и гнать куда глаза глядят, пока не кончится бензин.

— Мы удостоим вас надлежащих почестей в другой раз. Но, опять же, я хотел непременно выразить личную благодарность как можно быстрее.

— И опять же, в этом нет необходимости, сэр. Но я признателен.

— Первая леди также хотела бы поблагодарить вас.

Будто по подсказке, вошла жена президента — бледная, с еще читающимся во взгляде пережитым кошмаром. В отличие от мужа, переодеться она не потрудилась. Бросившись к Роби, взяла его ладони в свои.

— Спасибо вам, агент Роби. Мы оба перед вами в неоплатном долгу.

— Вы не должны мне ничего, мэм. Я желаю вам обоим всего наилучшего.

Минуту спустя Уилл стремительно шагал по коридору. Он буквально задыхался здесь, будто под водой. И уже добрался до вестибюля парадного входа, когда его наконец настиг Синий, продемонстрировав прыть, которой от него Роби не ожидал.

— Вы куда? — спросил он.

— Куда-нибудь прочь отсюда, — отрезал Уилл.

— Что ж, по крайней мере, всё позади, — выдохнул Синий.

— Вы считаете?

— А вы — нет?

— История еще не закончена, — заявил Роби. — Фактически в некоторых отношениях она только начинается.

— О чем это вы толкуете?

— Это будет в моем следующем рапорте.

— Кронпринц тоже хотел бы поблагодарить вас.

— Выразите ему мое сожаление.

— Но он дожидается исключительно разговора с вами...

— Не сомневаюсь. Скажите, пусть кинет мне электронное письмо.

— Роби!

Уилл переступил порог парадной двери Белого дома и продолжал шагать.

«История еще не закончена».

Глава 96

Стояло раннее утро.

Роби находился в другой квартире. Он смотрел через телескоп туда, где жила Энни Ламберт. Скоро там будет не протолкнуться от федеральных сотрудников. Они пройдутся по каждому дюйму ее жизни. Узнают, почему она пыталась убить президента. Откроют, почему действовала по указке фанатика из пустыни, сидящего на безграничной уйме нефтедолларов.

Роби думал о том, что Энни рассказывала о своем прошлом.

Она приемная. Единственный ребенок. Родители жили в Лондоне. Но были ли они англичанами? В чем состояло ее воспитание? В памяти снова всплыли слова палестинца: «Это лицо принадлежит нам. Десятилетия подготовки».

«Принадлежала ли ты им, Энни Ламберт?

Это тебя они готовили десятилетиями?

И теперь ты мертва. На металлическом столе в нескольких милях отсюда.

Мертва от моего выстрела тебе в голову.

И я спал с ней прямо через улицу. Выпивал с ней. Питал к ней симпатию. Сострадание. Может, даже мог полюбить».

Роби понимал, что Энни Ламберт жила в том же самом доме отнюдь не по совпадению.

«Это по-прежнему крутится вокруг меня. Она поселилась там из-за меня.

Принц Талал жаждет мести. Хотел свихнуть мне мозги, исковеркать мою жизнь, как ему вздумается. И захочет еще сильнее, потому что я расстроил его план».

Телефон зазвонил.

Роби поглядел на экран.

Мобильник Николь Вэнс.

Он нажал на кнопку ответа, заранее зная, что последует.

— Алло?

— Пакет будет доставлен к вашей двери через тридцать секунд.

— Ладно, — бесстрастным тоном отозвался Роби.

— Сделаете, что там сказано.

— Слышу.

— Выполните инструкции полностью.

— Угу.

Связь оборвалась.

Он убрал телефон.

Синий уже сказал ему, хотя Роби и сам догадался об этом раньше него.

До ВРУ Вэнс и Джули так и не добрались.

Их захватили. Это страховка Талала. Каждый гроссмейстер располагает таким планом.

Роби мысленно отсчитывал секунды. На тридцатой под дверь скользнул манильский конверт. Уилл не бросился к нему. Не попытался захватить гонца. Тот все равно ничего не сможет поведать.

Он медленно двинулся к двери, наклонился и поднял конверт.

Поддел зажим и достал бумаги.

Первые десять оказались глянцевыми фотографиями.

Он выпивает в компании Энни Ламберт.

Энни Ламберт целует его перед Белым домом.

И наконец, он занимается сексом с Энни Ламберт в ее постели. Роби праздно полюбопытствовал, где они разместили камеру для этого снимка.

Бросив снимки на кофейный столик, Уилл посмотрел другие листки.

Пролистал их. Не нашел ничего удивительного. Бóльшую часть он уже предвидел и так.

«Всё очень туго закручено вокруг меня.

Я нужен Талалу. Я нужен ему там, где все началось».

Предложение ясно как день.

Он в обмен на Джули и Вэнс.

Что ж, сделка справедливая. Если б только Талалу можно было доверять... Конечно же нельзя.

И все же Роби придется ее принять. Есть в ней одно преимущество: она исключает необходимость рыскать по всему миру в поисках Талала. Принц призывает его туда, где пребывает сам.

Двойника Роби уже прикончил. Вряд ли на подхвате есть другой. Как бы Талал ни жаждал оборвать жизнь Роби, тот хотел оборвать жизнь Талала еще больше.

Превратив Энни Ламберт в пагубное орудие, принц отнял у Роби нечто драгоценное, быть может, даже непорочное.

«Он отнял мою способность снова доверять себе по-настоящему».

Роби вынес фотографии на свет и разглядел их снова одну за одной. Энни Ламберт выглядела такой, какой могла бы быть при совершенно других обстоятельствах, – красивой женщиной, которую ждет лучезарное будущее. Чудесный человек, желающий творить добро.

Она не была прирожденным убийцей. Ее воспитали, чтобы она им стала. Вероятно, экстраординарным, потому что Уилл даже на миг не заподозрил ее – пока не увидел расширенные зрачки.

«Я тоже не рожден убийцей, – подумал Роби. – Но теперь я убийца».

Он достал «Зиппо» из выдвижного ящика, отнес снимки на кухню и сжег дотла в раковине. Пустил воду, дав дымку подняться к его лицу. И смотрел, как Энни Ламберт обращается во прах в недрах кухонной раковины. А затем смыл пепел в слив.

Энни Ламберт исчезла.

Словно и не существовала.

А той Энни Ламберт, которую, как ему казалось, он знал, и вовсе не было.

Покинув кухню, Роби начал собирать вещи.

Инструкции были исчерпывающими. И он намеревался их придерживаться. Хотя бы большинства. Но для некоторых ключевых элементов собирался создать собственные правила.

Заложившись на то, что Талал будет этого ждать.

Он одолел Роби в Марокко.

Роби взял над ним верх в Вашингтоне.

Следующие два дня решат, кто станет победителем в третьем, финальном раунде.

Глава 97

В Коста-дель-Соль было не так тепло, как в прошлый визит Роби. Ветер дул зябкий. Небо хмурое. И прогноз сулил дождь.

Поездка на скоростном пароме выдалась тряская, большое судно переваливалось с боку на бок и с носа на корму, пока не набрало полный ход. Но даже после этого тяжелые волны не перестали бить в двойной корпус катамарана.

Роби надел кожаную куртку, полукомбинезон и боевые ботинки, рассудив, что, коли идешь в бой, нужна соответствующая обувь. Оружия он не взял, как и всегда, уповая, что все нужное будет ждать его на месте. Сев у окна, он наблюдал, как чайки борются с взвихренным воздухом над бурной водой. Серое Средиземное море хлестало по корпусу парома, обдавая окна брызгами. В отличие от окружающих пассажиров, Роби не вздрагивал, когда такое случалось.

Он не реагирует на вещи, которые ему не вредят.

Из-за бурных вод сегодня переправа продолжалась дольше обычного. Когда они вошли в Танжер, небо уже начало темнеть. Спустившись с парома по сходням, Уилл присоединился к толпе, направляющейся к транспорту до города.

В отличие от прошлого раза, он сел в один из туристских автобусов вместе с группой других пассажиров. Когда автобус был полон на три четверти, двери с шипением закрылись, и водитель вывел его на дорогу прочь из порта. Роби бросил прощальный взгляд на паром, гадая, доведется ли дожить до обратной переправы через пролив.

Прямо сейчас он на это не поставил бы.

Поездка на автобусе заняла минут двадцать, и к моменту, когда тот остановился и двери снова с шипением открылись, начал сеяться дождь. Группу возглавил экскурсовод, а Роби зашагал в противоположном направлении. Его пункт назначения был запланирован загодя. Его должен кто-нибудь ждать.

Да, вот и встречающий.

Молод, но на чертах отпечаталась усталость куда более старшего человека. Одет в белый халат и тюрбан, а на шее сбоку неровный шрам. От ножа, определил Роби. У него тоже такой есть, но на предплечье. Ножевые раны никогда не заживают как надо. Зазубренные лезвия рвут кожу, кромсая плоть так скверно, что и самому искусному пластическому хирургу до конца не поправить.

— Роби? — спросил молодой человек.

Он кивнул.

— Ты приехал умереть, — тоном констатации произнес тот.

— Как доведется, — отрезал Уилл.

— Сюда.

Роби пошел в указанном направлении. Они вошли в переулок, где стоял фургон.

В фургоне сидели пятеро — все крупнее Роби, но такие же подтянутые и сильные, как он. Двое в халатах, трое без. Все вооружены.

Двое обыскали его всеми мыслимыми способами.

— Ты пришел без оружия, — недоверчиво сказал молодой.

— А какой смысл? — отозвался Роби.

— Я думал, ты падешь в бою, — изрек молодой.

Уилл не ответил.

Его впихнули в фургон и повезли прочь из города.

Дождь пошел сильнее. Дождь Роби не тревожил. Его тревожил ветер, но он стих. Капли рушились отвесно вниз, но быстро. Гроза перемещается быстро, отметил он.

Фургон всё ехал.

Минут тридцать спустя он остановился и прошел контрольный пункт.

Не тот же самый частный аэропорт. Такое было бы слишком просто.

Двери ангара открылись, и фургон въехал прямиком туда.

Тут стоял другой авиалайнер — поменьше, чем 767-й Талала. На взгляд Роби, «Аэробус А320». Мужику принадлежат два самолета, на которых коммерческие авиалинии перевозят сотни человек разом...

Уилла бесцеремонно вытолкнули из фургона. Чем дальше от любопытных глаз, тем грубее обращение. Сейчас он совершенно в их власти, так что пинок в зад, повергший его на бетон, был не такой уж неожиданностью.

Молодой сказал что-то на фарси человеку, пнувшему Роби.

— Да ничего, — поднимаясь, проговорил Уилл. — Просто скажи ему, что он бьет, как моя сестренка. И если хочет получить в жопу, пусть попробует снова, но когда я буду к нему лицом.

— Я не скажу этого Абдулле, — возразил молодой. — А то он тебя прикончит.

— Нет, не прикончит. Потому что, если лишит Талала забавы, он тоже покойник.

— Значит, ты считаешь это забавой?

— Может, для него. Отнюдь не для меня.

— Ты сорвал великий план.

— Я помешал маньяку погубить мир.

— Я могу опровергнуть тебя пункт за пунктом.

— Мне плевать, на что ты считаешь себя способным. Где спецагент Вэнс и Джули Гетти?

— Они могут быть мертвы.

— Могут. Но живы.

— Откуда такая уверенность?

— Опять же, фактор забавы. Я знаю, что как раз сейчас Талал нуждается в этом не на шутку.

— Да, нуждаюсь.

Обернувшись, Роби увидел принца Халида бен Талала, спускающегося по трапу своего самолета.

Глава 98

Талал предстал перед Роби. Автоматически включился верхний свет, потому что на улице стемнело. Уилл слышал, как дождь барабанит по металлической крыше ангара. Большие окна на верхнем ярусе боковых стен показывали тяжелые тучи, набрякшие влагой.

Талал остановился, не доходя до Роби футов десяти. Одет он был не в халат, а в стильный костюм-тройку, придававший его дородным телесам подобие изящества.

— Ты выглядишь стройнее, чем твой двойник, Талал, — заметил Роби. — Во всяком случае, не таким жирным.

— Обращайся ко мне «принц Талал» и на вы.

— Где Вэнс и Джули, *принц Талал*?

Тот кивнул, и обеих вывели из дальнего угла ангара. Лицо Вэнс было изукрашено черно-лиловыми синяками. Она шагала неловко, словно через боль. У Джули оба глаза заплыли, правую руку она держала под неестественным углом и чуть приволакивала левую ногу. При виде их состояния в Роби всколыхнулся гнев, но он понудил себя сохранять спокойствие. Оно еще понадобится ему для предстоящего.

Когда они доплелись поближе, Талал небрежно щелкнул пальцами, и сопровождавшие рывком остановили дам.

— Сожалею обо всем этом. — Роби поглядел сперва на Вэнс, затем на Джули.

Обе смотрели на него, ни слова не говоря.

Уилл повернулся к Талалу:

– Ну, хотя бы убитая была вашим человеком... Президент в безопасности.

– Пока что единственная погибшая. Но ведь ты ее знал, не так ли? – Талал ухмыльнулся. – И знал весьма близко, если фото не врут.

– Какие фото? – вскинулась Вэнс.

– Я понимаю, что для тебя это игра, Талал, – отозвался Роби. – Но для меня это не было игрой ни на миг.

– Я еще мог бы простить тебя за покушение на меня, – Талал погрозил Роби пальцем. – Мог бы, наверное, простить, что ты порушил мои планы убийства человека, ведущего мир к катастрофе. Но простить неуважение к себе я не могу. Меня зовут *принц* Талал.

Удар, обрушившийся сзади, сбил Роби с ног. Он медленно поднялся с ноющими ребрами. Поглядел на ударившего. Абдулла – самый рослый из всех, с самым свирепым выражением лица.

– Моему другу Абдулле твоя непочтительность тоже не по душе.

Тот отвесил легкий полупоклон в сторону Талала и плюнул в Роби.

– Ага, вижу. – Уилл поглядел на Вэнс и Джули. – Но теперь я в твоих руках, и их ты можешь отпустить.

– Ты же знал, что это невозможно, как только прибыл сюда, как только твои стопы коснулись земли в Танжере.

– Потому и приехал. И рассчитываю, что ты исполнишь наше соглашение. Я вместо них.

– Тогда ты идиот.

– Ты не держишь собственного слова? – Роби поглядел на остальных. – Так как же им доверять тебе, Талал? Ты говоришь им одно, а делаешь другое. Если уж вождь не держит своего слова, чего ж он стоит? Ничего. Ничегошеньки он не стоит.

Талал и бровью не повел. А его люди, похоже, даже не поняли слов Роби.

— Можешь попытаться растолковать им это на фарси, дари, пушту и старом добром арабском, но вряд ли их мнение обо мне изменится. Они делают то, что делают, потому что я плачу́ им куда больше, чем они могли бы заработать где угодно еще.

— Я намерен предложить тебе шанс сдаться, — провозгласил Роби. — Предлагаю лишь раз. После этого предложение будет отозвано, и повторять я его не буду.

— Ты хочешь, чтобы мы все сдались тебе? — осклабился Талал.

— Не только мне.

— Тогда кому? За тобой сюда никто не следовал. Это нам известно достоверно.

— Ты прав. За *мной* сюда никто не следовал.

Заморгав, Талал огляделся по сторонам.

— Детский лепет. От тебя я ожидал лучшего. Очевидно, тебя парализовало от страха.

— Уж поверь: чтобы напугать меня, нужно что-то побольше твоей жирной жопы. — И, не давая Талалу ответить, Роби присовокупил: — Я просто делаю предложение. А уж тебе решать, принять его или нет. Ты отказываешься?

— Пожалуй, я лучше погляжу, как вы все трое умрете сию же секунду.

— Будем считать, что это «нет», — подвел черту Роби.

— Абдулла, убей его! — приказал Талал.

Абдулла выхватил два пистолета. Все заняло лишь миг, но за этот миг он метнул один пистолет Роби, и тот с его помощью уложил троих ближайших головорезов, включая и молодого, встречавшего его в порту. К ножевой ране на шее присоединилось пулевое ранение, и жизнь его оборвалась.

Абдулла выстрелил дважды, убив еще двоих телохранителей.

Когда остальные достали свое оружие, Роби разрядил в них весь магазин, схватил Вэнс и Джули и потащил их за переднюю стойку шасси авиалайнера.

— Зажмите уши, — велел он им.

— Что? — не поняла Вэнс.

— Без разговоров, живо!.. Абдулла! — гаркнул он, и великан, бросившись на бок, скользнул за фургон.

Мгновение спустя правое окно ангара разлетелось тысячей осколков от массивных тридцатимиллиметровых снарядов скорострельной авиационной пушки. Потом винтовочные пули, влетевшие через этот проем, добили оставшихся телохранителей. Выстрелы следовали настолько быстро и с такой безукоризненной меткостью, что ни у кого не было даже шанса открыть ответный огонь. Они валились один за другим, пока на ногах не остался один Талал. Когда в двери лайнера показались еще двое, оба сразу же получили по пуле. Их тела рухнули на пол, глухо брякнувшись о бетон.

За окном зависла «вертушка» с замолкшей тридцатимиллиметровой скорострельной пушкой, подвешенной между передними шасси. Летательный аппарат-невидимка. А издаваемый им шелест маскировал дождь. То есть пока не заговорила скорострельная пушка. На земле почти нет звуков, способных заглушить рев тридцатимиллиметровки.

Шейн Коннорс снял самозарядную снайперскую винтовку с металлической опоры и поцеловал горячий ствол по давно заведенному ритуалу. Затем отдал Роби салют из «вертушки» и дал знак пилоту. Вертолет медленно направился прочь.

Выйдя из-за стойки шасси, Уилл приблизился к Талалу. Поднявшийся из-за фургона Абдулла присоединился к нему.

Талал ошарашенно воззрился на Абдуллу.

— Ты меня предал?!

— А как, по-твоему, мы добрались до тебя? — отозвался Роби. – Если ты можешь перекупать наших людей, мы можем перекупать твоих.

Он поднял пистолет. Талал уставился на него.

– Значит, теперь ты меня убьешь?

– Нет. Это не в моей власти. Извини.

– Ты извиняешься, что не убиваешь меня? – медленно вымолвил Талал.

Дверь ангара отъехала, и внутрь въехал золотой внедорожник. В нем сидели пятеро, все в халатах, все вооружены. Выйдя из машины, они подняли Талала и понесли к автомобилю. Заверещав, тот принялся вырываться, но мышц у него было маловато, так что он скоро смирился.

– Ты возвращаешься в Саудовскую Аравию, Талал, – поведал Уилл. – Американцы официально передали тебя твоим соотечественникам. По-моему, ты предпочел бы пулю...

Внедорожник отъехал, и Роби поманил Вэнс и Джули.

– Снаружи ждет «вертушка», которая отвезет нас домой, – негромко произнес он. – И медперсонал на борту.

Вэнс и Джули выбрались из-за стойки шасси.

Николь обняла его со словами:

– Не знаю, как ты умудрился все это провернуть, Роби, но чертовски рада, что провернул.

– Что с ним сделают? – Джули поглядела вслед отъехавшему автомобилю.

– Тебе незачем терять ни секунды собственной жизни, думая об этом.

– Зачем он убил моих маму и папу?

– Обещаю, как только мы убедимся, что ты и агент Вэнс в порядке, и нас будет отделять отсюда хотя бы пара миль, и у вас в желудках будет какая-нибудь еда, я отвечу на все твои вопросы, лады?

– Лады, Уилл, – проронила Джули.

Роби обнял Вэнс одной рукой, чтобы поддержать, а вторую протянул Джули, и она приняла ее. Все трое направились к дожидающемуся вертолету, севшему перед ангаром. Не пройдет и часа, как они уже будут лететь домой.

А что будет потом, Роби не ведал. Он больше не утруждался заглядывать настолько далеко в будущее.

Глава 99

Синий и Шейн Коннорс сидели за столиком в конференц-зале, когда вошел Роби. Встретившись взглядом с Коннорсом, обменялся с ним короткими кивками, а затем сел рядом с ним.

— Я только что поздравил агента Коннорса с хорошо сделанной работой, — сообщил Синий.

— Вытащили меня из-за письменного стола, — откликнулся тот. — Это награда уже само по себе.

— Что нам поведал ван Бюрен? — поглядел Синий на Роби.

— Практически всё.

— Почему он обратился против собственной страны?

— В основном из-за денег и нравственных соображений.

— Про деньги я уяснил. Объясните про нравственные соображения.

— Ну, деньги не совсем те, что вы подумали. Они должны были пойти на оплату медицинских счетов, и сверх того осталось бы довольно, чтобы ван Бюрен ушел в отставку. Хоть у них и была правительственная страховка, она не покрывала некоторые экспериментальные виды лечения, которыми они пытались спасти Элизабет ван Бюрен. Без этих денег им пришлось бы объявить себя банкротами. А без них они не получили бы лечения. К сожалению, оно не помогло.

— А нравственные соображения?

— В раке жены Джордж ван Бюрен винил правительство США. Сказал, что к ее болезни и смерти привело воздействие токсинов на поле боя. Хотел отомстить. А президент и один из лидеров Саудовской Аравии были идеальными мишенями для его гнева.

— Должно быть, говорил с Габриелем Зигелем, — заметил Роби. — Тот считает точно так же.

— Это не искупает измены, — прокомментировал Коннорс.

— Нет, не искупает, — согласился Синий.

— А дочь ван Бюрена?

— Отец говорит, не знала ровным счетом ничего. И мы ему верим. Ей ничего не будет.

— Но теперь она лишилась обоих родителей, — указал Роби.

— Да, лишилась.

— Почему ван Бюрена вывели из строя?

— Так было задумано изначально, чтобы полностью очистить его от обвинений. Разумеется, то, что вы раскрыли их план, сделало это невозможным, но они-то этого не знали. Так что Ламберт стукнула его по голове и забрала пистолет. Ван Бюрен собирался еще какое-то время поработать, а потом подать в отставку и перебраться жить в другое место.

— А все предшествующие убийства? — вступил Роби. — Джордж ван Бюрен напортачил. Сказал жене, что задумал. Может, думал, что она не слушает или ничего не соображает. Может, просто хотел сбросить бремя с души. Но она слышала его и, будучи настоящей патриоткой, разгневалась. Когда к ней наведался Брум, Уинд или Гетти, она им все рассказала. Ван Бюрен узнал об этом, и пришлось предпринять действия. Тактика выжженной земли. Убил всех.

— Вы весьма точно ухватили суть происшедшего, — подтвердил Синий. — На самом деле ее проведывал Лео

Брум. Потом он потребовал от ван Бюрена объяснений по поводу того, что сказала его жена. Тот пытался отвертеться, списав все на галлюцинации жены. Но люди Талала взяли Брума под наблюдение. Лео рассказал об этом и Рику Уинду, и обоим Гетти, чем подписал для всех смертный приговор. Вас они подвизали убить Джейн Уинд, поскольку боялись, что бывший мог что-нибудь ей сказать. А заодно это послужило катализатором, чтобы привести вас в движение по курсу, намеченному Талалом.

— А в горло его жене сунули трубку, чтобы больше не болтала, — отметил Роби.

— Вообще-то ее хотели убить, но ван Бюрен сказал, что, если это сделают, он не станет доводить дело до конца. А когда план был запущен и все закрутилось, он отключил вентиляцию и она умерла естественным путем.

— А что с Габриелем Зигелем? — осведомился Роби.

— Хотели, чтобы мы заподозрили его в причастности. Ему позвонили на работу, сказали, что убьют жену, если он с ними не встретится. Сомневаюсь, что мы когда-либо найдем его останки. Им незачем было сохранять ему жизнь.

— А нападение на «Доннеллиз»?

— Саудиты допросили Талала. Он хотел, чтобы вы страдали. Хотел, чтобы винили в случившемся себя. Он не сомневался, что вы догадаетесь, что реальной мишенью во всем этом были вы. Воспользовались машиной секретной службы, которую раздобыл им ван Бюрен. Глупость со стороны Талала, потому что это естественным образом направило подозрения по данному адресу. Но, полагаю, он считал себя умнее всех.

— А деньги Брума?

— Мы провели кое-какие раскопки. Очевидно, дело в похищенных кувейтских древностях. Были замешаны он и Рик Уинд. Брум инвестировал удачно. Уинд —

нет. – Синий помолчал, разглядывая Роби. – Но хотя настоящими мишенями были президент и кронпринц, в центре событий находились вы, Роби.

– Я не убил Талала, и он решил узнать, кто я такой, а затем разобраться со мной. Когда Элизабет ван Бюрен проговорилась, Талал углядел способ впутать меня во все это. Мой контролер приказывает ликвидировать Джейн Уинд, и вот я уже смазал пятки и качусь от одного подстроенного события к другому.

– Для них вариант был беспроигрышный, – вставил Коннорс. – Они рассудили, что если б ты убил Уинд и ее сына, а после узнал, что она была невиновна, то рехнулся бы. А на случай, если не станешь трогать мать с сыном, они предусмотрели запасного стрелка. Вызнали твой план отхода на автобусе. И позаботились, чтобы Джули тоже на нем была.

– И, вероятно, рассудили, – подхватил Роби, – что спущу я курок или нет, но, скорее всего, сяду в автобус вместе с Джули, как только догадаюсь, кем была Джейн Уинд на самом деле.

– Но когда они узнали, что Джули в голову пришла идея опросить остальных членов отделения, игра вдруг стала слишком рискованной, – добавил Синий. – Это могло привести к ван Бюрену. Они убили бы Джули, а заодно и вас, если б потребовалось. Ставить под удар попытку покушения было никак нельзя.

– Пожалуй, все складывается, – раздумчиво проговорил Роби.

– А Энни Ламберт внедрили еще раньше, – продолжал Синий. – После того как Талал избежал покушения в Танжере и узнал, что снайпером были вы, он велел ей переехать в ваш дом. Это было еще до того, как члены прежнего отделения Элизабет ван Бюрен проведали, что затевает ее муж. Очевидно, у Талала имелись определенные планы для вас двоих, – тихонько присовокупил он.

Роби посмотрел на свои руки. Он не позволял себе хоть на миг задуматься о Ламберт с той самой ночи, когда убил ее.

— Она была лучше меня, — наконец проронил он. — Быстрее, уравновешеннее. Ни разу не видел настолько спокойного человека в подобной ситуации.

— Но она была под наркотиком, — указал Синий. — Вы когда-нибудь глушили себя наркотиками при выполнении задания?

— Нет, но я ни разу не шел на задание, будучи стопроцентно уверенным, что умру в любом случае, — возразил Роби.

Снова последовало неловкое молчание, пока наконец Коннорс не поинтересовался:

— Как могла молодая женщина из Коннектикута, получившая образование в Лиге плюща, стать изменницей, идущей на смерть?

— Мы провели изрядные раскопки по этому вопросу, — сообщил Синий, — а саудитам удалось вытащить кое-какие сведения из Талала. Ее приемные родители были англичанами. Эмигрировали в Иран, когда шах был еще у власти. Очевидно, они пострадали от зверств его режима и даже потеряли при этом членов семьи. Взывали о помощи к родному правительству и к нашему правительству, но, очевидно, получили отказ. Что касается нас, тогда шах был выше подозрений. Как вам известно, мы помогали ему удерживаться у власти. После революции в конце семидесятых шаха свергли, и мы утратили какое бы то ни было влияние на эту страну. По-видимому, Ламберты ненавидели Запад, и, очевидно, Америку в частности. Эмигрировали в Англию, удочерили Энни, переехали в Америку и воспитали ее как родную дочь.

— Но промывали ей мозги, программируя все это время? — удивился Коннорс. — Для чего-то подобного?

— Очевидно, всю ее жизнь. Разумеется, никакой гарантии, что она получит пост в Белом доме, не было. Но организовать покушение на президента можно и в других местах. Ее родители были богаты и политически активны. Она являлась блестящей студенткой и явно блестящей актрисой. Ни один из допрошенных даже смутно не предполагал, что Ламберт тикает, как часовая бомба. Ни единый. Она вела безупречную жизнь. Была способна поддерживать социальные отношения, превосходно исполняла свои должностные обязанности. Не было ни одного изъяна, ни малейшего тревожного сигнала. Словно в одном теле уживались два разных человека.

«Так и было, – подумал Роби. – Иначе и быть не могло».

Помолчав, Синий поглядел на Уилла.

– Ламберт обвела вокруг пальца лучших из наших людей, – повел он дальше. – Она была самой выдающейся «глубокой закладкой» на моей памяти. Вроде маньчжурского кандидата[1] в реальной жизни, только лучше.

– А где ее родители теперь? – поинтересовался Роби.

– Талал не знает. Наверное, вернулись в Иран. Если так, для нас они неприкасаемы.

– Для нас нет неприкасаемых мест, – резко бросил Роби. – А еще есть русский и палестинец, о которых тоже надо позаботиться. Именно они предоставили эту возможность Талалу.

– Знаю. Мы работаем над этим.

Все трое погрузились в молчание. Уилл размышлял, Синий выглядел столь же задумчивым, а на лице Коннорса было написано лишь любопытство.

---

[1] Аллюзия на одноименный фильм 1962 г. режиссера Джона Франкенхаймера, в котором во время Корейской войны советские десантники похищают нескольких американских солдат, чтобы промыть им мозги и превратить в «часовые бомбы».

— Есть много способов причинить людям вред, Роби, — сказал наконец Синий. — Я знаю, что вам это известно.

— Ага, — отрывисто откликнулся тот.

— Ее натаскивали на это всю ее жизнь. И все мы в ужасе, потому что она не вписывается ни в один из имеющихся у нас профилей. Что, если есть и другие энни ламберт?

— Мы должны найти их и остановить, — заявил Коннорс.

— Она была марионеткой, родители отняли у нее жизнь, — Роби хлопнул ладонью о стол. — Она мертва, а они продолжают жить как ни в чем не бывало. Поведайте, что не так в этой картине?

— Она была хладнокровным убийцей, — заметил Синий.

— Чушь собачья! Она была тем, кем ее сделали! У нее не было ни шанса.

— Вы не самый подходящий человек, чтобы судить об этом.

— Тогда кто же подходящий? Какой-нибудь аналитик, ни разу ее в глаза не видевший? У вас есть алгоритм на этот счет?

Несколько секунд Синий не отзывался ни словом.

— Если вам от этого легче, Халида бен Талала больше нет среди живущих.

Роби не сказал ничего, потому это не имело для него ни малейшего значения.

— Есть еще вопрос о Джули, — произнес Синий.

— Его я закрыл, — отрубил Роби. И встал.

— Как?

— Просто закрыл. — Он поглядел на Коннорса. — Я перед тобой в долгу, Шейн. В куда большем, чем у меня когда-либо накопится в банке.

— Мы квиты. Я же сказал, ты вытащил меня из-за стола.

Роби перевел взгляд на Синего.

— Я знаю человек пять, способных стрелять так же, как Шейн стрелял в ту ночь. И двое из них в этой комнате. Вам стоит иметь это в виду.

— Правила есть правила, — отозвался Синий.

— Нет. Правила, как мы видели, существуют, чтобы их нарушать.

Он повернулся к двери, чтобы выйти.

— Роби!

Обернувшись, Уилл поглядел на Синего, державшего манильскую папку.

— Это нам доставил курьер. Полагаю, вы тоже получили комплект. По-моему, вам следует взять это и сделать с этим, что захочется. Нам это без пользы и до лампочки.

Взяв пакет, Роби открыл его и взглянул на лежавшие внутри фотографии. Первая показывала его с Ламберт в баре на крыше.

На следующей она целовала его перед Белым домом. Остальные он смотреть не стал. Снова закрыл пакет.

— Спасибо.

И вышел за дверь.

Глава 100

Роби был за рулем.

На сей раз переднее сиденье заняла Джули.

Вэнс ехала на заднем.

Они почти оправились от ран, хотя девочка еще прихрамывала, а лицо Николь оставалось опухшим.

— Куда мы едем? — поинтересовалась Джули.

— Туда, где ты уже бывала, — ответил Роби.

Он объяснил ей о гибели родителей, как смог. Смотрел, как она плачет, подавал ей салфетки. Тихонько толковал с ней по мере того, как ее ярость нарастала, достигла пика, а потом излилась новыми слезами.

Четырнадцатилетняя девочка, закаленная улицей, наконец полностью раскрылась перед лицом ошеломительной муки и горя. Но хотя бы пришла к какому-то согласию с собой.

Роби припарковал машину, и все трое пошли в бар.

Джером Кэссиди уже ждал их.

Он выбрился так тщательно, что лицо разрумянилось, и был одет в новый костюм и блестящие черные туфли. Коротко подстриженные волосы были опрятно уложены. Судя по дуновению аромата, пахнувшего на Роби, он даже воспользовался лаком для волос, чтобы уложить непослушные пряди.

— Что мы тут делаем, Уилл? — удивилась Джули, когда Джером вышел их поприветствовать.

Роби с Кэссиди проработали легенду заранее.

— Он привез тебя сюда, чтобы я мог сказать тебе правду, — произнес хозяин бара.

— Правду? Какую правду? — Джули пришла в полное недоумение.

— Я не просто дружил с твоими родителям. — Он замешкался, ловя взгляд Роби, и тот чуть заметно кивнул. — Я сводный брат твоей мамы. То есть вроде как твой дядя. Ну, строго говоря, я и *есть* твой дядя.

— Мы родственники? — переспросила Джули.

— Да, родственники. И, судя по всему, из твоей родни в живых остался только я. Ну, я понимаю, что ты меня в упор не знаешь, но у меня есть предложение.

— Типа чего? — скрестив руки на груди, Джули воззрилась на него с подозрением.

— Типа мы посвятим какое-то время знакомству друг с другом. Видишь ли, я пытался разыскать вас всех, потому что твой папа и моя сестра помогли мне выкарабкаться, когда я был на дне. Я сильно им задолжал. Но так и не получил шанса уплатить этот долг.

— Я вижу, куда вы клоните, — изрекла Джули. — Мне вы ничего не должны.

— Нет, Джули, это настоящий долг. Они одолжили мне денег. Я подписал расписку. Эта переводная расписка; она могла быть переведена в акции компании, которую я основал за счет займа. Этой компании сейчас принадлежат все мои предприятия, включая и этот бар. Если долг не будет погашен к определенной дате, сумма ссуда плюс набежавшие проценты переходит в акции. Долг так и не был погашен, и потому выданы акции. Тебе принадлежит сорок процентов моего бизнеса, Джули. У меня есть документы, подтверждающие это, если хочешь посмотреть. Надо было сказать тебе это при первой же встрече, но встреча с тобой так потрясла меня, что как-то вылетело из головы. Однако я человек слова. И то, что сделали для меня твои родители, переменило мою жизнь. Они заслужили право разделить со мной вознаграждение. Что ж, поскольку они этого не могут, это должна сделать ты. Потому что все их имущество теперь принадлежит тебе. Я уже сказал, что я — человек слова, и уж так все обстоит.

Оборвав тираду, он смущенно, с тревогой поглядел на нее.

Подозрения Джули развеялись. Она глянула на Роби:

— Это правда? Всё по чесноку?

— Мы проверили его рассказ. Всё правда. Ты сможешь пойти в любой колледж, какой захочешь. Сможешь делать, что захочешь.

Девочка снова посмотрела на Кэссиди:

— И что же это значит для вас и для меня?

— Ну, это значит, что ты можешь жить у меня. Я могу даже официально тебя удочерить. Или, если предпочтешь, теперь у тебя есть финансовая возможность назначить опекуна до достижения восемнадцатилетнего возраста и жить самой по себе. Решать только тебе.

— Жить у вас?

— Ну, это можно уладить. Я довольно занятой человек, но у меня есть экономка, служащая у меня уже давно. Ее дочь – твоя ровесница. Думаю, все утрясется. Но опять же, решать тебе.

– Мне надо подумать, – произнесла Джули.

– Несомненно. Думай, сколько захочется, – поспешно заявил Кэссиди.

– Почему бы вам не попробовать начать знакомиться прямо сейчас? – предложил Роби. – Не думаю, что мистер Кэссиди вырядился так просто для того, чтобы потолковать с тобой пару минут. Годится, Джули? Я могу заехать за тобой попозже.

– Пожалуй, годится.

– Приятно вам провести время, – Уилл с улыбкой поглядел на Кэссиди.

– Спасибо вам, агент Роби. От всего сердца.

Они с Вэнс повернулись и вышли. Но не успели даже дойти до машины, когда Джули нагнала их.

– Лады, – начала она, – эта байка – полная хрень. Что происходит на самом деле?

– Я сказал тебе правду, – ответил Роби. – Ты *действительно* его родня. Он искренне любил твоих родителей. Он будет искренне любить тебя. Он богат. Жизнь наладится.

Лицо девочки осветилось улыбкой.

– Заберите меня через два часа.

– Хорошо.

Она достала что-то, оказавшееся металлическим баллончиком.

– Это паралитический аэрозоль, что вы мне дали. Просто на случай, если он окажется гадом.

И зашагала обратно к бару.

– Жаль мне того, кто ее доведет, – заметила Вэнс.

– А мне – нет. Они заслуживают того, что получат.

Когда они уже садились в машину, Николь пристально поглядела на него.

– Ты когда-нибудь расскажешь мне настоящую историю Кэссиди?

— Нет.

— Ладно.

Тронув машину, Роби отъехал от бордюра.

— У тебя все хорошо? — Вэнс коснулась его плеча.

— Все отлично.

— Не хочется ворошить это, но что бен Талал имел в виду, когда сказал...

Сбросив скорость, Роби поглядел на нее.

— А, не важно, — она отвела взгляд. — Итак, у нас есть два часа. Не хочешь пока перекусить?

— Ага, хочу.

* * *

Они ели, болтая о том, что могли бы сделать вместе, но Роби слушал лишь вполуха. Наконец они распрощались.

Уже выходя из машины, Вэнс сказала:

— Если ты и дальше будешь спасать мне жизнь, у меня выработается настоящий комплекс неполноценности.

— Ты не можешь быть неполноценной, Никки. На мой взгляд, ты — высший класс.

— Не могу до конца понять тебя, Роби, но хочу тебя понять. В этом есть какой-то смысл?

Он поглядел на нее, и на губах его наметилась улыбка.

— По-моему, у тебя будет возможность.

— Ловлю тебя на слове.

* * *

Заехав за Джули в назначенное время, Роби подвез ее до квартиры, которую федералы временно устроили для нее. Она шла в комплекте с экономкой, не расстающейся с пистолетом и способной пересчитать кости большинству незваных гостей.

Прежде чем выйти из машины, Джули обернулась к Роби:

— Это типа прощай навсегда?

— А ты этого хочешь?

— А *вы* этого хотите?

— Нет, вообще-то нет.

— Но не уверены.

— Я не хочу, чтобы тебе еще хоть раз пришлось страдать из-за меня.

— Жизнь есть жизнь, Уилл. И надо принимать ее такой, как есть.

— Я всегда так и считал.

— А откуда, по-вашему, я это подцепила? — Она шаловливо ткнула его кулачком в руку. — Спасибо. Я серьезно. За всё.

— По-моему, я задолжал тебе больше, чем ты мне.

— Может, тогда поделим поровну?

Подавшись вперед, Джули обняла его. Роби поначалу был сдержан, но в конце концов обнял ее в ответ.

Выбравшись из машины, она медленно поплелась к квартире. Потом обернулась, помахала ему, и тут, несмотря на до сих пор хромую ногу, одолела последние несколько шагов вприпрыжку.

«Как ребенок».

Улыбнувшись, Роби провожал ее взглядом, пока она не скрылась из виду окончательно.

Ее раны исцелятся без следа. Во всяком случае, физические. Да и эмоциональные могут исцелиться, учитывая ее возраст.

Сказать того же о себе Роби не мог.

Образ Энни Ламберт ворвался в его сознание, как выстреленный из гранатомета. Каждый миг, проведенный с ней вместе. Все, что они говорили друг другу. Каждая возможность, приходившая ему в голову, о том, что могло бы быть между ними.

И она была убийцей.

Как и он был убийцей.

Он — по собственному выбору.

У нее же никакого выбора и не было.

Так кто же более виноват?.. Как сказала Джули, надо принимать жизнь такой, какой она есть. Она не знает снисхождения, не щадит ничьих чувств. Не ограничивает боли. Но и не кладет предела счастью.

Таков его мир.

Он – тот, кто есть.

И не может этого изменить.

Он не безгрешен.

И люди, за которыми он охотится, уж наверняка не безгрешны.

Может, лучшее, что может сделать Роби, – это защищать тех, кто невиновен по-настоящему...

Оглавление

Литературно-художественное издание

ДЭВИД БОЛДАЧЧИ. ГИГАНТ МИРОВОГО ДЕТЕКТИВА

Дэвид Болдаччи

НЕВИННАЯ

Ответственный редактор *В. Хорос*
Редактор *В. Лебедев*
Художественный редактор *А. Сауков*
Технический редактор *Н. Духанина*
Компьютерная верстка *О. Шувалова*
Корректор *И. Марчевская*

ООО «Издательство «Эксмо»
123308, Москва, ул. Зорге, д. 1. Тел.: 8 (495) 411-68-86.
Home page: www.eksmo.ru E-mail: info@eksmo.ru
Өндіруші: «ЭКСМО» АҚБ Баспасы, 123308, Мәскеу, Ресей, Зорге көшесі, 1 үй.
Тел.: 8 (495) 411-68-86.
Home page: www.eksmo.ru E-mail: info@eksmo.ru.
Тауар белгісі: «Эксмо»
Интернет-магазин : www.book24.ru

Интернет-магазин : www.book24.kz
Интернет-дүкен : www.book24.kz
Импортёр в Республику Казахстан ТОО «РДЦ-Алматы».
Қазақстан Республикасындағы импорттаушы «РДЦ-Алматы» ЖШС.
Дистрибьютор и представитель по приему претензий на продукцию,
в Республике Казахстан: ТОО «РДЦ-Алматы»
Қазақстан Республикасында дистрибьютор және өнім бойынша арыз-талаптарды
қабылдаушының өкілі «РДЦ-Алматы» ЖШС,
Алматы қ., Домбровский көш., 3«а», литер Б, офис 1.
Тел.: 8 (727) 251-59-90/91/92; E-mail: RDC-Almaty@eksmo.kz
Өнімнің жарамдылық мерзімі шектелмеген.
Сертификация туралы ақпарат сайтта: www.eksmo.ru/certification

Сведения о подтверждении соответствия издания согласно законодательству РФ
о техническом регулировании можно получить на сайте Издательства «Эксмо»
www.eksmo.ru/certification
Өндірген мемлекет: Ресей. Сертификация қарастырылмаған

Подписано в печать 24.06.2019. Формат 84x108 $^{1}/_{32}$.
Гарнитура «Петербург». Печать офсетная. Усл. печ. л. 23,52.
Тираж 4000 экз. Заказ 6372.

Отпечатано с готовых файлов заказчика
в АО «Первая Образцовая типография»,
филиал «УЛЬЯНОВСКИЙ ДОМ ПЕЧАТИ»
432980, Россия, г. Ульяновск, ул. Гончарова, 14

16+

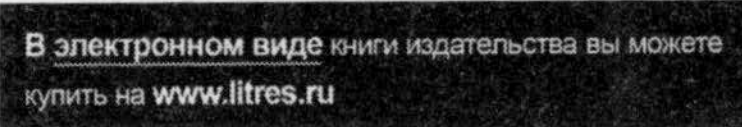

Москва. ООО «Торговый Дом «Эксмо»
Адрес: 123308, г. Москва, ул. Зорге, д.1.
Телефон: +7 (495) 411-50-74. **E-mail:** reception@eksmo-sale.ru

По вопросам приобретения книг «Эксмо» зарубежными оптовыми покупателями обращаться в отдел зарубежных продаж ТД «Эксмо»
E-mail: **international@eksmo-sale.ru**

International Sales: International wholesale customers should contact Foreign Sales Department of Trading House «Eksmo» for their orders.
international@eksmo-sale.ru

По вопросам заказа книг корпоративным клиентам, в том числе в специальном оформлении, обращаться по тел.: +7 (495) 411-68-59, доб. 2261.
E-mail: **ivanova.ey@eksmo.ru**

Оптовая торговля бумажно-беловыми и канцелярскими товарами для школы и офиса «Канц-Эксмо»:
Компания «Канц-Эксмо»: 142702, Московская обл., Ленинский р-н, г. Видное-2, Белокаменное ш., д. 1, а/я 5. Тел./факс: +7 (495) 745-28-87 (многоканальный).
e-mail: **kanc@eksmo-sale.ru**, сайт: www.**kanc-eksmo.ru**

Филиал «Торгового Дома «Эксмо» в Нижнем Новгороде
Адрес: 603094, г. Нижний Новгород, улица Карпинского, д. 29, бизнес-парк «Грин Плаза»
Телефон: +7 (831) 216-15-91 (92, 93, 94). **E-mail**: reception@eksmonn.ru

Филиал ООО «Издательство «Эксмо» в г. Санкт-Петербурге
Адрес: 192029, г. Санкт-Петербург, пр. Обуховской обороны, д. 84, лит. «Е»
Телефон: +7 (812) 365-46-03 / 04. **E-mail**: server@szko.ru

Филиал ООО «Издательство «Эксмо» в г. Екатеринбурге
Адрес: 620024, г. Екатеринбург, ул. Новинская, д. 2щ
Телефон: +7 (343) 272-72-01 (02/03/04/05/06/08)

Филиал ООО «Издательство «Эксмо» в г. Самаре
Адрес: 443052, г. Самара, пр-т Кирова, д. 75/1, лит. «Е»
Телефон: +7 (846) 207-55-50. **E-mail**: RDC-samara@mail.ru

Филиал ООО «Издательство «Эксмо» в г. Ростове-на-Дону
Адрес: 344023, г. Ростов-на-Дону, ул. Страны Советов, 44А
Телефон: +7(863) 303-62-10. **E-mail**: info@rnd.eksmo.ru

Филиал ООО «Издательство «Эксмо» в г. Новосибирске
Адрес: 630015, г. Новосибирск, Комбинатский пер., д. 3
Телефон: +7(383) 289-91-42. E-mail: eksmo-nsk@yandex.ru

Обособленное подразделение в г. Хабаровске
Фактический адрес: 680000, г. Хабаровск, ул. Фрунзе, 22, оф. 703
Почтовый адрес: 680020, г. Хабаровск, А/Я 1006
Телефон: (4212) 910-120, 910-211. **E-mail**: eksmo-khv@mail.ru

Филиал ООО «Издательство «Эксмо» в г. Тюмени
Центр оптово-розничных продаж Cash&Carry в г. Тюмени
Адрес: 625022, г. Тюмень, ул. Пермякова, 1а, 2 этаж. ТЦ «Перестрой-ка»
Ежедневно с 9.00 до 20.00. Телефон: 8 (3452) 21-53-96

Республика Беларусь: ООО «ЭКСМО АСТ Си энд Си»
Центр оптово-розничных продаж Cash&Carry в г. Минске
Адрес: 220014, Республика Беларусь, г. Минск, проспект Жукова, 44, пом. 1-17, ТЦ «Outleto»
Телефон: +375 17 251-40-23; +375 44 581-81-92
Режим работы: с 10.00 до 22.00. **E-mail:** exmoast@yandex.by

Казахстан: «РДЦ Алматы»
Адрес: 050039, г. Алматы, ул. Домбровского, 3А
Телефон: +7 (727) 251-58-12, 251-59-90 (91,92,99). E-mail: RDC-Almaty@eksmo.kz

ISBN 978-5-04-103591-4

9 785041 035914 >

ЧИТАЙТЕ ТАКЖЕ ДРУГИЕ КНИГИ ДЭВИДА БОЛДАЧЧИ:

СЕРИЯ

АМОС ДЕКЕР

АБСОЛЮТНАЯ ПАМЯТЬ

ПОСЛЕДНЯЯ МИЛЯ

ФИКС

ПАДШИЕ

СЕРИЯ

УИЛЛ РОБИ

НЕВИННАЯ

ОТДЕЛЬНЫЕ РОМАНЫ

АБСОЛЮТНАЯ ВЛАСТЬ

ПОБЕДИТЕЛЬ

ЧИСТАЯ ПРАВДА

СИНЯЯ КРОВЬ

ДЭВИД
БОЛДАЧЧИ
гигант мирового детектива